#시험대비
#핵심정복

7일 끝
중간고사
기말고사

Chunjae
Makes
Chunjae

[7일 끝] 고등 화법과 작문

개발총괄 김덕유
편집개발 박지인, 임명준
조판 대진문화(구민범, 권재원)
제작 황성진, 조규영

발행일 2021년 5월 30일 초판 2021년 5월 30일 1쇄
발행인 (주)천재교육
주소 서울시 금천구 가산로9길 54
신고번호 제2001-000018호
고객센터 1577-0902
교재 내용문의 (02)3282-1755

※ 정답 분실 시에는 천재교육 홈페이지에서 내려받으세요.

7일 끝으로 끝내자!

7

고등 화법과 작문

BOOK 1

중 간 고 사 대 비

이 책의 구성과 활용

일차별 시험 공부

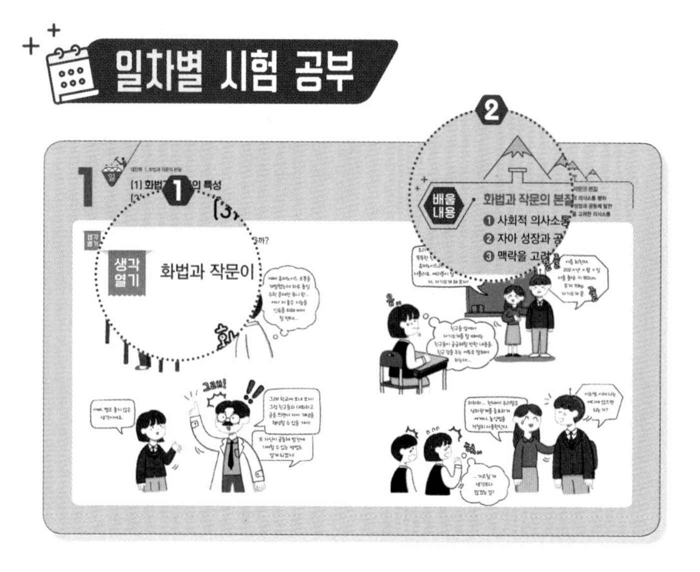

생각 열기

본격적인 공부에 앞서 만화를 살펴보며 학습할 내용을 가볍게 짚고 넘어갈 수 있습니다.

❶ 생각 열기 | 질문과 만화를 살펴보며 학습할 내용 떠올리기
❷ 배울 내용 | 단원에서 배울 중요한 학습 요소 확인하기

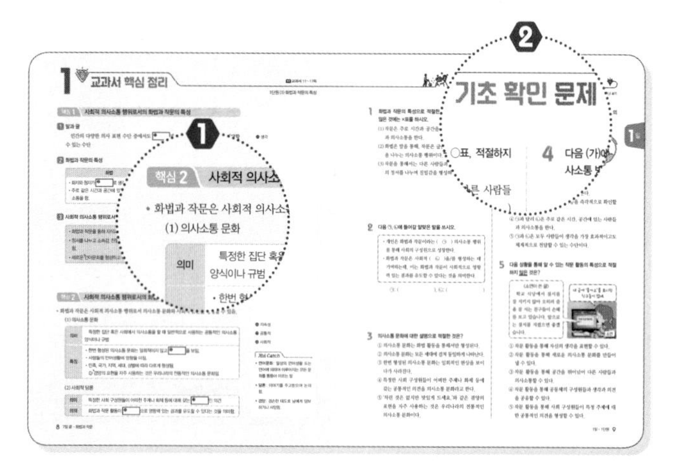

교과서 핵심 정리 + 기초 확인 문제

시험 전 꼭 알아야 할 교과서 핵심 내용을 살펴보고, 기초 확인 문제를 풀면서 내용을 제대로 이해했는지 확인할 수 있습니다.

❶ 빈칸을 채우며 핵심 내용 체크하기
❷ 기초 확인 문제를 풀며 핵심 내용을 이해했는지 확인하기

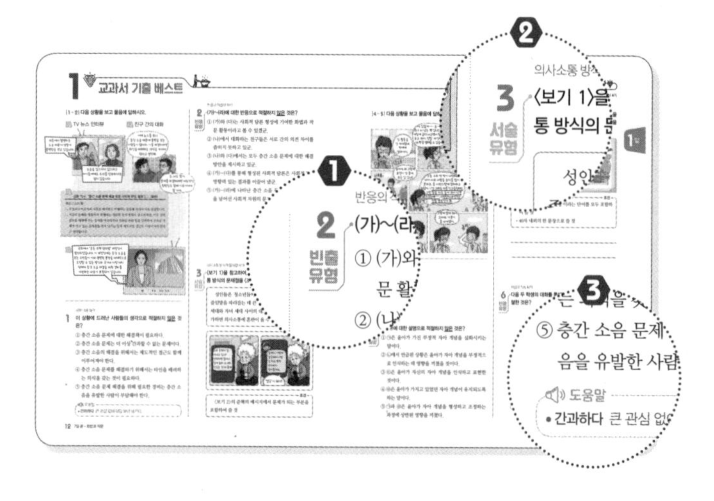

교과서 기출 베스트

기출문제를 분석하여 엄선한 빈출 유형의 문제를 집중적으로 풀며 기본 실력을 탄탄하게 다질 수 있습니다.

❶ 빈출 유형을 통해 출제 빈도가 높은 문제 유형 익히기
❷ 다양한 유형의 주관식 문제 익히기
❸ 도움말을 보며 문제 해결의 힌트 확인하기

시험 공부 마무리 테스트

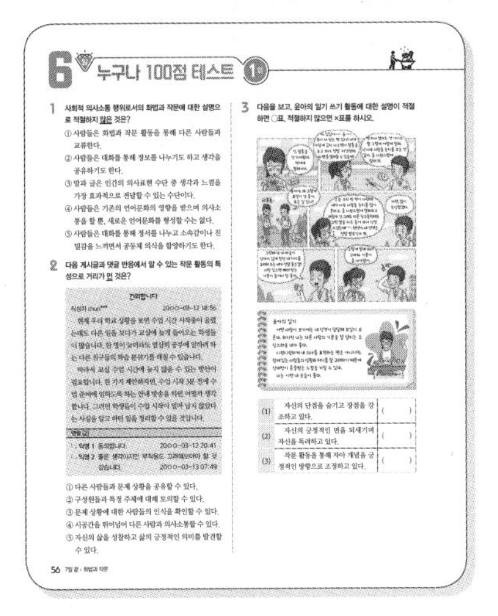

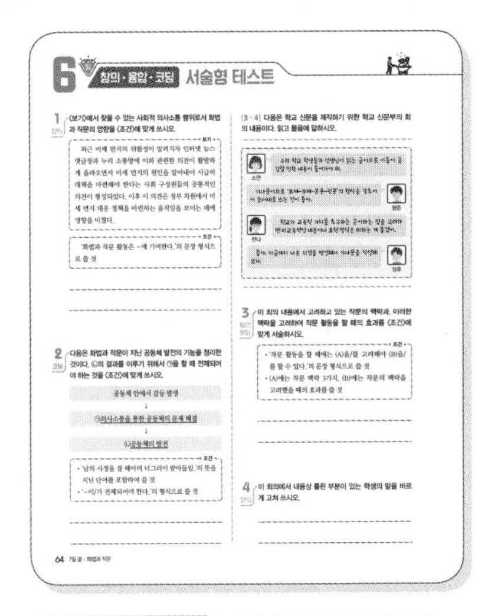

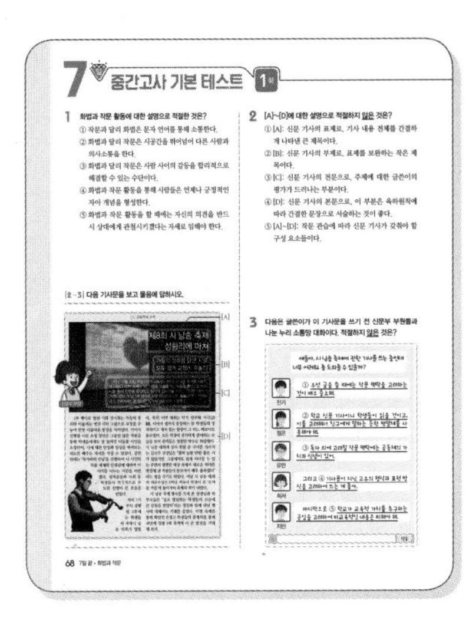

누구나 100점 테스트

아주 쉬운 예상 문제로 100점에 도전하여 내신 자신감을 키울 수 있습니다.

창의·융합·코딩 서술형 테스트

다양한 유형의 서술형 문제를 풀며 사고력과 서술형 문제에 대한 적응력을 높일 수 있습니다.

중간/기말고사 기본 테스트

실제 시험과 비슷한 예상 문제를 풀며 실전에 대비할 수 있습니다.

시험 직전까지 챙겨야 할 부록

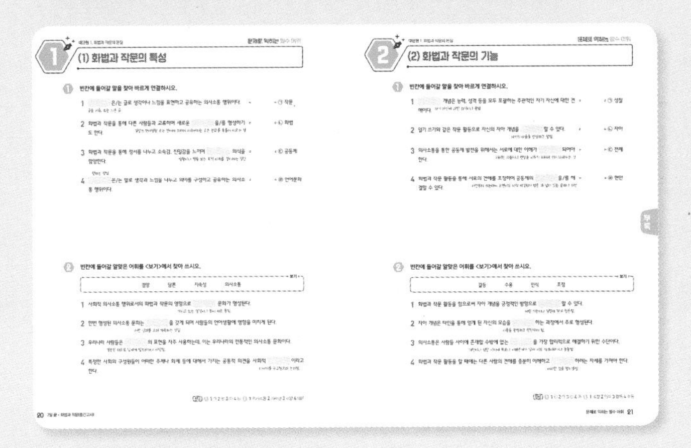

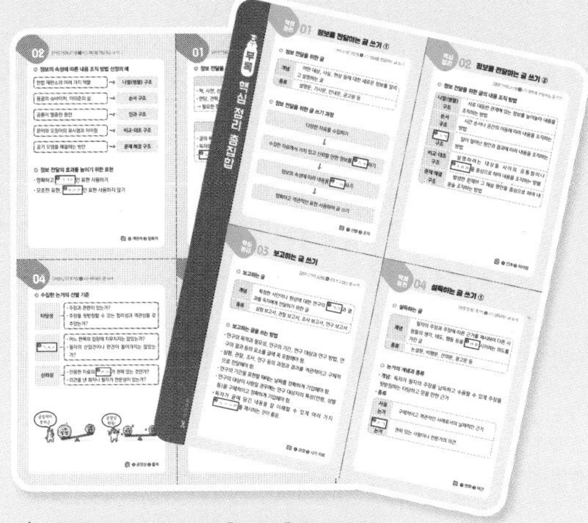

필수 어휘 모아 보기

단원별 필수 어휘의 의미와 쓰임을 간단한 문제를 통해 확인하며 어휘력을 기를 수 있습니다.

핵심 정리 총집합 카드

단원별 핵심 내용만을 모아 카드 형식으로 수록하였습니다.
쉽게 분리하여 이동할 때나 시험 직전에 활용할 수 있습니다.

이 책의 차례

우리 학교 시험 범위 확인

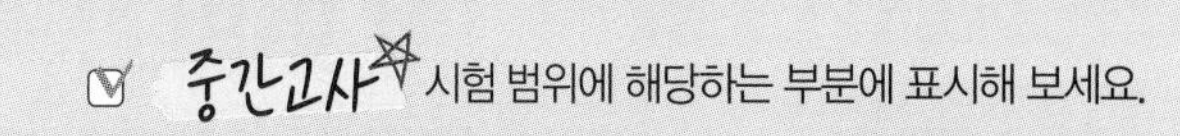

교과서 단원		본 교재
1. 화법과 작문의 본질	(1) 화법과 작문의 특성 (2) 화법과 작문의 기능 (3) 화법과 작문의 맥락	☐ BOOK 1 1일, 6일 1회, 7일
2. 화법의 원리와 실제	1-(1) 상황에 맞는 말하기 1-(2) 상황에 맞는 표현 전략	☐ BOOK 1 2일, 6일 1회, 7일
	2-(1) 대화 2-(2) 면접	☐ BOOK 1 3일, 6일 2회, 7일
	3-(1) 발표 3-(2) 연설	☐ BOOK 1 4일, 6일 2회, 7일
	4-(1) 토론 4-(2) 협상	☐ BOOK 1 5일, 6일 2회, 7일
3. 작문의 원리와 실제	1-(1) 정보를 전달하는 글 쓰기 1-(2) 보고하는 글 쓰기	☐ BOOK 2 1일, 6일 1회, 7일
	2-(1) 설득하는 글 쓰기 2-(2) 비평하는 글 쓰기 2-(3) 건의하는 글 쓰기	☐ BOOK 2 2일, 6일 1회, 7일
	3-(1) 자기를 소개하는 글 쓰기 3-(2) 친교의 내용을 표현하는 글 쓰기	☐ BOOK 2 3일, 6일 1회, 7일
	4-(1) 정서를 표현하는 글 쓰기 4-(2) 자기를 성찰하는 글 쓰기	☐ BOOK 2 4일, 6일 2회, 7일
4. 화법과 작문의 태도	(1) 화법과 작문의 윤리 (2) 진심을 담은 의사소통 (3) 화법과 작문의 관습과 바람직한 언어문화	☐ BOOK 2 5일, 6일 2회, 7일

1일 (1) 화법과 작문의 특성 (2) 화법과 작문의 기능 (3) 화법과 작문의 맥락

생각 열기 화법과 작문이 지닌 근본적인 특성에는 무엇이 있을까?

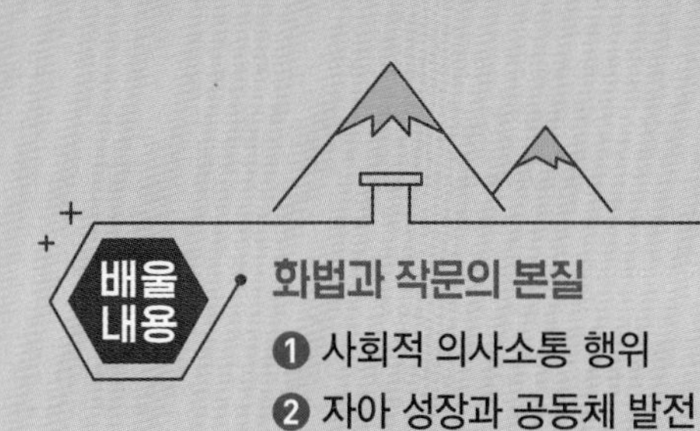

화법과 작문의 본질

❶ 사회적 의사소통 행위
❷ 자아 성장과 공동체 발전
❸ 맥락을 고려한 의사소통

핵심 1 사회적 의사소통 행위로서의 화법과 작문의 특성

1 말과 글

인간의 다양한 의사 표현 수단 중에서도 ❶ [ ] 과 느낌을 가장 체계적으로 전달할 수 있는 수단

❶ 생각

2 화법과 작문의 특성

화법	작문
• 화자와 청자가 ❷ [ ] 로 생각과 느낌을 나눔. • 주로 같은 시간과 공간에 있는 사람들과 의사소통을 함.	• 글쓴이와 독자가 글로 생각과 느낌을 나눔. • 주로 시간과 ❸ [ ] 을 뛰어넘어 다른 사람들과 의사소통을 함.

❷ 말
❸ 공간

3 사회적 의사소통 행위로서의 화법과 작문

• 화법과 작문을 통해 지식과 정보를 나누고 생각을 ❹ [ ] 함.
• 정서를 나누고 소속감, 친밀감을 느끼며 ❺ [ ] 의식을 함양함.
• 새로운 언어문화를 형성하고 이를 계승함.

➔ 화법과 작문은 사회적 의사소통 행위임.

❹ 공유
❺ 공동체

핵심 2 사회적 의사소통 행위로서의 화법과 작문의 영향

• 화법과 작문은 사회적 의사소통 행위로서 의사소통 문화와 사회적 담론을 형성할 수 있음.

(1) 의사소통 문화

의미	특정한 집단 혹은 사회에서 의사소통을 할 때 일반적으로 사용하는 공통적인 의사소통 양식이나 규범
특징	• 한번 형성된 의사소통 문화는 일회적이지 않고 ❻ [ ] 을 보임. • 사람들의 언어생활에 영향을 미침. • 민족, 국가, 지역, 세대, 성별에 따라 다르게 형성됨. 예 겸양의 표현을 자주 사용하는 것은 우리나라의 전통적인 의사소통 문화임.

(2) 사회적 담론

의미	특정한 사회 구성원들이 어떠한 주제나 화제 등에 대해 갖는 ❼ [ ] 인 의견
의의	화법과 작문 활동이 ❽ [ ] 으로 영향력 있는 결과를 유도할 수 있다는 것을 의미함.

❻ 지속성
❼ 공통적
❽ 사회적

개념 Catch

• **언어문화**: 일상의 언어생활 또는 언어에 의하여 이루어지는 모든 문화를 통틀어 이르는 말
• **담론**: 이야기를 주고받으며 논의함.
• **겸양**: 겸손한 태도로 남에게 양보하거나 사양함.

기초 확인 문제

정답과 해설 4쪽

1 화법과 작문의 특성으로 적절한 것에는 ○표, 적절하지 않은 것에는 ×표를 하시오.

(1) 작문은 주로 시간과 공간을 뛰어넘어 다른 사람들과 의사소통을 한다. (　　)

(2) 화법은 말을 통해, 작문은 글을 통해 생각이나 느낌을 나누는 의사소통 행위이다. (　　)

(3) 작문을 통해서는 다른 사람들과 슬픔이나 기쁨 등의 정서를 나누며 친밀감을 형성하기 어렵다. (　　)

2 다음 ㉠, ㉡에 들어갈 알맞은 말을 쓰시오.

- 개인은 화법과 작문이라는 (㉠) 의사소통 행위를 통해 사회의 구성원으로 성장한다.
- 화법과 작문은 사회적 (㉡)을/를 형성하는 데 기여하는데, 이는 화법과 작문이 사회적으로 영향력 있는 결과를 유도할 수 있다는 것을 의미한다.

㉠: (　　　　　　　　), ㉡: (　　　　　　　　)

3 의사소통 문화에 대한 설명으로 적절한 것은?

① 의사소통 문화는 화법 활동을 통해서만 형성된다.
② 의사소통 문화는 모든 세대에 걸쳐 동일하게 나타난다.
③ 한번 형성된 의사소통 문화는 일회적인 현상을 보이다가 사라진다.
④ 특정한 사회 구성원들이 어떠한 주제나 화제 등에 갖는 공통적인 의견을 의사소통 문화라고 한다.
⑤ '차린 것은 없지만 맛있게 드세요.'와 같은 겸양의 표현을 자주 사용하는 것은 우리나라의 전통적인 의사소통 문화이다.

4 다음 (가)에 나타난 의사소통 방식(㉠)과 (나)에 나타난 의사소통 방식(㉡)에 대한 이해로 적절하지 <u>않은</u> 것은?

(가)　　　　(나)

① ㉠은 말을 통해 생각과 느낌을 나눈다.
② ㉡은 글을 통해 생각과 느낌을 나눈다.
③ ㉡과 달리 ㉠는 수신자의 반응을 즉각적으로 확인할 수 있다.
④ ㉠과 달리 ㉡은 주로 같은 시간, 공간에 있는 사람들과 의사소통을 한다.
⑤ ㉠과 ㉡은 모두 사람들이 생각을 가장 효과적이고도 체계적으로 전달할 수 있는 수단이다.

5 다음 상황을 통해 알 수 있는 작문 활동의 특성으로 적절하지 <u>않은</u> 것은?

〈소연이 쓴 글〉
학교 식당에서 질서를 잘 지키지 않아 오히려 줄을 잘 서는 친구들이 손해를 보고 있습니다. 앞으로는 질서를 지켰으면 좋겠습니다.

① 작문 활동을 통해 자신의 생각을 표현할 수 있다.
② 작문 활동을 통해 새로운 의사소통 문화를 만들어 낼 수 있다.
③ 작문 활동을 통해 공간을 뛰어넘어 다른 사람들과 의사소통할 수 있다.
④ 작문 활동을 통해 공동체의 구성원들과 생각과 의견을 공유할 수 있다.
⑤ 작문 활동을 통해 사회 구성원들이 특정 주제에 대한 공통적인 의견을 형성할 수 있다.

핵심 1 자아 성장과 의사소통

1 자아 개념

의미	자기 자신에 대한 스스로의 이해, 자기 자신에 대한 신념과 태도
자아 개념의 형성	• 타인과의 의사소통을 통해 자신의 모습을 ❶ [ ] 하는 과정에서 형성됨. • 타인에게 ❷ [ ] 인 표현을 많이 들으면 긍정적인 자아 개념이, 부정적인 표현을 많이 들으면 부정적인 자아 개념이 형성됨.

❶ 인식
❷ 긍정적

2 자아 성장과 의사소통

화법과 작문 활동을 통해 자아 개념을 인식하고, 이를 긍정적인 방향으로 ❸ [ ] 하여 자아를 성장시킬 수 있음.

❸ 조정

핵심 2 공동체 발전과 의사소통

1 의사소통이 지닌 공동체 발전의 기능

의사소통은 사람들 사이의 ❹ [ ] 을 가장 합리적으로 해결하는 수단임.

공동체 내에서 갈등이 발생함. ➜ ❺ [ ] 을 통해 공동체의 문제를 해결함. ➜ 공동체 발전

❹ 갈등
❺ 의사소통

2 공동체 발전을 위한 의사소통의 전제

서로에 대한 이해가 전제돼야 타인을 이해하고 서로 다른 생각을 ❻ [ ] 할 수 있음.

❻ 공유

핵심 3 화법과 작문의 맥락

1 맥락

의미	사물이나 사건 등의 요소가 서로 이어져 있는 관계
중요성	맥락을 고려해 의사소통을 해야 ❼ [ ] 를 효과적으로 표현하고 수용할 수 있음.

❼ 의도

2 화법과 작문의 맥락

화법의 맥락	작문의 맥락
• **담화 목적**: 담화의 목적에 따라 말하기 방식을 달리 해야 함. • **담화 참여자**: 담화에 참여하는 사람에 따라서 적절한 말하기 방식을 결정해야 함. • **담화 관습**	• **독자**: 독자가 ❽ [ ] 할 만한 표현 방식으로 글을 써야 함. • **공동체의 가치와 신념**: 필자와 독자가 속한 공동체의 가치와 신념을 반영하여 글을 써야 함. • **작문 관습**

❽ 공감

개념 Catch

• **담화 관습**: 담화의 유형에 따라서 관습적으로 형성된 형식이나 표현 방식
• **작문 관습**: 글이 지니고 있는 양식이나 고유한 형식 또는 표현 방식

기초 확인 문제

정답과 해설 4쪽

1 **다음 ㉠, ㉡에 들어갈 알맞은 말을 각각 쓰시오.**

> • 자아 개념은 (㉠)을/를 통해 얻게 된 자신의 모습을 인식하는 과정에서 주로 형성된다.
> • 일기 쓰기와 같은 작문 활동을 하면서 자신의 자아 개념을 (㉡)함으로써 이를 긍정적인 방향으로 조정할 수 있다.

㉠: (   ), ㉡: (   )

2 **자아 개념에 대한 설명으로 적절한 것에는 ○표, 적절하지 않은 것에는 ×표를 하시오.**

(1) 한번 형성된 자아 개념은 변하지 않고 계속 유지된다. (   )

(2) 자아 개념은 일상적인 대화가 아니라 공적인 성격의 말하기를 통해서만 형성된다. (   )

(3) 자아 개념의 형성에 가장 큰 영향을 미치는 요인은 의사소통에 참여한 다른 사람이다. (   )

3 **화법과 작문 활동을 할 때, 공동체 발전에 기여하기 위해 가져야 할 자세로 가장 적절한 것은?**

① 나의 의견을 다른 사람과 공유하지 않는다.

② 자기의 의견에 대해 자신감을 갖기 위해 타인의 말을 수용하지 않는다.

③ 갈등을 합리적으로 해결하기 위해 자신의 의견이 옳다고 끝까지 주장한다.

④ 다른 사람의 견해를 충분히 이해하고 수용하려는 마음가짐으로 의사소통을 한다.

⑤ 상대방의 단점을 지적하여 상대방이 스스로 자아 개념을 성찰할 수 있도록 한다.

4 **화법과 작문 상황에서 맥락을 적절하게 고려하지 <u>못한</u> 사람은?**

① 주현: 편지를 쓸 때에는 편지의 형식을 고려하여 쓰는 것이 좋아.

② 슬기: 교장 선생님께 건의문을 쓸 때에는 예의 바른 표현을 사용해야 해.

③ 승완: 올바른 언어문화 형성을 위해 고향 사람을 만나도 표준어를 사용해야 해.

④ 수영: 누군가에게 사과를 할 때에는 잘못을 빌고 용서를 구한다는 목적에 맞게 표현해야 해.

⑤ 예림: 친구들 앞에서 발표를 할 때에는 존댓말을, 친구와 대화를 할 때에는 반말을 쓰는 것이 적절해.

5 **다음 상황에서 민수는 나은에게 〈보기〉의 글로 답하였다. 이때 민수에 대한 설명으로 적절한 것은?**

> 보기
> 응, 맞아. 많이 춥네.

① 나은이 쓴 글의 맥락을 제대로 파악하지 못하고 있다.

② 나은의 견해를 수용함으로써 갈등을 해결하고 있다.

③ 나은과의 의사소통을 통해 공동체 발전에 기여하고 있다.

④ 나은의 글을 통해 긍정적인 자아 개념을 형성하고 있다.

⑤ 나은이 쓴 글의 맥락을 정확히 파악하여 나은을 위로하는 글을 작성하였다.

1 교과서 기출 베스트

[1 ~ 2] 다음 상황을 보고 물음에 답하시오.

가 TV 뉴스 인터뷰

위층에서 발생하는 소음 때문에 생활에 불편함을 겪고 있습니다.

소음을 일으키지 않으려고 아이들에게도 주의를 당부하지만 쉽지 않습니다.

나 친구 간의 대화

어제 뉴스를 보니 층간 소음 때문에 불편을 겪는 사람들이 많더라. 이를 해결하려면 타인을 배려하는 의식을 가져야 한다고 생각해.

응, 나도 봤어. 문제를 해결하려면 제도적인 뒷받침도 함께 이루어져야 할 거야.

다

신문 기사: "층간 소음 문제 해결 위한 사회적 관심 필요"(○○일보)

댓글 (1,025개)

ㄴ 무엇보다 이웃끼리 서로를 배려하고 이해하는 공동체 의식이 더욱 절실합니다.

ㄴ 지금의 문제를 해결하기 위해서는 개인의 인식 변화도 중요하지만, 이웃 간의 갈등을 해결해 주는 장치를 마련하거나 건축물 관련 법을 강화하여 건축물 자체가 안고 있는 문제점을 줄여 나가는 등의 제도적인 접근도 이루어져야 한다고 생각합니다.

라

세부 내용 파악

1 이 상황에 드러난 사람들의 생각으로 적절하지 않은 것은?

① 층간 소음 문제에 대한 해결책이 필요하다.
② 층간 소음 문제는 더 이상 간과할 수 없는 문제이다.
③ 층간 소음의 해결을 위해서는 제도적인 접근도 함께 이루어져야 한다.
④ 층간 소음 문제를 해결하기 위해서는 타인을 배려하는 의식을 갖는 것이 필요하다.
⑤ 층간 소음 문제 해결을 위해 필요한 경비는 층간 소음을 유발한 사람이 부담해야 한다.

도움말
- **간과하다** 큰 관심 없이 대강 보아 넘기다.

반응의 적절성 파악

2 빈출 유형 (가)~(라)에 대한 반응으로 적절하지 않은 것은?

① (가)와 (다)는 사회적 담론 형성에 기여한 화법과 작문 활동이라고 볼 수 있겠군.
② (나)에서 대화하는 친구들은 서로 간의 의견 차이를 좁히지 못하고 있군.
③ (나)와 (다)에서는 모두 층간 소음 문제에 대한 해결 방안을 제시하고 있군.
④ (가)~(다)를 통해 형성된 사회적 담론은 사회적으로 영향력 있는 결과를 이끌어 냈군.
⑤ (가)~(라)에 나타난 층간 소음 문제는 개인적 차원을 넘어선 사회적 차원의 문제로 볼 수 있겠군.

의사소통 방식의 문제점 파악

3 서술 유형 〈보기 1〉을 참고하여, 〈보기 2〉에 나타난 준혁의 의사소통 방식의 문제점을 〈조건〉에 맞게 서술하시오.

보기 1

성인들은 청소년들이 엄청난 속도로 생산해 내는 줄임말을 따라잡는 데 큰 어려움을 겪는다. 특히 부모 세대와 자녀 세대 사이의 대화에서 줄임말 사용이 증가하면 의사소통에 혼란이 올 수 있다.

보기 2

우리 준혁이 잘 지내고 있니? 방학하면 할머니 집에 놀러 오너라. 맛있는 것 해 줄게.

할머니, 이번에 열공해서 시험 잘 치고 방학 하자마자 찾아뵐게요.

'열공'이 뭐지?

조건

〈보기 2〉의 준혁의 메시지에서 문제가 되는 부분을 포함하여 쓸 것

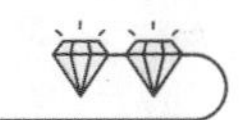

[4~5] 다음 상황을 보고 물음에 답하시오.

세부 내용 파악

4 빈출 유형 **㉠~㉣에 대한 설명으로 적절하지 않은 것은?**

① ㉠은 윤아가 가진 부정적 자아 개념을 심화시키는 말이다.

② ㉡에서 언급된 상황은 윤아가 자아 개념을 부정적으로 인식하는 데 영향을 끼쳤을 것이다.

③ ㉢은 윤아가 자신의 자아 개념을 인식하고 표현한 것이다.

④ ㉣은 윤아가 가지고 있었던 자아 개념이 유지되도록 하는 말이다.

⑤ ㉠과 ㉣은 윤아가 자아 개념을 형성하고 조정하는 과정에 상반된 영향을 끼쳤다.

작문의 기능 파악

5 서술 유형 **다음은 이 상황 이후 윤아가 쓴 일기이다. 일기의 내용을 참고하여, 일기 쓰기가 윤아의 자아 개념에 미친 영향을 〈조건〉에 맞게 서술하시오.**

윤아의 일기

어떤 사람이 보기에는 내 성격이 답답해 보일지 모른다. 하지만 나는 다른 사람의 기분을 잘 살피는 조심스러운 내가 좋다.

시원시원하게 내 의사를 표현하는 편은 아니지만, 함께 있는 사람들의 상황과 처지를 잘 고려하기 때문에 상대방이 존중받는 느낌을 가질 수 있다.

나는 이런 내 모습이 좋다.

조건

- '부정적', '긍정적', '성장'이라는 단어를 모두 포함하여 쓸 것
- 40자 내외의 한 문장으로 쓸 것

화법의 기능 파악

6 빈출 유형 **다음 두 학생의 대화를 통해 알 수 있는 내용으로 가장 적절한 것은?**

① 의사소통 문화는 세대에 따라 다르게 형성된다.

② 화법 활동을 통해 사회적 담론을 형성할 수 있다.

③ 타인의 말이 부정적 자아 개념을 강화할 수 있다.

④ 화법 활동을 통해 공동체 발전에 기여할 수 있다.

⑤ 화법과 작문 활동을 통해 자아 개념을 긍정적인 방향으로 조정할 수 있다.

[7~9] 다음 건의문과 대화를 보고 물음에 답하시오.

가 **우산 대여 제도를 실시해 주세요**

현재 2학년에 재학 중인 김민정이라고 합니다. 이렇게 글을 올리게 된 이유는 학교에 한 가지 제안을 드리기 위해서입니다.

저도 물론 그런 일이 있었지만, 학생들이 수업을 마치고 집에 갈 때 갑자기 비가 오면 흠뻑 맞아야 하는 경우가 많습니다. 그러던 중 최근 한 신문을 통해 어떤 지역 관청에서 우산 대여 제도를 실시한다는 기사를 보았습니다. 그래서 우리 학교에서도 우산 대여 제도를 운영하면 어떨까 하는 생각이 들었습니다. 〈중략〉

생각한 방법은 다음과 같습니다. 학교 예산으로 먼저 우산을 구입해 주시면 좋겠습니다. 이후에는 학생회 내에서 역할을 정해 우산을 관리하고 비가 오는 날에는 필요한 학생들이 자신의 이름을 적고 우산을 빌려 간 다음에 반납하게 하면 됩니다. 이 제도가 운영된다면 학생들 입장에서는 학교생활의 질이 향상될 것이며 이를 통해 학교생활에 대한 학생들의 만족도가 높아지고 결국 학교 공동체가 더욱 발전할 수 있는 좋은 방안이 될 것이라고 생각합니다.

㉠항상 학생들과의 소통을 위해 애써 주셔서 감사합니다.

나 **민정** 선생님, 안녕하세요. 찾으셨다고 해서 왔어요.

선생님 민정이 왔구나. 우선 지난번 네가 누리집에 건의한 우산 대여 제도가 참 괜찮다는 생각이 들더라. 그런데 학교에서 예산이 없어 구입하기가 어려울 것 같아. 그래서 학생들에게 우산을 기부받아서 활용하는 것은 어떨까 해.

민정 그것도 좋은 방법이네요. 그럼 선생님, 우산 관리를 학생회에서만 하는 것이 아니라 원하는 학생이면 누구나 봉사 활동을 할 수 있도록 홍보해 볼까 하는데 그것은 가능한가요?

선생님 그래, 가능하지. 그리고 신청 학생에게 봉사 시간을 부여하는 방안을 마련해 볼게.

세부 내용 파악

7 빈출유형

(가)의 글쓴이에 대한 설명으로 적절하지 않은 것은?

① 예상 독자를 고려하여 공손한 표현을 사용하고 있다.
② 타당한 근거를 들어 •현안에 대한 자신의 의견을 밝히고 있다.
③ 신문 기사를 본 경험을 통해 문제 상황의 심각성을 드러내고 있다.
④ 자신이 요구하는 바를 독자에게 전달하여 독자의 행동을 촉구하고 있다.
⑤ 요구 사항이 실현되었을 때 나타날 긍정적 효과를 제시하여 설득력을 높이고 있다.

도움말
• **현안** 이전부터 의논하여 오면서도 아직 해결되지 않은 채 남아 있는 문제나 의안

세부 내용 파악

8 **(나)에서 민정과 선생님이 합의한 내용이 아닌 것은?**

① 우산 대여 제도를 실시하는 것
② 학생들로부터 우산을 기부받는 것
③ 우산 관리를 봉사 활동으로 인정하는 것
④ 학교 예산으로 일부 우산을 구입하는 것
⑤ 원하는 학생이면 누구나 우산 관리를 하는 것

표현 전략 파악

9 **건의하는 글을 쓸 때 ㉠과 같은 표현을 사용하여 얻을 수 있는 효과를 〈조건〉에 맞게 서술하시오.**

조건
• '수용'이라는 단어를 포함하여 쓸 것
• '~ 표현을 통해 ~도록 한다.'의 형식으로 쓸 것

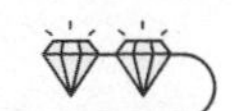

[10~11] 다음 교내 강연을 보고 물음에 답하시오.

1학년 학생 여러분 반갑습니다. 저는 교내 안전 동아리인 '안전 지킴이'에 소속된 2학년 조성진입니다. 동아리에서 기획한 안전 캠페인 활동의 하나로 오늘은 여러분들과 같은 고등학생에게 자주 발생하는 교통사고의 유형과 그 예방법을 안내해 드리기 위해 이 자리에 섰습니다.

첫째, 보행 중에 발생하는 사고와 예방법을 안내하겠습니다. 이와 관련해서 최근 가장 문제가 되는 것은 스마트폰을 보면서 보행하는 행동입니다. 특히 최근 스마트폰 게임이 유행하면서 이러한 행동을 하는 학생들이 많은데, 이렇게 주변을 살피지 않고 걸으면 갑자기 어떤 상황이 벌어졌을 때 반응 속도가 늦어져서 위험합니다. 따라서 이러한 사고를 예방하기 위해서는 보행 중에 스마트폰을 보지 않아야 합니다.

둘째, 무면허로 오토바이나 자동차를 운전하여 발생하는 사고의 위험성과 그 예방법에 대해 안내하겠습니다. 최근 무면허로 오토바이 및 자동차를 운전하여 발생하는 사고가 꾸준히 증가하고 있습니다. 이와 같은 무면허 운전으로 발생하는 사고의 경우 자신의 생명은 물론 타인의 생명까지도 위협할 수 있습니다. 따라서 이러한 사고를 예방하려면 무엇보다도 무면허로 오토바이나 자동차 운전을 절대로 하지 않아야 합니다.

담화 맥락 파악

10 이 강연의 맥락을 파악한 것으로 적절하지 않은 것은?

① 이 강연의 청자는 고등학교 1학년 학생이다.
② 강연자는 공적인 말하기 상황에서 표준어를 사용하고 있다.
③ 이 강연은 '정보 전달'과 '설득'이라는 목적을 동시에 추구하고 있다.
④ 이 강연의 주제는 무면허 운전자에 대한 처벌을 강화하자는 것이다.
⑤ 스마트폰 게임 등 청자와 관련이 있는 소재로 발표 내용을 구성하였다.

맥락을 고려한 표현 전략 파악

11 빈출 유형 이 강연의 청자가 초등학생이라고 할 때, 강연의 내용과 표현을 수정하는 계획으로 적절하지 않은 것은?

① '보행 중'이라는 말은 초등학생이 이해하기 어려우니 '길을 걷는 중'으로 바꾸어야겠어.
② 스마트폰을 보면서 보행하는 것은 초등학생들도 많이 하는 행동이니 내용을 잘 살려야겠어.
③ 무면허 운전은 초등학생에게는 크게 해당되지 않는 내용이므로 다루지 않아도 좋을 것 같아.
④ 초등학생의 생활 습관을 고려하여 차도에서 공놀이를 하지 말아야 한다는 내용을 추가해야겠어.
⑤ 초등학생들이 강압적으로 느낄 수 있으므로 안전 수칙을 준수하자고 설득하는 내용은 빼야겠어.

작문 맥락 파악

12 다음은 학교 신문 제작 회의에서 한 학생이 한 말이다. 이 학생이 고려한 작문의 맥락 두 가지를 쓰시오.

학교 신문 기사는 우리 학교 학생들과 선생님이 주로 읽을 글이기 때문에, 이들이 공감할 만한 내용을 실어야 해. 또한 학교가 교육적 가치를 추구하는 곳이라는 점을 고려할 때 되도록 비교육적인 내용은 피해야겠지?

(,)

2일

1-(1) 상황에 맞는 말하기
1-(2) 상황에 맞는 표현 전략

생각 열기 어떻게 하면 상황에 맞는 표현을 적절하게 할 수 있을까?

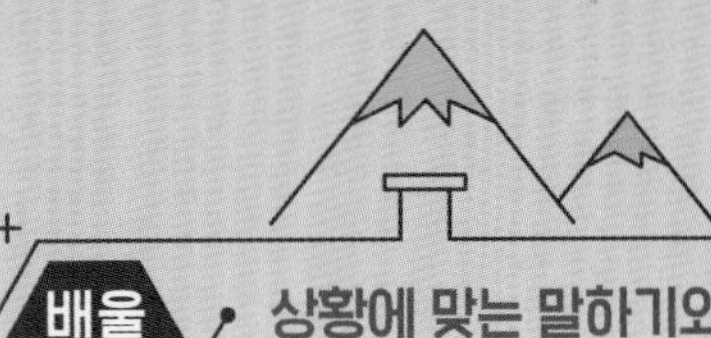

배울 내용

상황에 맞는 말하기와 표현 전략

❶ 상황에 맞는 말하기 방법
❷ 언어적·준언어적·비언어적 표현 전략

〈언어적 표현〉

"싫다." ➔ "제안을 해 줘서 고마워. 하지만 나는 태어난 지도 얼마 안 됐고 학교도 처음이라 동아리 활동은 힘들 것 같아. 정말 미안해."

거절할 때는 거절하는 이유를 충분히 밝혀야 해.
또 요구를 들어주지 못하는 미안함을 정중하게 표현해야 해.

표정에서도 요구를 들어주지 못하는 미안함을 드러내는 것이 좋아.

그리고 그렇게 차가운 말투보다는, 상대에 대한 존중과 배려가 드러나는 말투가 좋겠지?

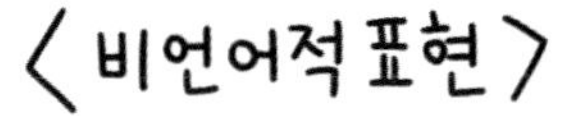

〈준언어적 표현〉

물론, 모든 거절을 이렇게 해야 하는 건 아니야.
나에게 중요하지 않은 요청은
간단명료하게 거절하는 것이 좋아. ^^

2일 교과서 핵심 정리

핵심 1 상황에 맞게 말해야 하는 이유

① 상황에 맞게 말을 해야 말하기의 ❶ [ ] 을 달성할 수 있기 때문이다.
② 사람들은 말을 통해 생각, 느낌을 주고받으므로 상황에 맞게 말을 하지 않으면 상대방의 마음을 상하게 할 수 있기 때문이다.

❶ 목적

핵심 2 상황에 맞는 말하기 방법

① 부탁할 때

말하기 방법	• 완곡하고 정중하게 말한다. • 부담을 주는 상황에 대한 미안함을 드러낸다.
유의할 점	❷ [ ] 하거나 명령하듯 말하면 ➜ 상대방을 불쾌하게 하고 부탁도 잘 받아들여지지 않음.

❷ 강요

② 요청할 때

말하기 방법	• 요청의 말을 정중하게 전달한다. • 요청을 하게 된 ❸ [ ] 를 충분히 말한다.
유의할 점	위협하듯 말하면 ➜ 청자 입장에서 ❹ [ ] 이 생길 수 있음.

❸ 이유
❹ 저항감

③ 거절할 때

말하기 방법	• 요구를 들어주지 못하는 미안함을 드러내며 ❺ [ ] 하게 거절한다. • 거절하는 이유를 상대방이 이해하도록 충분히 설명한다.
유의할 점	거절하는 것을 나쁘다고 생각하여 거절을 제때 하지 못하면 ➜ 자신이 오히려 곤란한 상황에 빠질 수 있음.

❺ 정중

④ 사과할 때

말하기 방법	• 진심을 담아 정중하고 공손하게 미안함을 표현한다. • 잘못을 ❻ [ ] 하고 앞으로 어떻게 행동할지를 표현한다.
유의할 점	잘못을 정당화하고 ❼ [ ] 하면 ➜ 상대방을 더욱 화나게 할 수 있음.

❻ 인정
❼ 변명

⑤ 감사할 때

말하기 방법	• 진심을 담아 감사의 마음을 표현한다. • 상대방의 행동이 어떻게 도움이 되었는지 ❽ [ ] 으로 이야기한다.
유의할 점	고마움을 말로 표현하지 않고 마음에만 담아 두면 ➜ 호의를 베푼 사람이 섭섭할 수 있음.

❽ 구체적

개념 Catch
• **정당화**: 이치에 맞지 않는 것을 무엇으로 둘러대어 이치에 맞는 것으로 만듦.

정답과 해설 5쪽

1 상황에 따른 말하기 방법으로 적절한 것에는 ○표, 적절하지 않은 것에는 ×표를 하시오.

(1) 부탁할 때에는 완곡하고 정중하게 말해야 한다. ( )

(2) 요청할 때에는 요청을 하는 이유를 가급적 말하지 않는 것이 좋다. ( )

(3) 감사를 할 때에는 상대방의 행동이 구체적으로 어떻게 도움이 되었는지 말하는 것이 좋다. ( )

2 다음 [ ]에 공통으로 들어갈 알맞은 말을 쓰시오.

- 부탁은 상대방에게 부담을 주는 상황이므로 부탁을 할 때에는 [ ]을/를 드러내며 말해야 한다.
- 거절을 할 때에는 부탁이나 요청을 들어주지 못하는 것에 대한 [ ]을/를 드러내는 것이 좋다.

( )

3 거절하는 상황에서의 말하기 방법으로 적절하지 않은 것은?

① 상대방에게 요구를 들어주지 못하는 이유를 충분히 설명한다.
② 어렵게 말을 꺼낸 사람의 입장을 존중하여 최대한 정중하게 거절한다.
③ 바로 거절하기 어려운 상황이라면 '생각해 보겠습니다.'와 같이 결정을 보류하는 말을 한다.
④ 자신에게 중요하지 않은 요청이라 하더라도 바로 거절하지 않고 충분한 시간을 들여 거절한다.
⑤ 거절을 제때 하지 못하면 곤란한 상황에 빠질 수 있으므로 자신의 의사를 분명하게 표현해야 한다.

4 다음과 같은 상황에서 왼쪽 학생이 사용해야 할 말하기 방법으로 적절하지 않은 것은?

① 자신의 잘못을 분명하게 인정한다.
② 상대방의 상황이나 기분을 살피면서 말한다.
③ 자신의 감정을 설명하고 상대방에게 미안한 마음을 드러낸다.
④ 자신이 한 잘못과 관련하여 앞으로 어떻게 행동할 것인가를 설명한다.
⑤ 자신의 잘못을 정당화하기 위해 잘못을 할 수밖에 없었던 이유를 최대한 자세히 설명한다.

5 다음을 보고, 동생이 상황에 맞게 말할 수 있도록 동생에게 해 줄 수 있는 조언을 〈조건〉에 맞게 서술하시오.

조건

'~할 때에는 ~해야 해.'의 형식으로 쓸 것

핵심 1 상황에 맞는 언어적 표현

언어적 표현

개념	음성이나 문자로 생각이나 느낌을 나타내는 것
표현 전략	• 상황에 맞는 적절한 어휘를 선정하여 ❶ [　　] 에 맞게 표현하기 • 상황을 고려하여 내용을 적절하게 ❷ [　　] 하기 예 발표나 연설은 '도입-전개-결론'의 구성으로 내용을 조직함.

❶ 어법
❷ 조직

핵심 2 상황에 맞는 준언어적 표현

1 준언어적 표현

개념	언어적 요소에 덧붙여 의미를 전달하는 것
특징	• 사람의 감정, 건강, 교양 등의 상태가 반영되기도 함. • 같은 언어적 표현이라도 준언어적 표현에 따라 의미가 다르게 전달될 수 있음.

2 준언어적 표현의 종류와 표현 효과

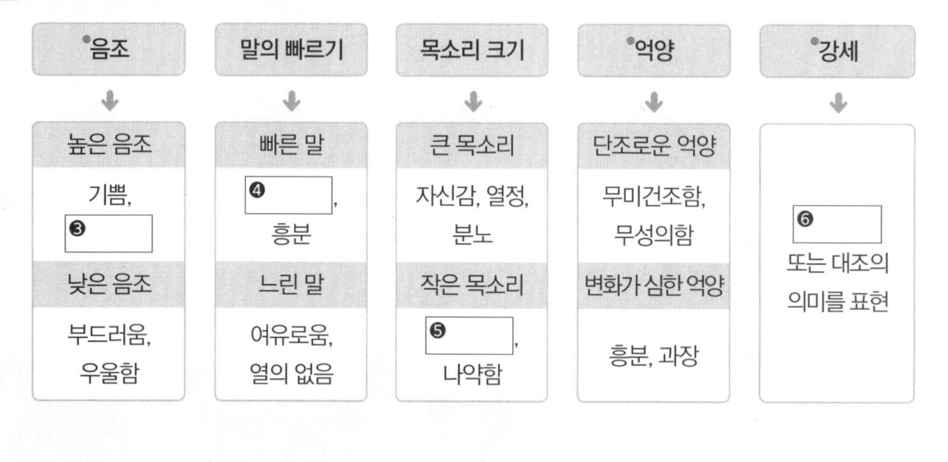

•음조	말의 빠르기	목소리 크기	•억양	•강세
높은 음조	빠른 말	큰 목소리	단조로운 억양	❻ [　　] 또는 대조의 의미를 표현
기쁨, ❸ [　　]	❹ [　　], 흥분	자신감, 열정, 분노	무미건조함, 무성의함	
낮은 음조	느린 말	작은 목소리	변화가 심한 억양	
부드러움, 우울함	여유로움, 열의 없음	❺ [　　], 나약함	흥분, 과장	

❸ 분노
❹ 열정
❺ 온화함
❻ 강조

❼ 동작
❽ 의미

개념 Catch
• **음조**: 음의 높낮이
• **억양**: 음의 높낮이가 이어져 생기는 일정한 유형
• **강세**: 연속된 음성에서 어떤 부분을 강하게 발음하는 것

핵심 3 상황에 맞는 비언어적 표현

비언어적 표현

• 개념: 언어적·준언어적 표현 이외의 방법으로 의미를 표현하는 것
• 종류: 시선, 얼굴 표정, ❼ [　　], 자세, 신체 접촉 등
• 특징: 말을 직접 하지 않더라도 비언어적 표현만으로 ❽ [　　] 를 전달할 수 있음.

기초 확인 문제

정답과 해설 5쪽

1 표현 방법의 종류와 표현 전략을 알맞게 연결하시오.

(1)	언어적 표현	㉠	상황에 맞는 표정을 짓는다.
(2)	비언어적 표현	㉡	특정 부분에 강세를 주어 말한다.
(3)	준언어적 표현	㉢	담화 목적에 맞는 어휘를 선정한다.

2 표현 방법에 대한 설명으로 적절한 것에는 ○표, 적절하지 않은 것에는 ×표를 하시오.

(1) 시선, 동작은 준언어적 표현에 해당한다. (　　　)
(2) 비언어적 표현은 언어적 요소에 덧붙여 의미를 전달하는 것이다. (　　　)
(3) 언어적 표현은 음성이나 문자로 생각이나 느낌을 나타내는 것이다. (　　　)

3 라디오 진행자가 다음 방송 대본의 표현 전략을 세운 것으로 가장 적절하지 않은 것은?

> 안녕하세요, '별빛 가득한 밤'의 박미나입니다. 오늘 하루도 공부에, 일에 많이 힘드셨죠? 이 밤, 저와 함께 편안한 음악을 들으며 하루를 마무리하는 것은 어떨까요?

① 천천히 말을 하여 차분한 분위기를 조성해야겠어.
② 낮은 음조로 말하여 청취자가 부드러운 느낌을 받도록 해야겠어.
③ 조용한 목소리로 말하여 청취자가 온화한 느낌을 받도록 해야겠어.
④ '안녕하세요', '박미나'를 강하게 발음하여 주요 내용을 강조해야겠어.
⑤ 억양에 큰 변화를 주지 않고 잔잔하게 이야기하여 청취자에게 여유로운 느낌을 주어야겠어.

4 준언어적·비언어적 표현에 대한 설명으로 적절하지 않은 것은?

① 비언어적 표현에는 시선, 얼굴 표정, 동작, 자세, 신체 접촉 등이 있다.
② 비언어적 표현은 언어적 표현으로 드러나는 의미를 보완하고 강화한다.
③ 준언어적 표현에는 사람의 감정, 건강, 교양 등의 상태가 반영되기도 한다.
④ 준언어적·비언어적 표현은 언어적 요소 없이 단독으로 의미를 전달할 수 없다.
⑤ 준언어적 표현의 의미는 고정되어 있지 않고 맥락에 따라 다양하게 이해될 수 있다.

5 발표자가 다음 부분을 발표할 때 사용할 수 있는 표현 전략으로 가장 적절하지 않은 것은?

지금까지 우리는 왜 스스로 긍정적으로 여겨야 하는가에 대해 말씀드렸습니다.
자, 다 같이 스스로에게 이렇게 말해주는 것으로 발표를 마치겠습니다.
나는, 가치 있는, 사람이다.

① '나', '가치'라는 단어를 강하게 발음하여 그 의미를 강조한다.
② 청중과 시선을 맞추며 말하여 청중에게 발표자의 진심을 드러낸다.
③ '자, 다 같이' 라고 말할 때 두 손을 앞으로 내밀어 청중의 호응을 유도한다.
④ 마지막 문장에서 쉼표가 있는 부분을 천천히 끊어 읽음으로써 청중의 주의를 집중시킨다.
⑤ '자, 다 같이 ~ 마치겠습니다.'라고 말할 때 목소리 크기를 작게 하여 발표를 마무리하는 느낌을 준다.

교과서 기출 베스트

[1 ~ 2] 다음 상황을 보고 물음에 답하시오.

상황에 맞는 언어적 표현

1 빈출 유형 **요청하는 상황에 맞게 ㉠을 〈보기〉와 같이 고친다고 할 때, 빈칸에 들어갈 말로 가장 적절한 것은?**

> 보기
>
> "엄마, 말씀드릴 게 있는데요. 앞으로 제 방에 들어오실 때는 노크를 해 주셨으면 좋겠어요. (   )"

① 엄마한테도 별로 불편한 일 아니니까 괜찮죠?

② 그렇게 하지 않으시면 앞으로 제가 어떤 행동을 할지 몰라요. 아셨죠?

③ 노크를 안 하시면 저도 안방에 들어갈 때 노크를 절대 하지 않을 거예요.

④ 노크를 하지 않으실 생각이라면 제 방에 들어오는 것은 삼가 주셨으면 좋겠어요.

⑤ 그래 주시면 제가 덜 놀라고 사생활을 존중받는 느낌을 받을 수 있을 것 같아요. 불편하시겠지만 그렇게 해 주실 수 있죠?

의사소통 방식의 문제점 파악

2 **㉡의 표현이 상황에 맞지 않는 이유로 적절한 것은?**

① 상대방의 능력 밖에 있는 일을 부탁하고 있기 때문에

② 상대방에게 부탁을 하는 이유를 말하고 있지 않기 때문에

③ 상대방의 호의에 대해 진심을 담아 말하고 있지 않기 때문에

④ 자신이 부탁하는 일이 무엇인지 명확하게 나타내고 있지 않기 때문에

⑤ 상대방에게 부탁하고자 하는 일을 일방적으로 통보하듯 말하고 있기 때문에

의사소통 방식의 문제점 파악

3 **다음 대화 상황에서 학생의 사과가 효과적이지 않다고 할 때, 그 이유로 적절하지 않은 것은?**

① 미안하다는 표현을 전혀 하고 있지 않기 때문에

② 자신의 행동을 정당화하는 말을 하고 있기 때문에

③ 자신의 잘못에 대해 변명으로 일관하고 있기 때문에

④ 진심을 담아 정중하고 공손한 태도로 말하고 있지 않기 때문에

⑤ 상대방의 기분이나 감정을 전혀 고려하지 않고 말하고 있기 때문에

말하기 방식의 적절성 파악

4 빈출 유형 **다음 두 직원(㉠, ㉡)의 말하기 방식과 태도에 대한 이해로 적절하지 않은 것은?**

① ㉠이 팔짱을 끼고 미간을 찡그린 것은 고객에게 불쾌한 느낌을 줄 수 있다.
② ㉠이 강한 목소리로 빠르게 말하는 것은 고객에게 일에 대한 열정을 표현할 수 있다.
③ ㉡이 두 손을 모으고 미소를 띠며 말하는 것은 고객에게 편안한 느낌을 줄 수 있다.
④ ㉡이 평소보다 천천히 말하는 것은 고객에게 미안한 마음을 정중하게 전달할 수 있다.
⑤ ㉠과 ㉡은 같은 말을 하고 있지만 고객은 두 직원에게서 서로 다른 느낌을 받을 것이다.

말하기 방식의 적절성 파악

5 상황에 맞는 말하기 방식으로 적절하지 않은 것은?

① 요청할 때에는 그 이유를 밝히며 정중하게 말한다.
② 사과할 때에는 잘못을 인정하며 진심을 담아 공손하게 표현한다.
③ 감사할 때에는 상대방의 행동이 어떻게 도움이 되었는지 구체적으로 표현한다.
④ 부탁할 때에는 상대방의 부담을 덜어 주는 표현을 사용하며 완곡하고 정중하게 부탁한다.
⑤ 거절할 때에는 바로 거절하기 어려운 상황이어도 상대방이 기대를 갖지 않도록 즉시 거절한다.

의사소통 방식의 문제점 파악

6 빈출 유형 **다음 상황에서 현수의 거절이 적절하지 않은 이유로 가장 알맞은 것은?**

> **진영** 오늘 방과 후에 환경 미화 도와줄 수 있니?
> **현수** 아니, 도와줄 수 없어. 왜냐하면 첫째, 내일은 국사 수행 평가가 있기 때문에 저녁에 공부할 시간이 필요해. 둘째, 지난주에 농구를 하다가 손목을 다쳐서 힘든 일은 할 수가 없어. 마지막으로 난 손재주가 없어서 환경 미화하는 데 도움이 안 돼. 그러니 네 부탁은 들어줄 수 없어.
> **진영** 그, 그래……. 알았어. 넌 참 논리적이구나.

① 자신의 입장을 명확히 나타내지 않았기 때문에
② 거절하는 이유를 충분히 설명하지 않았기 때문에
③ 상대방의 기분이나 감정을 배려하지 않았기 때문에
④ 거절의 이유로 제시한 근거가 타당하지 않기 때문에
⑤ 거절의 이유로 제시한 근거가 신빙성이 없기 때문에

의사소통 방식의 문제점 파악

7 서술 유형 **다음 글을 쓴 학생에게 해줄 수 있는 적절한 조언을 〈조건〉에 맞게 서술하시오.**

> Q. 거절하는 것이 너무 어려워요.
> 저는 남들이 부탁을 하면 거절을 잘 못해요. 왠지 거절을 하면 제가 나쁜 사람이 되는 것 같거든요. 그러다 보니 <u>친구들의 일을 대신해 주다가 제 일을 못 하게 되는 경우가 종종 있어요.</u> 저는 어떻게 하면 좋을까요?

조건

거절을 하지 못했을 때 나타날 수 있는 문제점을 포함하여 완결된 한 문장으로 쓸 것 (단, 밑줄 친 부분을 문제점으로 제시하지 말 것)

[8~10] 다음 발표를 보고 물음에 답하시오.

도입 오늘 제가 소개할 보물은 충무공 이순신 장군의 《난중일기》입니다. 《난중일기》, 말 그대로 난중(亂中)에 쓴 일기죠. 〈중략〉 《난중일기》, 처음부터 끝까지 제대로 읽어 보신 분, 혹시 계시면 손들어 보시겠어요? 보시다시피 거의 없습니다. 〈중략〉

㉮

전개 자, 《난중일기》는 늘 같은 형식으로 시작합니다. 몇 월 며칠 날씨 맑음. 마치 초등학생이 쓰는 일기와 같죠. 그냥 날씨만 적고 끝난 일기도 35일이나 됩니다. 왜 그랬을까요? 해전에서는 날씨가 아주 중요한 변수입니다. 날씨를 미리 알면 전투에서 유리한 상황을 만들 수 있었겠죠. 〈중략〉

㉯

그런가 하면 1597년 정유년의 일기는 아주 독특합니다. 8월 4일부터 10월 8일까지 66일 동안 일기를 두 번 썼어요. 저 부분 보이시죠? 아주 급하게 쓴 티가 납니다. 긴박한 상황이었겠죠. 그런데 두 번째에 다시 쓴 일기는 다릅니다. 단정하고, 여유가 느껴지죠. 그리고 내용도 처음 쓴 것보다 훨씬 더 자세히 많이 기록되었습니다.

㉰

자, 이순신은 왜 일기를 두 번 썼을까요? 이 기간에는 13척의 배로 133척의 왜선을 무찌른 그 유명한 명량 대첩이 있습니다. 아주 긴박했던 순간입니다. 고비를 극적으로 이겨낸 이순신 장군은 그 전투의 순간순간을 돌이켜 본 거죠. 급하게 쓰느라고 빠졌던 건 채워 넣고, 잘못 쓴 것은 고쳤던 겁니다. 〈중략〉

결론 이제 마지막으로, 이 글자를 보시겠습니다. 숱한 전쟁을 치른 이순신. 전투를 앞둘 때마다 그의 속마음이 어땠는지 잘 표현해 주는 글자입니다. 바로 '웅크릴 축(縮)' 자입니다. 생사를 넘나드는 전쟁터. 장군이라고 해도 어찌 두렵지 않았겠습니까. 그 두려움에 이렇게 웅크릴 수밖에 없었던 겁니다. 하지만 그 두려움을 용기로 바꾸기 위해서 끊임없이 자신을 채찍질했던 것입니다.

㉱

세부 내용 파악

8 이 발표에 대한 설명으로 적절하지 <u>않은</u> 것은?

① 발표의 제재는 충무공 이순신의 《난중일기》이다.
② 발표의 청자는 스튜디오 안의 청중을 포함한 TV 방송 시청자이다.
③ 발표자는 다양한 비언어적 표현을 활용하여 청자의 흥미를 유발하고 있다.
④ 발표자는 《난중일기》를 직접 보여 주며 이에 대한 전문가들의 의견을 비교하고 있다.
⑤ 발표의 목적은 《난중일기》에 나타난 이순신의 마음과 모습을 청중에게 전달하는 것이다.

표현 전략 파악

9 빈출 유형 이 발표에 사용된 언어적 표현 전략에 대한 설명으로 적절하지 <u>않은</u> 것은?

① TV 방송이라는 공적인 상황을 고려하여 청중에게 높임 표현을 사용하고 있다.
② 도입부에서 자신이 소개할 대상을 분명히 밝힘으로써 청중의 이해를 돕고 있다.
③ 전개부에서 청중에게 흥미로운 질문을 제시함으로써 청중의 참여를 유도하고 있다.
④ 결론부에서 발표의 주요 내용을 항목별로 요점 정리함으로써 핵심 내용을 강조하고 있다.
⑤ '마지막'이라는 어휘를 통해 결론 단계라는 정보를 알려 줌으로써 청중의 주의를 집중시키고 있다.

표현 전략 파악

10 빈출 유형

㉮~㉱에 사용된 비언어적 표현 전략과 그 효과로 적절하지 않은 것은?

	구분	비언어적 표현 전략	효과
①	㉮	청중을 향하여 손을 드는 자세를 취함.	청중이 손을 들며 참여하도록 유도함.
②	㉮	청중과 눈을 맞추며 말함.	청중과 교감하며 청중의 반응을 살핌.
③	㉯	손으로 글씨를 쓰는 모습을 취함.	일기 쓰는 모습을 시각적으로 형상화함.
④	㉰	발표 자료를 손으로 가리킴.	청중의 시선을 발표 자료로 유도함.
⑤	㉱	두 손을 앞으로 모으며 웅크림.	청중의 마음에 대한 공감을 나타냄.

[11~12] 다음 드라마의 한 장면을 보고 물음에 답하시오.

> **[상황]** 상심하여 기운을 잃은 봉순을 본 어머니가 봉순을 불러 이야기를 나누고 있다.

표현 전략 파악

11 빈출 유형

이 장면에서 봉순의 어머니가 사용한 언어적·비언어적 표현에 대한 이해로 적절하지 않은 것은?

① 봉순의 손을 잡아 줌으로써 봉순에게 친밀감을 드러내고 있다.
② '괜찮아.'라는 표현을 통해 상심한 봉순의 마음을 위로하고 있다.
③ 봉순과 눈을 맞춰 이야기함으로써 봉순을 이해한다는 마음을 전달하고 있다.
④ 유사한 경험담을 이야기함으로써 봉순의 상황에 대한 공감을 드러내고 있다.
⑤ 봉순의 말을 재구성하여 나타냄으로써 봉순의 처지와 심정을 이해하는 마음을 드러내고 있다.

> 도움말
> • **재구성** 청자가 화자의 감정 상태 등을 고려해 화자가 한 말의 의미를 다시 구성하여 말해주는 것이다. "우리 ○○이가 마음이 상했겠구나." 등의 표현이 그 예에 해당한다.

상황에 맞는 표현 전략

12 서술 유형

이 장면에서 어머니가 〈보기〉와 같은 표현 효과를 거두기 위해 사용할 수 있는 준언어적 표현 전략을 〈조건〉에 맞게 서술하시오.

> 보기
> 상심한 봉순을 위로하기 위해 부드럽고 온화한 느낌을 주고자 함.

> 조건
> 상황에 맞는 음조, 목소리 크기, 말의 빠르기를 모두 포함하여 한 문장으로 쓸 것

2일

3일

대단원 2. 화법의 원리와 실제

2-(1) 대화
2-(2) 면접

생각 열기 **대화와 면접 상황에서 고려해야 할 점은 무엇이 있을까?**

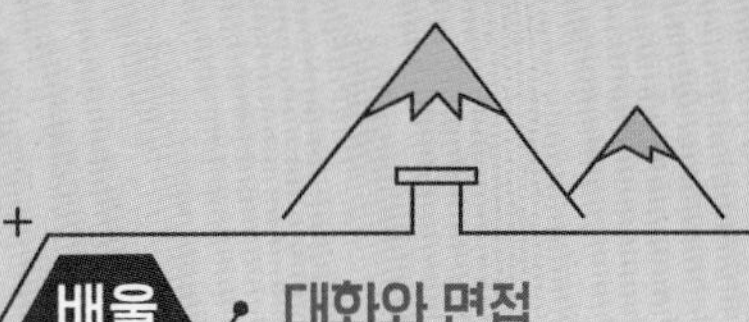

배울 내용

대화와 면접

❶ 자아 개념과 자기표현 방법

❷ 공감적 듣기, '나-전달법'

❸ 면접에서의 답변 전략

3일 교과서 핵심 정리

교과서 59~71쪽

핵심 1 자아 개념과 대화 성향

➜자아 개념은 인간이 어떻게 행동하고 ❶ [ ] 하는가에 중요한 영향을 미침.

- 자아 개념이 대화 성향에 미치는 영향

자아 개념이 ❷ [ ] 사람	↔	자아 개념이 ❸ [ ] 사람
긍정적, 적극적, 수용적, 우호적, 개방적 의사소통 성향		부정적, 회피적, 방어적, 공격적, 폐쇄적 의사소통 성향

❶ 반응
❷ 높은
❸ 낮은

핵심 2 원만한 인간관계를 위한 대화 방법

1 적절한 자아 개념 형성하기

- 있는 그대로의 자신을 ❹ [ ] 하고 존중할 수 있어야 함.
- 부정적인 자아 개념을 갖고 있다면 스스로 자신에 대한 인식을 긍정적인 방향으로 바꾸고, 상대방과 대화를 나누며 친밀하고 원만한 인간관계를 맺을 수 있어야 함.

❹ 수용

2 상대방과의 관계에 따라 자기를 표현하기

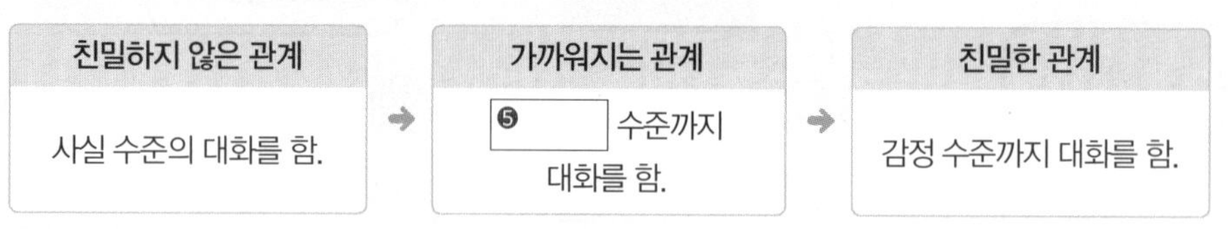

❺ 의견

3 공감적 듣기 청자가 자신을 ❻ [ ] 하고 있음을 화자가 느끼게 하는 의사소통 방법

❻ 이해

- 공감적 듣기의 방법

집중하기	상대방의 말에 관심이 있다는 반응을 보이며 집중해서 들음.
격려하기	상대방이 하고 싶은 말을 더 많이 할 수 있도록 격려하며 들음.
반영하기	상대방의 생각을 청자의 입장에서 이해한 대로 재진술하며 들음.

❼ 평가
❽ 기대

핵심 3 나-전달법

개념과 효과	• 문제 상황에서 다른 사람을 ❼ [ ] 하고 해석하는 대신 자신이 느끼는 감정과 바람에 집중하여 표현하는 의사소통 방법 • 갈등을 증폭시키지 않고 자신의 감정을 상대방이 이해하게 함.
표현 방법	'사건-감정-❽ [ ]'의 순서로 메시지를 구성하여 전달함.

개념 Catch

- **자아 개념**: 자기 자신에 대한 신념이나 태도. 자기 자신에 대한 스스로의 이해
- **재진술**: "지금 그 말은 다시 노력해 보겠다는 뜻이구나." 등과 같이 상대방의 생각을 청자의 입장에서 이해한 대로 다시 말해 주는 말하기 방법

기초 확인 문제

정답과 해설 7쪽

1 **다음 ㉠~㉢에 들어갈 알맞은 말을 쓰시오.**

> • 원만한 인간관계를 유지하기 위해서는 상대방과의 ㉠ [ㄱㄱ]에 따라 자기표현의 수준을 조절하는 것이 좋다.
> • 친밀하지 않은 관계에서는 ㉡ [ㅅㅅ] 수준의 대화를 하고, 친밀한 관계에서는 ㉢ [ㄱㅈ]을/를 드러내는 의사소통을 하는 것이 바람직하다.

㉠: (　　　　), ㉡: (　　　　), ㉢: (　　　　)

2 **공감적 듣기의 방법으로 적절하지 않은 것은?**

① 상대방의 말에 관심을 가지고 있다는 반응을 보이며 듣는다.
② 상대방이 하고 싶은 말을 더 많이 할 수 있도록 격려하며 듣는다.
③ 상대방의 생각을 청자의 입장에서 이해한 대로 재진술하며 듣는다.
④ 상대방이 침묵하는 경우, 분위기가 어색해지지 않도록 곧바로 화제를 전환한다.
⑤ 상대방의 눈을 바라보거나 미소를 짓는 등 공감을 나타내는 비언어적 표현을 사용하며 듣는다.

3 **'나-전달법'에 대한 설명으로 적절하지 않은 것은?**

① 상대방과의 갈등을 해결하는 데 효과적이다.
② 사건, 감정, 기대의 순서로 메시지가 구성된다.
③ 문제 상황에서 다른 사람을 평가하고 해석하는 방법이다.
④ 자신이 느끼는 감정과 경험을 솔직하게 표현하는 것이다.
⑤ 상대방을 비난하거나 비판하지 않고 자신의 감정을 이해할 수 있게 전달하는 것이다.

4 **다음 대화에서 오른쪽 학생이 활용한 공감적 듣기의 방법 두 가지를 쓰시오.**

…그랬더니 엄마께서 동생 편만 드시는 거야.

(눈을 맞추며) 어머니께서 네 동생 편만 드셔서 참 속상했겠구나.

(　　　　　　　　,　　　　　　　　)

5 **(나)는 (가)의 화자가 '나-전달법'을 사용하여 자신의 표현을 고친 것이다. 이때 ㉠에 들어갈 말로 알맞은 것은?**

(가)

체육복을 빌려 갔으면 바로 돌려줘야지. 너 때문에 선생님께 꾸중을 들었잖아. 너 진짜 생각 없다.

(나)

네가 체육복을 빌려 가고 제때 돌려주지 않아서 체육 시간에 복장 불량으로 선생님께 혼나서 너무 속상하고 화가 나. (㉠)

① 이번 일은 네 잘못이 정말 크다고 생각해.
② 하지만 너도 나름대로의 사정이 있었을 거야.
③ 기분이 많이 상해서 너와 대화하고 싶지 않아.
④ 내 마음이 얼마나 속상할지 생각이나 해 봤니?
⑤ 앞으로는 빌려 간 물건을 바로 돌려주면 좋겠어.

3일 교과서 핵심 정리

핵심 1 면접에서 질문의 의도를 파악하는 것의 중요성

→ 면접관은 질문을 통해 면접 대상자의 능력, 인성, 잠재력 등을 파악하기 때문에, 면접관의 질문을 ❶ [　　] 으로만 이해하면 면접관들이 원하는 답변을 하기 어려움.

→ 면접관의 질문을 끝까지 경청한 뒤, 질문의 ❷ [　　] 를 충분히 파악하여 답변해야 함.

❶ 표면적
❷ 의도

핵심 2 면접에서의 답변 전략

1 면접 답변 준비

① 지원한 단체나 기관이 추구하는 목표, 이념, 인재상, 최근 동향 등을 미리 살펴봄.

② 자신이 해당 단체나 기관에 필요한 인재라는 것을 어떻게 부각할지 미리 생각해 둠.

2 내용 측면에서의 답변 전략

질문 내용	질문 의도	답변 전략
약점을 묻거나 지적하는 질문	침착함, 순발력, 노력, 의지 파악	• 약점을 솔직하게 말함. • 약점을 ❸ [　　] 하기 위한 노력을 구체적인 경험 중심으로 답변함.
역량이나 전문성을 묻는 질문	학업이나 업무 등의 수행 능력 파악	• 역량이나 전문성을 갖추고 있음을 구체적인 ❹ [　　] 중심으로 답변함.
문제 상황에 대한 해결 방법을 묻는 질문	문제 해결력, 창의성, ❺ [　　] 파악	• 합리적이고 창의적인 문제 해결 방법을 제시함. • 협동심, 열정, 솔선수범 등의 인성을 지니고 있음을 드러냄.

❸ 극복
❹ 경험
❺ 인성

3 형식 측면에서의 답변 전략

결론부터 말하기	• 제한된 시간 안에 답변하려면 결론부터 말하는 것이 유리함. • 결론을 먼저 밝힌 후에 논리적인 ❻ [　　] 를 제시함.
사례를 제시하여 말하기	• 사례를 제시하면 답변을 ❼ [　　] 있게 전달할 수 있음. • 잘 아는 분야의 사례를 간단명료하게 말함.

❻ 근거
❼ 신뢰성
❽ 어법

4 표현 측면에서의 답변 전략

언어적 표현	준언어적 표현	비언어적 표현
❽ [　　] 에 맞게 말하고, 유행어나 비속어를 쓰지 않음.	크고 또렷한 목소리와 자신 있는 말투로 말함.	밝은 표정으로 면접관의 눈을 바라보며 진지하고 성실한 태도로 말함.

개념 Catch

- **인재상**: 인재로서 갖추어야 할 모습. 면접에서는 기업이 원하는 인재의 목표, 인성, 잠재력 등을 의미함.
- **역량**: 어떤 일을 해낼 수 있는 힘
- **솔선수범**: 남보다 앞장서서 행동해서 몸소 다른 사람의 본보기가 됨.

정답과 해설 7쪽

1 다음 [ ]에 공통으로 들어갈 말을 쓰시오.

> 면접에서 좋은 결과를 얻으려면 질문의 내용을 파악하고 질문의 [ ]을/를 추론하여 효과적으로 답변해야 한다. 따라서 면접관의 질문을 끝까지 경청한 뒤, 질문의 내용과 [ ]을/를 충분히 파악하여 답변하는 것이 좋다.

(   )

2 면접에서 면접관이 요구하는 답변 내용과 그에 알맞은 답변 전략을 바르게 연결하시오.

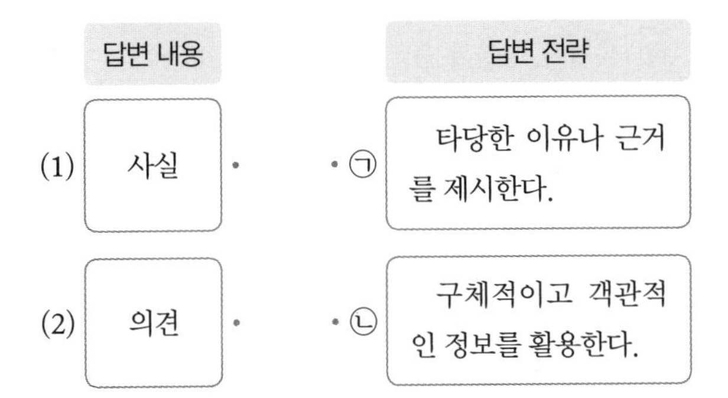

3 다음 상황에서 면접 대상자의 답변이 효과적이지 않은 이유로 적절한 것은?

> 저는 대학교 때 아르바이트와 학업을 병행하였습니다. 그래서 항상 시험 준비를 할 시간이 부족했지만, 잠을 줄여 좋은 학점을 받을 수 있었습니다.

① 정확하지 않은 사실을 답변했기 때문에
② 어법에 맞지 않는 표현을 사용했기 때문에
③ 의견을 묻는 질문에 사실로 답했기 때문에
④ 구체적인 경험 중심으로 답변하지 않았기 때문에
⑤ 답변을 장황하게 하여 질문의 핵심에서 벗어났기 때문에

4 면접에서의 답변 전략으로 적절하지 <u>않은</u> 것은?

① 약점을 묻거나 지적할 때에는 약점을 감추고 장점을 말한다.
② 학업 능력을 묻는 질문에는 구체적인 경험 중심으로 답변한다.
③ 제한된 시간 안에 답변해야 하므로 결론부터 먼저 분명하게 밝힌다.
④ 지원한 단체의 인재상과 목표를 먼저 살펴본 후 그에 어울리는 답변을 한다.
⑤ 문제 해결 방법을 묻는 질문에는 창의적인 해결 방법과 함께 협동심, 열정을 지니고 있음을 드러낸다.

5 다음에서 ㉠의 답변이 ㉡의 답변보다 좋은 평가를 받았다면, 그 이유로 적절한 것은?

 면접관	자신이 학교 홍보 도우미로서 어떤 역량을 지니고 있는지 말해 보세요.
 ㉠ 최재호	저는 학교의 다양한 행사 활동에 적극적으로 참여해 왔기 때문에, 우리 학교의 행사들을 생생하게 소개할 수 있습니다.
 ㉡ 김윤성	저는 굉장히 쾌활한 성격을 가지고 있고 친화력도 좋기 때문에 학교 홍보 도우미로서 적합하다고 생각합니다.

① ㉠은 약점을 솔직하게 말했기 때문에
② ㉠은 평소 성격을 근거로 자신의 인성을 드러냈기 때문에
③ ㉠은 자신의 경험을 근거로 업무 수행 능력을 드러냈기 때문에
④ ㉠은 합리적이고 창의적인 문제 해결 방법을 제시하였기 때문에
⑤ ㉠은 결론을 먼저 제시한 후에 논리적 근거로 이를 뒷받침했기 때문에

교과서 기출 베스트

의사소통 성향 파악

1 빈출 유형 **다음 상황에서 현우와 창규에 대한 설명으로 적절하지 않은 것은?**

① 현우는 개방적이고 수용적인 의사소통 성향을 가지고 있다.

② 현우는 높은 자아 개념을 가지고 있고 창규는 낮은 자아 개념을 가지고 있다.

③ 현우와 창규의 사례를 볼 때, 한번 형성된 자아 개념은 바뀌지 않는다는 것을 알 수 있다.

④ 상대방의 평가에 대하여 현우와 창규는 자신의 자아 개념을 바탕으로 상반된 반응을 보이고 있다.

⑤ 창규의 대화 방식이 바뀌지 않는다면 창규는 인간관계를 원만하게 형성하지 못할 가능성이 높다.

[2~3] 다음 대화를 보고 물음에 답하시오.

가 점심시간, 복도에서

연수 (발표 대회에 대한 이야기를 나눈 후) 근데 오늘 표정이 좀 어두운 것 같다. 무슨 일 있니?

윤지 ㉠별일 아니에요. 신경 쓰지 않으셔도 돼요. 걱정해 주셔서 고마워요.

연수 그래? 그렇다면 다행이고. 그럼 내일 보자.

윤지 네, 선배님, 그럼 내일 봬요.

나 방과 후, 집에 가는 길에서

서현 윤지야, 오늘 무슨 일 있었어? 종일 표정이 좋지 않던데.

윤지 ㉡실은, 어제 정말 속상한 일이 있었어.

서현 그래? 어떤 일이 있었는데?

윤지 요즘 동생이 집에 들어오는 시간이 점점 늦어지고 있어. 그래서 어제 동생에게 귀가 시간이 늦어지면 미리 연락을 하면 어떻겠냐고 조심스럽게 말을 꺼내보았는데, 오히려 화를 내는 거야.

서현 동생이 속상하지 않도록 너도 배려해서 말했을 텐데, 무척 속상했겠구나.

대화 방법 파악

2 빈출 유형 **(나)에서 서현의 대화 방식으로 가장 적절한 것은?**

① '나-전달법'을 활용하여 윤지와의 갈등 상황을 원만하게 해결하고 있다.

② 윤지의 말에 공감하며 적절히 반응함으로써 대화를 원활하게 이어가고 있다.

③ 자신의 생각을 표현하지 않고 윤지가 지속적으로 말을 할 수 있도록 돕고 있다.

④ 윤지의 기분을 고려하지 않고 자신이 하고 싶은 말만 하여 윤지의 기분을 상하게 하고 있다.

⑤ 윤지의 고민에 적절히 반응하여 윤지가 낮은 자아 개념을 긍정적인 방향으로 조정하도록 돕고 있다.

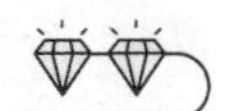

대화 방법 파악

3 서술 유형 **〈보기〉를 참고하여, ㉠과 ㉡의 차이점과 그 차이점이 발생한 이유를 〈조건〉에 맞게 서술하시오.**

보기

원만한 인간관계를 유지하려면 상대방과의 친밀도에 따라 자기 의견과 감정을 적절히 드러내는 것이 좋다.

조건

- '윤지가 ㉠에서 ~것은 ~기 때문이고, ㉡에서 ~것은 ~기 때문이다.'의 형식으로 쓸 것
- '감정', '친밀도'라는 단어를 포함하여 쓸 것

[4~5] 다음 대화를 보고 물음에 답하시오.

[상황] 방과 후 혼자 책상에 앉아 공부를 하던 승희. 잠시 머리를 식히려 만화책을 펼치는데, 아버지가 들어와 그 모습을 보고 승희를 야단친다.

아버지 (승희가 듣고 있는지 아닌지 확인하지 않고) 내가 너 괴롭히려고 이러는 거니? 공부하라고 야단치는 내 마음은 어떻겠니. 세상을 너보다 먼저 살아 보니 학생 때 공부하는 게 중요하다고 생각해서 그러는 거야.

승희 저도 나름대로 열심히 노력하는 중이라고요. 오늘은 공부가 잘 안 돼서 머리를 식히려 잠시 만화책을 펼쳤을 뿐인데, 그게 그렇게 큰일인가요? ㉠아빠는 왜 맨날 앞뒤 사정 알아보지도 않고 화만 내세요?

아버지 (책상 위 문제집을 펼치며) 아니, 그런데 이 책은 왜 이렇게 깨끗한 거야?

승희 아니, 그건 어제 산…….

아버지 (듣지도 않고) 풀지도 않을 책은 왜 사니? 이래 놓고서 뭘 믿어 달라는 거야?

승희 아빠랑은 말이 안 통해요.

세부 내용 파악

4 **이 대화에서 아버지와 승희의 갈등이 심화된 이유로 적절하지 않은 것은?**

① 아버지가 승희의 말을 중간에 끊고 있기 때문에
② 아버지가 승희의 말을 듣지 않고 승희를 다그치고 있기 때문에
③ 아버지와 승희 모두 상대의 상황을 제대로 살피지 않았기 때문에
④ 아버지와 승희 모두 자신의 감정을 솔직하게 드러내고 있기 때문에
⑤ 아버지와 승희 모두 상대의 행동에만 초점을 맞추어 비난하고 있기 때문에

대화 방법 파악

5 빈출 유형 **승희가 ㉠ 대신 〈보기〉와 같이 말했을 때, 이에 대한 설명으로 적절하지 않은 것은?**

보기

(a)계속 만화책을 보고 있었던 게 아니라 잠시 머리를 식히려고 만화책을 펼쳤는데, 아빠께서 공부를 안 한다고 오해하셔서 (b)정말 속상하고 노력을 인정받지 못한 기분이 들어서 슬퍼요. (c)화부터 내시기보다는 제 이야기를 끊지 마시고 천천히 들어주셨으면 좋겠어요.

① 〈보기〉의 의사소통 방식은 '나-전달법'이다.
② (a)는 '사건'으로, 문제로 인식한 상대의 행동이나 상황에 대한 평가를 담아 이야기하는 부분이다.
③ (b)는 '감정'으로, 사건에 대한 자신의 감정을 솔직하게 이야기하는 부분이다.
④ (c)는 '기대'로, 상대방에게 바라는 바를 이야기하는 부분이다.
⑤ (c)에서는 갈등을 유발하지 않도록 차분하게 자신의 요청을 전달하는 것이 중요하다.

[6 ~ 8] 다음 채용 공고와 면접 상황을 보고 물음에 답하시오.

> **운동용품 개발자를 모집합니다**
> • 운동용품에 대한 폭넓은 이해와 전문 지식을 보유한 사람
> • 협력 업체뿐 아니라 동료 및 상사와의 원만한 관계를 바탕으로 하여 고품질의 운동용품을 개발할 수 있는 사람
> – ○○ 운동 회사

면접관 지금까지 운동용품에 관한 두 분의 전문적인 견해를 잘 들어 보았습니다. 두 분 다 우리 회사에 필요한 역량을 잘 갖추었군요. 그럼 이제 마지막 질문입니다. 만약에 상사가 운동용품과 전혀 관련이 없는 업무를 지시한다면 어떻게 하시겠습니까?

박수찬 ㉠귀사는 우리나라에서 운동용품을 판매하는 기업 중에서 판매율이 가장 높은 업체이십니다. 그래서 일과 관련이 없는 업무를 지시하는 상사는 귀사에 결코 존재하지 않을 것이기 때문입니다. 그럼에도 불구하고 만약 상사가 그런 지시를 내린다면 저는 그 지시를 따르지 않겠습니다. 그런 지시는 회사에 큰 손해를 끼칠 것이 뻔하기 때문입니다. 회사의 이익에 반하는 일이라면 아무리 상사의 지시라 하더라도 저는 결코 따르지 않을 것입니다.

최진범 저는 먼저 상사가 지시한 업무가 정말 운동용품과 관련이 없는지를 고민해 본 후, 동료나 선배들에게 이 업무에 대한 의견을 물어 보겠습니다. 왜냐하면 그분들의 의견을 통해 상사의 지시에 담긴 의미를 파악하거나, 조직의 화합을 해치지 않으면서도 그 지시에 대응하는 방법을 알 수 있을 것이기 때문입니다. 저는 직장 생활에서 업무를 잘하는 것도 중요하지만 원만한 인간관계도 무척 중요하다고 생각합니다.

면접의 특징 파악

6 빈출 유형 이와 같은 담화에 대한 설명으로 적절하지 않은 것은?

① 면접관이 면접 대상자를 평가하는 것이 목적이다.
② 공적 대화이므로 격식을 갖춘 표현을 사용해야 한다.
③ 주로 면접관의 질문에 면접 대상자가 답변을 하는 방식으로 진행된다.
④ 면접 대상자는 최대한 솔직하게 하고 싶은 말을 다 하는 것이 효과적이다.
⑤ 면접 대상자는 밝은 표정 등의 비언어적 표현을 통해 면접관에게 좋은 인상을 주는 것이 좋다.

세부 내용 파악

7 박수찬과 최진범의 답변에 대한 설명으로 적절하지 않은 것은?

① 박수찬은 기업과 관련된 배경지식을 포함시켜서 답변하였다.
② 면접관의 질문 의도를 고려할 때 박수찬이 상사의 지시를 따르지 않겠다고 한 것은 회사에 대한 충성심을 강조하는 적절한 답변이다.
③ 최진범은 원만한 인간관계의 중요성을 강조하였다.
④ 최진범은 비속어를 쓰지 않고 어법에 맞게 말하는 등 적절한 언어적 표현을 활용하였다.
⑤ 면접관의 질문 의도를 고려할 때 최진범이 조직의 화합을 유지하며 지시에 대응하는 방법을 찾겠다고 한 것은 적절한 답변이다.

상황에 맞는 언어적 표현

8 빈출 유형 ㉠에서 어법에 맞지 않는 표현을 찾아 〈조건〉에 맞게 고쳐 쓰시오.

> 조건
> '~(이)라는 표현은 ~에 어긋난 표현이므로, ~(으)로 고쳐야 한다.'의 형식으로 쓸 것

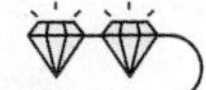

3일

[9 ~ 11] 다음 면접 상황을 보고 물음에 답하시오.

> 한국대학교 경영학과 면접장에서 이동건 학생이 면접을 치르고 있다.

면접관 학교 생활 기록부를 보니 봉사 활동을 매우 열심히 했는데, 자신이 했던 봉사 활동의 의미를 말해 보세요.

[A] **이동건** 저는 2주일에 한 번씩 지역 아동 센터에 가서 초등학교 저학년 아이들에게 수학을 가르쳐 주었습니다. 처음에는 아이들에게 공부를 어떻게 가르쳐 주어야 하는지 몰라서 힘들었지만, 차츰 아이들과 친해지면서 아이들의 눈높이에 맞추어 가르치는 것이 중요하다는 것을 알게 되었습니다. 이를 통해 서로의 소통을 위해서는 상대방의 입장을 이해하고 배려하는 것이 중요하다는 것을 느낄 수 있었습니다. 또한 제가 앞으로 기업을 운영할 때에도 소비자의 눈높이에 맞추어 제품을 만들고 홍보해야만 성공할 수 있다는 것도 깨달을 수 있었습니다.

면접관 학생이 생각하는 자신의 장점과 단점에 대해 말해 보세요.

[B] **이동건** 저의 장점은 한번 시작한 일은 열정을 갖고 끝까지 최선을 다한다는 것입니다. 동아리 발표 대회를 준비할 때에도 다른 친구들은 귀찮고 힘들다며 대충했지만, 저는 밤을 새워 가면서까지 발표 자료를 만들어 좋은 결과를 얻었습니다. 다만, 저는 성격이 불같아서 가끔 화를 내곤 하는데, ㉠누구나 약점 하나씩은 있는 법이니 괜찮다고 생각합니다.

면접관 (당황한 표정으로) 아, 그렇게 생각하는군요. 알겠습니다. 그럼 ㉡마지막으로 최근 본 기사 중 가장 관심을 끈 것이 무엇인지 말해 보세요.

세부 내용 파악

9 [A], [B]에 대한 설명으로 적절하지 않은 것은?

① [A]: 구체적인 사례를 중심으로 자신의 생각을 드러내고 있다.
② [A]: 봉사 활동의 의미를 자신의 진로와 연관 지어 말하고 있다.
③ [B]: 결론부터 분명히 밝히고 있다.
④ [B]: 자신의 경험을 근거로 본인의 장점을 설명하고 있다.
⑤ [B]: 동아리 발표 대회 준비 과정을 상세하게 드러내어 자신이 지닌 리더십을 강조하고 있다.

상황에 맞는 면접 답변

10 빈출 유형 면접의 답변 전략에 따라, 이동건이 ㉠ 대신 할 수 있는 답변으로 가장 적절한 것은?

① 지금 돌이켜 생각해 보면 후회가 많이 됩니다.
② 타인에게 피해를 주지는 않기 때문에 괜찮습니다.
③ 이를 극복하기 위해 친구들과 대화를 많이 하고 있습니다.
④ 친구에게 큰소리를 치는 것 등이 그 예라고 할 수 있습니다.
⑤ 예전에 비해서는 횟수가 많이 줄어들었기 때문에 큰 문제는 되지 않습니다.

면접 답변의 적절성 파악

11 서술 유형 다음은 ㉡에 대한 두 가지 답변이다. ㉡의 질문 의도를 고려할 때 ⓐ, ⓑ 중 더 적절하다고 생각하는 답변이 무엇인지 쓰고, 그렇게 생각한 이유를 서술하시오.

> ⓐ 영화 ○○○이 아카데미 시상식에서 작품상을 받았다는 기사입니다. 제가 가장 좋아하는 감독이 연출한 영화가 상을 받아서 무척 기뻤습니다.
> ⓑ 비대면 사업이 보편화되면서 정보 기술 기업이 빠르게 성장하고 있다는 기사입니다. 코로나바이러스 감염증으로 인한 사회적 변화에 기업이 어떻게 적응해야 하는지를 생각해 볼 수 있었습니다.

3-(1) 발표
3-(2) 연설

생각 열기 **발표와 연설을 할 때 고려해야 할 점은 무엇이 있을까?**

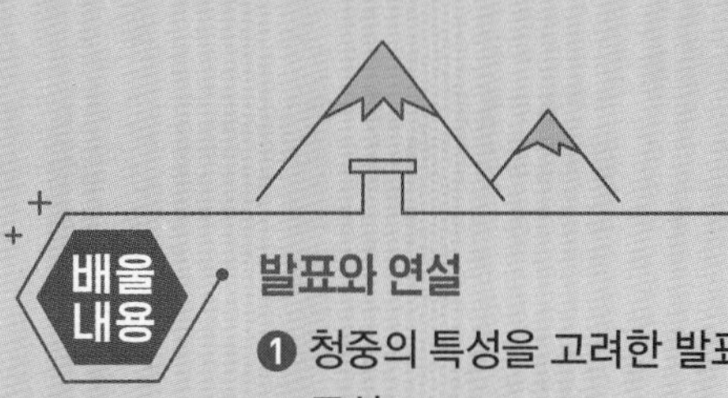

발표와 연설

❶ 청중의 특성을 고려한 발표의 내용 구성

❷ 연설의 설득 전략

4일 교과서 핵심 정리

핵심 1 발표의 목적

1 발표 여러 사람 앞에서 자신의 생각이나 의견 또는 사실에 대하여 진술하는 의사소통 행위

2 발표의 목적을 달성하는 방법

발표 목적	
정보 전달	자신이 전달하는 정보를 청자에게 제대로 이해시키는 것
설득	자신의 ❶ [　　] 을 청자가 수용하게 하는 것

➜

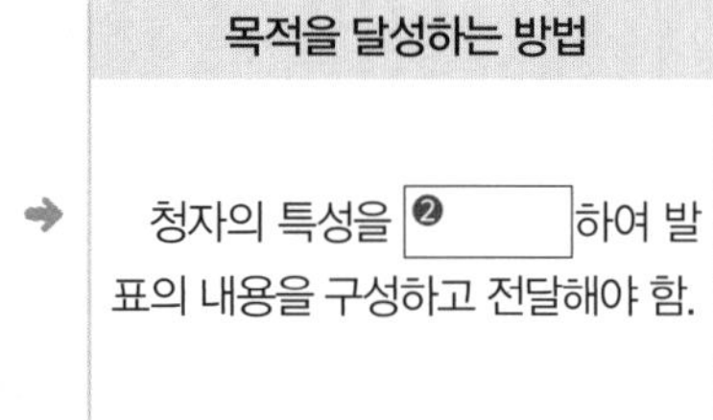

목적을 달성하는 방법
청자의 특성을 ❷ [　　] 하여 발표의 내용을 구성하고 전달해야 함.

❶ 주장
❷ 분석

핵심 2 청자의 특성을 고려한 발표의 내용 구성

1 주제에 대한 청자의 흥미와 이해 정도

청자가 발표 주제에 관심과 흥미가 없을 경우	청자의 관심을 유발할 수 있는 말과 행동으로 발표를 시작함.
발표 내용이 청자의 수준에 맞지 않을 경우	발표 주제에 대한 청자의 사전 ❸ [　　] 을 점검하고, 청자의 이해 수준을 고려하여 발표 내용을 구성함.

❸ 지식

2 주제에 대한 청자의 태도

긍정적일 경우	긍정적 태도를 ❹ [　　] 하도록 표현한 후에 구체적인 내용을 전달함.
부정적일 경우	주제에 대해 ❺ [　　] 으로 생각할 수 있게 한 후에 구체적인 내용을 전달함.

❹ 확신
❺ 긍정적

3 주제와 관련한 청자의 세부 관심사

청자가 발표의 특정 내용에 ❻ [　　] 이 있을 경우, 이를 발표 내용에 반영함.

예 학교생활을 주제로 선정할 경우, 청자가 동아리 활동에 관심이 있다면 이를 발표 내용에 적극적으로 반영함.

❻ 관심

4 청자의 정서적 상태

청자의 정서적 상태를 이해하고 ❼ [　　] 하고 있음을 말과 행동으로 표현함.

정서적 상태를 고려한 경우	청자가 발표 내용을 관심 있게 들어보겠다는 생각을 하게 됨.
정서적 상태를 고려하지 않은 경우	발표 내용이 타당하고 좋더라도 청자가 이를 ❽ [　　] 하고 싶지 않다고 생각할 수 있음.

❼ 공감
❽ 수용

기초 확인 문제

정답과 해설 8쪽

1 다음 [　　　]에 공통으로 들어갈 말을 쓰시오.

> 발표는 [　　　] 지향적 행위이므로 [　　　]의 특성을 분석하여 발표의 내용을 구성하고 전달해야 발표의 목적을 달성할 수 있다.

(　　　　　　　　)

2 청자의 특성을 고려하여 발표 내용을 구성하는 방법으로 적절한 것에는 ○표, 적절하지 않은 것에는 ×표를 하시오.

(1) 청자가 발표 주제에 관심이 없을 때에는 우선 발표 내용을 상세하게 설명한다. (　　)

(2) 청자가 발표 주제에 긍정적일 경우, 긍정적 태도를 확신할 수 있게 한 후에 내용을 전달한다. (　　)

(3) 청자가 발표 내용을 어렵게 느낄 수 있다고 판단되면 청자의 이해 수준을 고려하여 좀 더 쉽게 설명한다. (　　)

3 다음 발표 계획의 ㉠에서 발표자가 분석한 청자의 특성으로 적절한 것은?

> • **발표 주제**: 추천하고 싶은 국내 여행지
> • **발표 목적**: 방학을 맞아 여행을 가고 싶어 하는 친구들에게 좋은 여행지 정보를 공유하는 것
> • **예상 청자**: 학급 친구들
> • **발표 준비**
> ㉠친구들이 맛있는 음식을 좋아하므로 특히 맛집 여행을 중심으로 내용을 구성하기

① 청자의 지적 수준
② 청자의 정서적 상태
③ 발표 주제에 대한 청자의 태도
④ 발표 주제에 대한 청자의 이해 수준
⑤ 발표 주제와 관련한 청자의 세부 관심사

4 다음 발표의 내용을 통해 추측할 수 있는, 이 발표를 듣는 청자의 특성을 〈보기〉에서 고르시오.

> 여러분들 모두 전염병 예방의 필요성에 공감하실 거라 생각합니다. 많은 분들이 미리 전염병 예방법에 대해 질문을 주셔서, 오늘은 여러분들께 전염병 예방법을 구체적으로 알려드리고자 합니다.

보기

ㄱ. 발표 주제에 전혀 관심이 없음.
ㄴ. 발표 주제에 관심은 있으나 부정적 태도를 가짐.
ㄷ. 발표 주제에 관심이 있고 긍정적 태도를 가짐.

5 다음 상황에서 활용할 수 있는 발표 전략으로 가장 적절한 것은?

> 어떤 단체에서 발표를 하는데, 발표 당일 그 단체에 안 좋은 일이 생겨 청자들이 슬픔에 잠겨 있다.

① '안 좋은 일'에 대한 언급 없이 바로 발표를 시작한다.
② 웃기는 농담을 하여 청자가 웃을 수 있도록 유도한다.
③ 청자의 정서적 상태를 이해하고 공감하고 있음을 말로 표현한다.
④ 청자의 기분에 휘둘리지 않고 전달해야 할 내용만 명확하게 전달한다.
⑤ 청자의 반응을 살피기보다는 발표 내용을 열정적으로 전달하는 데에 집중한다.

4일 교과서 핵심 정리

핵심 1 연설의 설득 전략

1 인성적 설득 전략 화자의 ˚공신력을 높여서 청중이 화자의 말을 수용하게 하는 전략

• 공신력의 구성 요소

	의미	높이는 방법
전문성	화자가 화제에 대한 지식과 경험을 갖춘 정도	연설 내용을 사전에 충분히 ❶ [ ] 하여 이에 대해 이해하고 있음을 드러냄.
신뢰성	화자의 성품에 대한 신뢰도와 주변의 ❷ [ ]	말을 할 때 진심을 담아 표현함.
침착성	화자가 돌발 상황에 침착하게 대처하는 정도	❸ [ ] 해하지 않고 ˚의연한 태도로 말을 함.
외향성	화자가 역동적인 어조와 몸짓으로 신념과 열정을 표현하는 정도	자신 있는 태도로 신념과 열정을 드러냄.
사회성	화자가 ❹ [ ] 을 주는 정도	청중과 공유할 수 있는 경험이나 청중의 상황에 공감하고 있음을 언급함.

❶ 조사
❷ 평판
❸ 불안
❹ 친근감

2 이성적 설득 전략

• 화자가 자신의 주장을 타당한 ❺ [   ] 를 들어 표현함으로써 청중이 이를 수용하게 하는 전략
• 청중의 요구나 수준을 고려해 근거를 마련하고, 주장과 근거를 논리적으로 조직하여 말함.

❺ 근거

3 감성적 설득 전략

• 화자가 청자의 감성에 호소하여 청자가 자신의 주장을 수용하게 하는 전략
• 청중에게 기쁨, 슬픔 등의 ❻ [   ] 이 일어나게 하기 위해 적절한 언어적 · 비언어적 · 준언어적 표현을 활용함.

❻ 감정

핵심 2 설득 전략을 사용할 때의 유의점

설득 전략을 상호 ❼ [ ] 적으로 사용하기	논리적으로 주장을 하면서도 청중의 감성을 고려하고, 청중의 감성을 자극하여 주장의 설득력을 높이면서도 전달 내용이 논리성을 갖추도록 하는 것이 바람직함.
윤리적 가치 고려하기	청자에게 특정 집단, 지역, 견해 등에 대하여 부정적 ❽ [ ] 을 심어 주거나 잘못된 판단을 유발하는 것은 윤리적으로 문제가 되므로 삼가야 함.

❼ 보완
❽ 인식

개념 Catch

• **공신력**: 화자가 청자에게 공적으로 신뢰를 받을 만한 능력
• **의연하다**: 의지가 굳세어서 끄떡없다.

기초 확인 문제

정답과 해설 9쪽

1 다음 연설의 설득 전략에 해당하는 방법을 찾아 바르게 연결하시오.

	설득 전략		방법
(1)	감성적 설득 전략	㉠	화자의 공신력을 높임.
(2)	인성적 설득 전략	㉡	청자의 감성에 호소함.
(3)	이성적 설득 전략	㉢	논거를 들어 주장을 뒷받침함.

2 다음 ㉠, ㉡에 들어갈 알맞은 말을 쓰시오.

> 연설에서 화자의 공신력은 화자가 청자에게 공적으로 (㉠)을/를 받을 만한 능력을 말하는데, 공신력을 구성하는 요소에는 전문성, 신뢰성, (㉡), 외향성, 사회성이 있다.

㉠: (   ), ㉡: (   )

3 인성적 설득 전략에 해당하지 않는 것은?

① 말을 할 때 진심을 담아 표현한다.
② 자신 있는 태도로 신념과 열정을 나타낸다.
③ 불안해하지 않고 의연한 태도로 말을 한다.
④ 의도하는 감정을 유발할 수 있는 비언어적 표현을 사용한다.
⑤ 주제와 관련된 내용을 충분히 조사하여 이를 이해하고 있음을 드러낸다.

4 연설자가 '금연을 해야 한다'고 주장하며 〈보기〉의 자료를 제시했을 때, 그 목적으로 적절한 것은?

> 보기
>
> 암으로 사망한 사람의 3명 중 1명은 흡연자라는 연구 결과가 있다. 특히 흡연자가 비흡연자에 비해 폐암에 걸릴 확률은 4배가량 더 높으며, 하루에 담배를 1갑 이상 피우는 흡연자는 그 확률이 11배, 2갑 이상 피우는 흡연자는 22배로 급격하게 늘어난다. 한편 10년간 금연한 경우 폐암의 발생 빈도는 50%가량 줄어들며 20년간 금연한 경우 폐암의 발생 빈도는 비흡연자와 비슷할 정도로 떨어지게 된다.

① 적절한 준언어적 표현을 사용하여 설득 효과를 높이기 위해
② 주장에 대한 타당한 근거를 제시하여 설득력을 높이기 위해
③ 청중의 감성에 호소하여 청중이 화자의 주장을 더 잘 받아들이도록 하기 위해
④ 청중과 공유할 수 있는 경험을 제시하여 청중과 더욱 원활하게 소통하기 위해
⑤ 말을 할 때 진심을 담아 표현하여 청중이 화자의 말을 더 잘 수용하도록 하기 위해

5 다음 상황에서 연설자가 사용하고 있는 설득 전략 두 가지를 〈보기〉에서 고르시오.

(자신감 있는 목소리로)
지금도 토끼들은 우리 거북이들을 느리다는 이유로 무시하고 있습니다!

> 보기
>
> ㉠ 감성적 설득 전략
> ㉡ 이성적 설득 전략
> ㉢ 인성적 설득 전략

4일 교과서 기출 베스트

[1 ~ 2] 다음 발표를 보고 물음에 답하시오.

가 고등학생이 모교인 중학교에 방문하여 자신이 다니는 학교에 대해 알려 주는 상황

안녕하세요? 저는 진학을 앞두고 선택의 기로에 서 있는 여러분에게 도움을 주려고 왔어요. 어느 고등학교를 가야 하나 고민이 많죠? 특히 대학 진학과 관련하여 궁금할 것 같은데, 저희 학교는 '학생부 종합 전형'을 잘 준비할 수 있는 학교랍니다. 그리고 우리 학교는 급식이 정말 맛있어요. 여러분들이 관심이 있을 것 같아 미리 알려 드려요.

나 3학년 선배가 1학년 후배들에게 고등학교 생활에 대해 안내하는 상황

안녕하세요? 여러분에게 고등학교 생활에 대해 안내하려고 이 자리에 섰어요. 저는 여러분이 많은 관심을 갖고 있는 동아리 활동에 대해 말하려고 합니다. 특히 여러분들이 직접 만드는 자율 동아리에 대해 말할까 하는데 어때요? (후배들의 대답을 듣고) 아! 자율 동아리를 어떻게 신설하는지 궁금하다고요? 맞아요. 자기가 새로 자율 동아리를 만들려면 여러 가지 절차가 필요하죠. 그러면 그 절차를 중심으로 해서 자율 동아리에 대해 설명할게요.

다 교내 발표 대회에서 친구들과 선후배들에게 자신의 생각을 주장하는 상황

안녕하십니까? 저는 손수건 사용에 대해 말하려고 합니다. 사실 손수건을 사용하는 건 많이 불편하죠? 또한, 우리 주변에 손수건을 사용하는 사람이 많지 않다 보니 여러분도 손수건을 거추장스러운 물건이라고 생각할 수 있습니다.

㉠저도 그 생각에는 동의합니다. 그런데 이런 생각을 해 보면 어떨까요? 우리가 그 불편함을 조금만 감수한다면 수많은 나무들이 보존될 수 있고, 우리가 사는 세상이 조금 더 좋아질 수 있다는 것을 말이죠.

세부 내용 파악

1 (가), (나)의 화자에 대한 설명으로 적절하지 않은 것은? (빈출 유형)

① (가)의 화자는 청자에게 질문을 던지며 주제에 대한 청자의 이해 정도를 파악하였다.
② (가)의 화자는 발표 주제와 관련된 청자의 흥미를 고려하여 발표 내용을 구성하였다.
③ (나)의 화자는 청자의 반응을 유도하며 주의를 집중시켰다.
④ (나)의 화자는 청자의 세부 관심사를 분석하여 발표 내용을 구성하였다.
⑤ (가), (나)의 화자는 모두 발표라는 공적인 상황을 고려하여 청자에게 높임말을 사용하였다.

청자의 특성 파악

2 (다)의 화자가 ㉠과 같이 말한 목적으로 적절한 것은?

① 발표 주제에 관심이 없는 청자의 관심과 흥미를 유발하기 위해
② 발표 주제에 대한 청자의 입장에 동의하며 자신의 태도를 수정하기 위해
③ 발표 주제에 긍정적 태도를 가진 청자가 그러한 태도를 확신하도록 하기 위해
④ 발표 주제에 부정적 태도를 가진 청자가 주제를 긍정적으로 생각하도록 하기 위해
⑤ 발표 주제에 대한 청자의 이해 수준을 고려하여 발표 내용을 좀 더 쉽게 설명하기 위해

청자의 특성 파악

3 다음 발표의 도입부에서 알 수 있는 청자의 특성을 쓰시오.

발표 주제: 쓰레기 분리배출을 철저히 하자
자, 여기 좀 주목해 주세요. 이건 정말 심각한 문제입니다. 지구가 오염되면 우리는 어디서 살아야 할까요? 우리가 화성에 가서 살 수 있을까요?

[4~5] 다음 발표를 보고 물음에 답하시오.

어머니의 초등학교 시절, 교실 뒤편 게시판에 붙어 있던 꿈은 바로 항공 승무원이 되는 것이었습니다. 〈중략〉 그 꿈을 이루기 위해서 항공운항과에 지원했던 일화도 들려주셨습니다. 어머니께서는 한참 동안 즐겁게 이야기를 하시다가 옅은 미소를 지으며 이렇게 이야기를 끝마치셨습니다.

"그것도 다 어렸을 때 얘기지. 내가 진짜 항공 승무원이 된 것도 아니고. 이건 꿈이라고 하기도 좀 그렇다, 얘." 〈중략〉

그런데 이렇게 어린 시절의 꿈을 이루지 못한 것은 비단 제 어머니만의 일은 아니었습니다. (스크린에 자료를 제시하며) 2013년 발표된 통계인데요, 만 35세부터 50세까지의 직장인 400명에게 다음과 같이 질문했습니다.

"당신의 꿈을 포기해 본 적이 있나요?"

(스크린을 가리키며) 이 질문에 대해 응답자의 74%는 '그렇다'라고 대답했습니다. 경제적 이유, 예상되는 낮은 성공률, 가족의 만류 등 다양한 이유로 그들은 자신의 꿈을 포기할 수밖에 없었다고 이야기했습니다. 〈중략〉 (천천히 끊어서 말하며) 하지만 이 꿈이 정말 의미가 없는 것일까요? 이루지 못한 꿈은 어떤 가치도 지니지 못하는 것일까요? (청자와 눈을 맞추며) 근사한 결과를 낳지 못했다는 이유로 머릿속 저편에 놓여서 잊혀 가는 이 꿈. 저는 이 꿈에 대해서 더 이야기를 나누어 보고 싶습니다. 〈중략〉

2주 전 대학 수학 능력 시험이 있었습니다. 시험이 끝난 직후를 촬영한 뉴스 영상에서 집으로 돌아가는 수많은 고등학생 사이로 언뜻 백발의 노인분들을 발견할 수 있었습니다. 수십 년 만에 다시 공부를 시작하신 만학도 할머니, 할아버지들이셨는데요, 그분들이 하셨던 인터뷰 중에서 매우 인상 깊은 말씀이 있습니다.

"저 같은 사람이 합격하면 젊은 사람들이 또 뭐 하겠어요. 젊은 사람들이 다 합격하고 나는 안 되어도 좋지만, 해 보는 것까지만이라도 참 영광으로 생각합니다."

반응의 적절성 파악

4 빈출 유형 이 발표에 대한 학생들의 반응으로 적절하지 않은 것은?

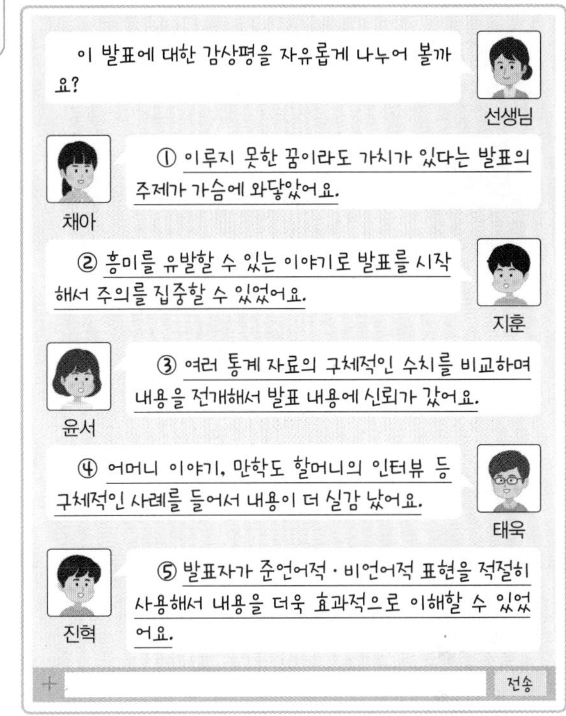

청자의 특성 파악

5 빈출 유형 이 발표의 청자가 고등학생임을 고려하여 발표자가 수립한 발표 전략으로 적절한 것은?

① 청자의 이해 수준을 고려하여 전문적인 어휘를 사용하였다.
② 청자의 흥미를 유발하기 위하여 자신의 진로를 구체적으로 밝혔다.
③ 청자의 관심사를 고려하여 대학 수학 능력 시험에 관한 내용을 다루었다.
④ 청자의 정서적 상태를 고려하여 청자를 이해하고 공감하고 있음을 표현하였다.
⑤ 주제에 대한 청자의 부정적인 태도를 고려하여 청자가 주제를 긍정적으로 생각할 수 있도록 했다.

[6~8] 다음은 학생회장 선거에 출마한 학생들의 연설이다. 보고 물음에 답하시오.

가

안녕하세요? 저는 기호 1번 박민수입니다. (청중을 바라보며) 여러분, 요즘 읽을 만한 책이 없죠? 제가 설문 조사를 했더니 우리 학교 학생들의 80%가 도서관에 읽을 만한 책이 부족하다고 응답했습니다. (열정적으로) 저는 선생님들과 이 문제를 논의하여 우리 학교를 책 읽는 학교로 만들고 싶습니다.

나

(말을 더듬거리며) 아……안녕……하세요. 저는 기호 2번 강영빈입니다. 저는 우리 학교에…… 학생 동아리가 활성화되었으면 좋겠습니다. 그러니까, 음…… 사실 저는…… 연극 동아리에 들어가고 싶어요……. 그런데…… 우리 학교는 연극부에 대한 지원이 부족하여…… (불안한 목소리로) 음, 그래서 아쉽습니다.

다

(고개 숙여 개요서만 보며) 저는 기호 3번 민도진입니다. 저를 뽑아 주신다면 저는 우리 학교를 위해 열심히 일할 자신이 있습니다. (계속해서 개요서만 보며) 또한, 저는 여러분의 의견을 잘 수렴하여 학생과 교사 모두가 행복한 학교를 만들겠습니다. 저를 꼭 뽑아 주세요. 정말 자신 있습니다.

표현 전략 파악

6 빈출 유형 (가)의 연설이 설득력 있게 들리는 이유로 적절하지 않은 것은?

① 연설자가 청중의 동정심을 유발하고 있기 때문에
② 연설자가 자신감 있는 태도로 열정을 드러냈기 때문에
③ 연설자가 청중과 시선을 맞추며 말을 하고 있기 때문에
④ 연설자가 청중의 상황에 공감하고 있음을 나타냈기 때문에
⑤ 연설자가 주제와 관련된 내용을 사전에 충분히 조사했기 때문에

반응의 적절성 파악

7 (나)의 영빈과 (다)의 도진에게 조언할 내용으로 적절하지 않은 것은?

① 영빈이는 자신 있는 태도로 열정을 드러내어 외향성을 높이면 좋겠어.
② 영빈이는 불안해하지 않고 의연한 태도로 말하여 침착성을 높이면 좋겠어.
③ 도진이는 자신감이 드러나는 언어적 표현으로 신뢰성을 높이면 좋겠어.
④ 도진이는 청중과 공유할 수 있는 경험을 언급하여 사회성을 높이면 좋겠어.
⑤ 도진이는 연설 내용에 화제에 관한 지식을 포함시켜 전문성을 높이면 좋겠어.

화자의 공신력 판단

8 서술 유형 (다)에서 도진이 공신력을 적절히 구사하였는지 판단하여 〈조건〉에 맞게 서술하시오.

조건
(다)에 나타난 도진의 행동을 근거로 하여 쓸 것

[9~11] 다음은 스티브 잡스의 '대학교 졸업식 축하 연설'이다. 보고 물음에 답하시오.

저는 운이 좋았습니다. 어린 나이에 그토록 좋아하는 일을 했으니까요. 20살 때 부모님의 차고에서 워즈니악과 함께 애플 컴퓨터사를 창업했습니다. 우리는 열심히 일했고 차고에서 단 두 명으로 시작했던 애플은 10년 후 4,000명이 넘는 직원에 자산 2백억 불의 회사로 성장했습니다. 그리고 제 나이 29살에는 최고의 걸작인 매킨토시 컴퓨터를 세상에 내놓았습니다. ㉠그러나 바로 이듬해 저는 해고를 당하고 말았습니다. 내가 세운 회사에서 내가 해고당하다니……. 〈중략〉 그때는 잘 몰랐지만, 나중에 애플에서 쫓겨난 사건이 제 인생 최고의 행운이었다는 사실을 깨닫게 되었습니다. 그 사건 덕분에 저는 반드시 성공해야 한다는 중압감에서 벗어나 아무런 부담 없는 초심자의 마음으로 되돌아갈 수 있었고, 이런 편안함 속에서 제 인생에서 가장 창의적인 시기를 맞이할 수 있게 된 것입니다. 〈중략〉

저는 이 모든 일들이 제가 만약 애플에서 해고당하지 않았다면 절대로 일어나지 않았을 것이라 확신합니다. 정말 쓰디쓴 약이었지만 아마도 저에게는 반드시 필요한 것이었나 봅니다. 인생이 당신의 뒤통수를 갈기는 일이 혹시 생기더라도 결코 자신감을 잃지 마십시오. 저는, 어려운 시기에 저를 지탱해 준 유일한 것은 다름 아닌 제가 하고 있던 일을 제가 무엇보다도 사랑하고 있었다는 것이라 확신합니다. 그러니 먼저 여러분이 사랑할 만한 대상을 찾아야 합니다. 사랑할 연인을 찾는 것처럼 일도 마찬가지입니다. 일이란 인생에서 상당한 부분을 차지하는 대단히 중요한 것입니다.

세부 내용 파악

9 이 연설에 대한 이해로 적절하지 않은 것은?

① 연설의 주제는 '자신이 진정으로 사랑하는 일을 찾아야 한다.'이다.
② 연설자는 자신의 경험을 제시하며 연설 내용의 설득력을 높이고 있다.
③ 연설자는 객관적 사실과 전문가의 의견을 근거로 들어 논리적으로 주장을 표현하고 있다.
④ 연설자는 대학교 졸업생이라는 청자의 특성을 고려하여 의미 있는 메시지를 전달하고 있다.
⑤ 연설의 목적은 '대학교 졸업생들이 자신이 진정으로 사랑하는 일을 찾도록 설득하는 것'이다.

설득 전략 파악

10 빈출 유형 연설자가 ㉠에서 사용한 설득 전략에 대한 설명으로 적절하지 않은 것은?

① 자신의 경험을 제시하여 청중의 안타까움을 불러일으키고 있다.
② 화자가 믿을 만한 성품을 지닌 사람이라는 점을 드러내어 설득력을 높이는 것이다.
③ 청자가 연설자의 심정에 공감하게 하여 주장을 쉽게 수용하게 하려는 의도를 지닌다.
④ 이와 같은 설득 전략은 적절한 준언어적·비언어적 표현을 함께 사용하면 더욱 효과적일 수 있다.
⑤ 이와 같은 설득 전략을 사용할 때에는 특정 집단, 지역, 견해 등에 대해 부정적인 인식을 주지 않도록 주의한다.

화자의 공신력 이해

11 서술 유형 다음을 참고하여 이 연설을 들을 때, 연설 내용이 더 설득력 있게 들리는 이유를 〈조건〉에 맞게 서술하시오.

> **스티브 잡스**(1955~2011): 미국의 기업가이며 애플사(社)의 창업자. 애플 최고 경영자로 활동하며 정보 통신 업계에 새로운 바람을 일으켰다.

조건

> 30자 내외의 한 문장으로 쓰되, 공신력의 구성 요소 중 하나를 포함하여 쓸 것

대단원 2. 화법의 원리와 실제

1-(1) 토론
1-(2) 협상

생각 열기 서로 원하는 바가 다를 때에는 어떻게 의사소통해야 할까?

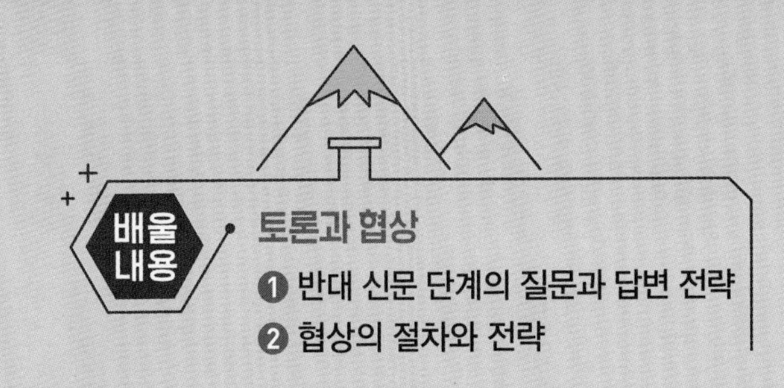
배울 내용
토론과 협상
❶ 반대 신문 단계의 질문과 답변 전략
❷ 협상의 절차와 전략

그렇다면 제가 이번 전국 고교 토론 대회에서 우승하면, 저를 바로 졸업시켜주시는 건 어떻습니까?
흠~
연구보고서
타닥
탁
글쎄다.
그럼 토론대회 우승과 함께, 화법과 작문 공부를 열심히 해서 박사님의 테스트를 통과하겠습니다.
...
솔깃
연구보고서
좋다. 네가 방금 한 약속을 진심을 다해 지킨다면 학교는 1년만 다니는 걸로 해 주마.
경 협상 타결 축
합의문
모두에게 이익이 되는 좋은 합의안이야! 하지만합의사항을이행하는 게 중요하니까 모든 절차가 끝난 건 아니야.
짝
짝
전국 고교 토론대회
금
제 23회 전국 고교 토론 대회에서 천재고 최천재 학생이 우승을 차지합니다!
오~
합의안을 충실히 이행하고 있군.

5일 교과서 핵심 정리

교과서 103~111쪽

핵심 1 반대 신문

개념	토론에서 상대측이 주장한 것에 논리적 문제가 있음을 ❶ [ ] 으로 드러내는 과정
방법	상대측 주장에 대한 반대 측의 질문과 이에 대한 상대측의 응답으로 이루어짐.
특징	• 논제가 지니고 있는 다양한 쟁점을 충분히 살필 수 있어 논제를 깊이 이해할 수 있도록 함. • 토론자 간 의견의 교환이 적극적으로 이루어짐.

핵심 2 반대 신문 단계에서의 질문, 답변 방법

1 질문 방법

상대측이 말한 내용이 ❷ [ ] 인지 확인하기	상대측이 사용한 용어의 개념, 논의 범위, 진술 여부 등을 질문함. 필요한 경우 보충 설명을 요구함.
상대측 논증의 공정성, 신뢰성, 타당성 비판하기	상대측 주장의 ❸ [ ], 전제에 대한 의문점, 주장을 지지하지 못하는 근거, 명확하지 않은 출처나 자료의 수치 등을 지적함.
폐쇄형 질문을 하기	개방형으로 질문하면 답변자가 자기 측에 유리하도록 장황하게 말할 수 있는 기회를 얻게 되므로 효과적이지 못함.
정답을 아는 질문을 하기	상대방보다 최신의 결정적이고 ❹ [ ] 한 정보를 가지고 질문함.
한 번에 하나씩 질문하기	❺ [ ] 인 질문을 하면 자신에게 유리한 것만 골라 답변할 수 있으므로 한 번에 하나씩만 질문함.

2 답변 방법

- 장황하게 늘어놓지 말고 ❻ [ ] 하게 답변하기
- 정확하지 않은 내용을 즉흥적으로 답변하지 않기
- '모르겠다.', '생각해 보지 않았다.' 대신 '바로 답변 드리기 어려운 문제이다.', '~은 더 생각해 봐야 할 문제이다.' 등으로 답변하기

핵심 3 반대 신문 단계에서의 유의점

상대방의 말을 끊지 않기	말을 중간에 끊는 것은 ❼ [ ] 한 행동임.
인신공격성 발언 하지 않기	인신공격성 발언은 상대방을 불쾌하게 하여 논리적 토론을 방해할 수 있음.
새로운 논증, 근거 추가하지 않기	반대 신문에서는 상대측 주장이나 근거의 문제점을 드러내어 자기 측 주장에 ❽ [ ] 이 있음을 보여 주어야 하기 때문임.

❶ 질문
❷ 사실
❸ 모순
❹ 정확
❺ 복합적
❻ 간단명료
❼ 무례
❽ 설득력

개념 Catch

- **논제**: 논설이나 논문, 토론 따위의 주제나 제목
- **쟁점**: 서로 다투는 중심이 되는 점
- **타당성**: 사물의 이치에 맞는 올바른 성질. 토론에서는 어떤 논증이 이치에 맞아 논리적 오류가 없는 성질을 뜻함.
- **전제**: 어떠한 사물이나 현상을 이루기 위하여 먼저 내세우는 것
- **폐쇄형 질문**: 제한된 수만큼의 단어로 답하도록 구성된 질문

정답과 해설 10쪽

1 반대 신문 단계에서의 질문 방법으로 적절한 것에는 ○표, 적절하지 않은 것에는 ×표를 하시오.

(1) 정답을 정확히 아는 것을 질문한다. ( )

(2) 복합적 질문을 하여 상대측이 답변하기 어렵게 만든다. ( )

(3) 폐쇄형으로 질문하여 상대측이 길게 말할 수 있는 기회를 제한한다. ( )

2 각 용어에 알맞은 뜻풀이를 연결하시오.

(1) 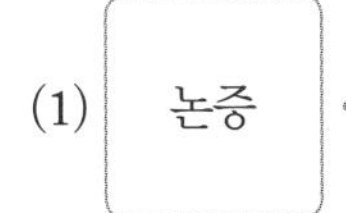

• • ㉠ 서로 다투는 중심이 되는 점

(2) 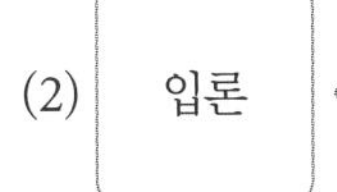

• • ㉡ 옳고 그름을 이유를 들어 밝힘.

(3) 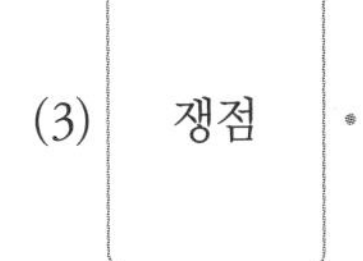

• • ㉢ 토론에서 자신의 견해를 확인하고 근거를 들어 주장하는 과정

3 반대 신문에 대한 설명으로 적절하지 않은 것은?

① 반대 신문을 할 때에는 한 번에 하나씩 질문하는 것이 좋다.

② 반대 신문을 통해 논제가 지닌 다양한 쟁점을 파악할 수 있다.

③ 반대 신문은 대체로 입론 단계 혹은 입론 및 반론 단계에서 이루어진다.

④ 반대 신문은 토론자 간에 의견의 교환이 적극적으로 이루어진다는 장점이 있다.

⑤ 반대 신문은 주어진 쟁점에 대한 주장을 제시하고 타당한 근거로 이를 뒷받침하는 과정이다.

4 다음은 반대 신문식 토론의 절차이다. ⓐ~ⓒ에 들어갈 알맞은 말을 〈보기〉에서 찾아 쓰시오.

찬성 측		반대 측	
제1 찬성자	제2 찬성자	제1 반대자	제2 반대자
① ⓐ			② ⓑ
④ ⓑ		③ ⓐ	
	⑤ ⓐ	⑥ ⓑ	
	⑧ ⓑ		⑦ ⓐ
⑩ ⓒ		⑨ ⓒ	
	⑫ ⓒ		⑪ ⓒ

보기

입론 반론 반대 신문

ⓐ ( ), ⓑ ( ), ⓒ ( )

5 다음은 한 토론의 반대 신문 상황이다. 찬성 측에서 다미에게 해 줄 수 있는 조언으로 적절한 것은?

① 인신공격성 발언을 하지 말아야 해.

② 상대방의 말을 끝까지 듣고 답변해야 해.

③ 자신에게 불리한 질문에는 답변하지 말아야 해.

④ 부정확한 내용을 즉흥적으로 답변하지 말아야 해.

⑤ 근거를 자기 측에만 유리하게 해석하지 말아야 해.

핵심 1 협상의 의제와 입장

협상	서로 원하는 바가 달라 ❶ [ ] 이 생겼을 때 이를 해결하기 위한 공동 의사 결정
의제	협상에서 ❷ [ ] 가 필요한 사안 예 납골당 건립
입장	의제에 대한 협상 참여자의 태도 예 ○○ 마을 주민의 입장 – 우리 마을에 납골당을 건립할 수 없다.

❶ 갈등
❷ 합의

핵심 2 협상의 절차와 전략

1 시작 단계 갈등의 ❸ [ ] 을 분석하고 문제 해결의 가능성을 확인함.

❸ 원인

전략	세부 내용
목표 수립하기	협상의 의제를 확인하고 협상 당사자들이 각자의 협상 대안을 마련함.

2 조정 단계 상대방의 처지를 이해하고 대안을 상호 검토함.

전략	세부 내용
상대방이 정말 원하는 것 찾기	양측의 처지와 관점을 파악하여, 상대방이 정말 원하는 것과 자신이 정말 원하는 것 중 ❹ [ ] 할 수 있는 것을 찾음.
상대방의 표준을 파악하여 표현하기	상대방의 표준과 자신이 협상에서 요구하는 바를 연결하여 상대방의 마음을 움직일 수 있게 표현함.
먼저 제안하기	먼저 제안된 것을 기준으로 상대방이 조정안을 내놓으므로 먼저 제안하는 것이 좋음.
여러 제안 맞교환하기	협상 의제에 대하여 협상 당사자 간에 선호도와 ❺ [ ] 이 서로 다르므로, 여러 사항을 생각해 두고 상황에 따라 맞교환함.
차선책 준비하기	❻ [ ] 이 거부되었을 경우를 대비해 차선책으로 어떤 제안을 할지 미리 준비함.

❹ 양립
❺ 비중
❻ 최선책
❼ 양보
❽ 이행

개념 Catch
- **대안**: 어떤 일에 대처할 방안
- **표준**: 협상에서 의사를 결정할 때 정당성을 부여하는 정책이나 참고 사항. 주로 선언, 약속, 보증의 형태로 구체화됨.
- **차선책**: 최선책에 다음가는 방책

3 해결 단계 양측 모두에게 이익이 되는 합의안을 도출해 문제를 해결함.

전략	세부 내용
최선의 방법과 우선순위 결정하기	양측 모두에게 이익이 될 수 있는 최선의 방법을 생각하고, 상대측에 ❼ [ ] 할 때 적용할 우선순위를 결정함.
합의 사항 점검하기	합의한 내용이 ❽ [ ] 되어 최종적으로 문제가 해결되도록 함.

기초 확인 문제

정답과 해설 10쪽

1 **협상 전략으로 적절한 것에는 ○표, 적절하지 않은 것에는 ×표를 하시오.**

(1) 협상의 시작 단계에서는 목표를 수립한다. (　　　)

(2) 협상을 유리한 쪽으로 이끌기 위해 상대보다 더 늦게 제안한다. (　　　)

(3) 협상 의제와 관련된 여러 사항을 생각해 두고 상황에 따라 맞교환한다. (　　　)

2 **각 용어에 알맞은 뜻풀이를 연결하시오.**

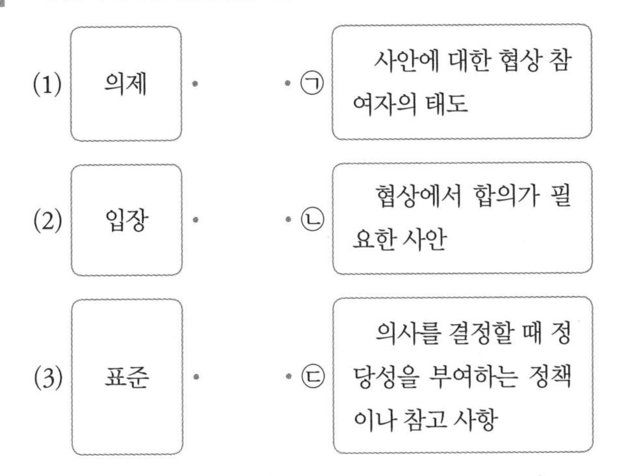

3 **협상에 대한 설명으로 적절하지 않은 것은?**

① 시작 단계, 조정 단계, 해결 단계의 절차로 진행된다.

② 협상 참여자들끼리 서로 타협하고 조정하며 문제 해결 방법을 찾아가는 과정이다.

③ 서로 원하는 바가 달라 갈등이 생겼을 때 이를 해결하기 위한 공동 의사 결정이다.

④ 근본적으로 어느 한쪽의 이익을 극대화하는 것이 목적이므로 협상 전략이 매우 중요하다.

⑤ 양측이 서로 대안에 합의했다고 끝나는 것이 아니라, 합의 사항을 이행하는 것이 중요하다.

4 **다음에서 두 아이의 협상이 아쉽게 끝난 이유로 가장 적절한 것은?**

> 오렌지 하나를 받은 두 아이가 오렌지를 어떻게 나눌지 다투다 협상을 통해 오렌지를 반으로 나누기로 합의했다. 한 아이는 오렌지 알맹이만 먹고 껍질은 버렸으며, 다른 아이는 알맹이는 버리고 껍질만 오렌지 잼을 만드는 데 사용했다.

① 갈등을 해결하려고 하지 않았기 때문에

② 각자가 처음 입장을 끝까지 고수했기 때문에

③ 상대방이 정말 원하는 것을 제대로 파악하지 못했기 때문에

④ 두 아이 모두 합의한 사항을 충실히 이행하지 않았기 때문에

⑤ 협상의 시작 단계에서 의제와 입장을 설정하지 않았기 때문에

5 **다음 상황에서 남자가 사용한 협상 전략으로 적절한 것은?**

> 행복시의 홍보 구호는 '쾌적한 도시, 살고 싶은 도시'인데, 왜 우리 마을에 혐오 시설을 건설하겠다는 거죠? 혐오 시설이 있는 마을에 살고 싶은 사람은 없을 것입니다.

① 상대방보다 먼저 제안한다.

② 상대방이 정말 원하는 것을 찾는다.

③ 상대방의 표준을 파악하여 마음을 움직일 수 있게 표현한다.

④ 협상 의제와 관련된 여러 사항을 생각해 두고 맞교환을 한다.

⑤ 협상에서 제안한 내용이 받아들여지지 않을 경우를 대비해 차선책을 마련한다.

교과서 기출 베스트

[1 ~ 3] 다음 토론을 보고 물음에 답하시오.

사회자 지금부터 "드론에 대한 규제를 완화해야 한다."라는 논제로 토론을 시작하겠습니다. '드론'은 무선 전파로 조종하는 무인 항공기로, 카메라, 센서, 통신 시스템 등이 탑재돼 있으며 25그램부터 1,200킬로그램까지 종류가 다양합니다. 이러한 드론에 대한 규제를 완화해야 한다는 논제에 대해 찬반 양측의 의견을 들어 보겠습니다. 토론 규칙을 잘 지키면서 적극적이고 예의 바르게 토론해 주시기 바랍니다. 먼저 찬성 측 제1 토론자의 입론을 들어 보겠습니다.

찬성 1 4차 산업 혁명의 핵심인 '드론' 산업이 최근 빠르게 성장하면서 전 세계의 드론 출하량도 300만 대를 넘어서고 있습니다. 하지만 우리나라는 각종 규제로 인해 발목이 잡혀 그 시장 규모가 전 세계의 1.2퍼센트에 머물고 있습니다. 〈중략〉

우리나라의 드론 산업이 더딘 성장을 보이는 것은 드론에 대한 규제가 다른 나라에 비해 지나치기 때문입니다. 따라서 법 규제를 완화해야 합니다. 현재 우리나라에서는 항공법상 12킬로그램 이하의 단순 취미용 드론도 야간 비행은 물론이고 고도 150미터 이상의 비행이나 인구 밀집 지역에서의 비행을 할 수 없습니다. 〈중략〉

드론에 대한 규제를 완화하면 우리는 여러 가지 이익을 얻을 수 있습니다. 그중의 하나가 '순찰용 드론'인데, 이는 기존 시시 티브이(CCTV)보다 넓은 각도에서 촬영할 수 있기 때문에 우리나라의 치안이 훨씬 좋아질 것입니다. 따라서 저희는 드론에 대한 규제 완화를 통해 드론 산업을 육성하고 치안 등에 드론을 사용함으로써 그 효율성을 극대화해야 한다고 생각합니다.

세부 내용 파악

1 이 토론의 사회자에 대한 설명으로 적절하지 않은 것은?

① 토론의 논제를 제시하고 있다.
② 토론에 사용될 용어를 정의하고 있다.
③ 토론자의 발언 순서를 안내하고 있다.
④ 토론을 실시하게 된 사회적 배경을 밝히고 있다.
⑤ 토론 규칙을 준수하고 예의 바르게 토론할 것을 당부하고 있다.

세부 내용 파악

2 빈출 유형 찬성 1의 입론에 대한 설명으로 적절하지 않은 것은?

① 예시를 통해 드론 규제 완화가 가져올 이익을 구체적으로 제시하고 있다.
② 구체적인 수치를 언급하여 주장을 뒷받침하는 근거의 신뢰성을 높이고 있다.
③ 150미터 미만으로 드론 비행의 고도를 제한하는 것은 지나치다고 주장하고 있다.
④ 다른 나라의 법령을 인용하여 우리나라의 드론 규제가 특히 심하다는 점을 강조하고 있다.
⑤ 드론 산업이 4차 산업 혁명의 핵심 분야임을 명시하며 규제 완화의 필요성을 주장하고 있다.

세부 내용 파악

3 다음은 찬성 1이 토론 전에 필수 쟁점별로 세운 입론 계획이다. ⓐ~ⓔ 중 찬성 1의 입론에 반영되지 않은 것은?

필수 쟁점	입론 계획
문제의 심각성	ⓐ 논제와 관련하여 제기할 '문제'가 시급히 해결되어야 할 것임을 강조한다.
방안의 적절성	ⓑ '방안'으로 우리나라 드론의 법적 규제 완화를 제시한다. ⓒ 제시한 '방안'이 야기할 수 있는 부작용을 강조한다.
효과와 이익	ⓓ 제시한 방안의 '효과'로 순찰용 드론의 활용을 제시한다. ⓔ 제시한 방안이 실현됐을 때의 '이익'을 강조한다.

① ⓐ ② ⓑ ③ ⓒ ④ ⓓ ⑤ ⓔ

[4~6] 다음 토론을 보고 물음에 답하시오.

사회자 반대 측 제2 토론자, 반대 신문해 주십시오.

[A]
반대 2 드론에 대한 우리나라의 규제가 다른 나라에 비해 지나치다고 말씀하셨는데, 맞습니까?
찬성 1 네, 맞습니다.
반대 2 그런데 제가 조사한 자료에 따르면 드론 산업 경쟁국인 미국이나 중국과 비교할 때 국내 드론 규제는 유사하거나 낮은 수준을 유지하고 있습니다. 예를 들어 드론 비행 고도 제한의 경우 우리나라는 지면 기준 150미터 이하이지만, 미국과 중국은 120미터 이하입니다. 〈중략〉 그런데도 우리나라의 규제가 지나치다고 생각하십니까?

찬성 1 아, 네. ㉠그 부분은 더 생각해 보도록 하겠습니다. 하지만 미국에서는 1킬로그램 미만의 작은 드론은 어디서든 비행할 수 있다고 하는데, 우리나라에서는 이런 작은 드론에 대해서도 엄격하게 규제하는 것으로 알고 있습니다.

[B]
반대 2 드론에 대한 규제 완화를 통해 '순찰용 드론' 등을 치안에 사용할 수 있다고 하셨는데, 그럴 경우 개인의 사생활 침해 문제가 더욱 심각해질 것으로 보입니다. 〈중략〉 그럼에도 불구하고 규제 완화를 주장하십니까?

찬성 1 드론은 기동성이 있기 때문에 순찰용으로 사용했을 경우 범죄 예방에 큰 효과가 있을 것입니다. 물론 사생활 침해 등의 문제가 있을 수 있지만, 순찰은 대부분 공공장소에서 이루어질 것이므로 큰 피해는 없을 것이라…….

반대 2 생각이 너무 짧은 게 아닐까요? 드론으로 인한 사생활 침해의 피해가 크지 않을 거라고요? 참, 어처구니가 없습니다. ㉡심지어 최근에는 ○○축제장에서 드론이 추락하여 8세 정도의 어린이가 크게 다치는 사고까지 발생했습니다.

표현 전략 파악

4 빈출 유형 **다음에서 반대 2가 [A], [B]에서 사용한 반대 신문 전략으로 적절한 것의 기호를 모두 골라 쓰시오.**

ㄱ. [A]: 상대측이 말한 내용을 구체적으로 언급하며 진술 여부를 확인하였다.
ㄴ. [A]: 자신이 알고 있는 내용을 바탕으로 질문을 하여 상대측 논증의 타당성을 비판하였다.
ㄷ. [B]: 상대측 논증의 신뢰성을 비판하였다.
ㄹ. [B]: 구체적 설명을 요구하는 개방형 질문을 하였다.

( )

반응의 적절성 파악

5 **㉠, ㉡에 대한 반응으로 적절하지 않은 것은?**

① ㉠: '생각해 보지 않았다.'와 같이 직설적으로 답하지 않은 것은 적절하다.
② ㉠: 찬성 1이 외국의 드론 고도 제한 현황을 잘 알지 못한다는 것을 알 수 있다.
③ ㉡: 실제 사례를 근거로 활용하였다.
④ ㉡: 드론의 위험성을 강조하고자 제시한 근거이다.
⑤ ㉡: 상대측 논증의 타당성을 비판하고 있으므로 적절한 발언이다.

의사소통 방식의 문제점 파악

6 서술 유형 **다음 부분에서 드러나는 반대 2 토론자의 문제점 두 가지를 한 문장으로 서술하시오.**

찬성 1 순찰은 대부분 공공장소에서 이루어질 것이므로 큰 피해는 없을 것이라…….
반대 2 생각이 너무 짧은 게 아닐까요? 드론으로 인한 사생활 침해의 피해가 크지 않을 거라고요? 참, 어처구니가 없습니다.

[7~8] 다음 협상을 보고 물음에 답하시오.

다솜 마을은 원래 사람들의 발길이 거의 없는 조용한 곳이었는데, 마을의 벽과 계단에 벽화가 그려지면서 주말마다 수많은 관광객이 몰려들게 되었다. 마을이 유명해지면서 소음과 각종 쓰레기 때문에 주민들의 사생활이 크게 침해받게 되었고, 이에 일부 주민들이 담벼락에 "제발 조용히 해주세요."라는 문구를 써 놓아 관광객이 발길을 돌리기도 하였다.

벽화 반대 주민 대표 저희는 마을의 모습을 예전으로 되돌리기를 원합니다. 주말이면 관광객들이 하루 종일 찾아와 시끄럽게 하는 바람에 도저히 정상적인 생활을 할 수가 없습니다. 이대로는 도저히 살 수가 없습니다.

벽화 찬성 주민 대표 네, 저희도 그 마음은 이해합니다. 하지만 이미 수많은 관광객이 벽화를 보기 위해 우리 마을을 찾고 있습니다. 그동안 낙후되어 있던 마을의 경기도 되살아났고, 많은 주민들이 관광객을 대상으로 장사를 하여 생계를 유지해 가고 있습니다. 무조건 벽화를 없애는 것만이 능사는 아니라고 생각합니다.

벽화 반대 주민 대표 네, 저희도 관광객을 대상으로 하는 장사가 주된 수입원이 되고 있다는 점을 잘 알고 있습니다. 그래서 마을의 모든 벽화를 다 없앨 수는 없다고 생각합니다. 하지만 벽화에 반대하는 사람들의 집에 그려진 벽화만큼은 지워 주셨으면 합니다. 〈중략〉

벽화 찬성 주민 대표 그렇군요. 그럼 저희가 준비한 안을 말씀드리겠습니다. 우선 현재 벽에 써 있는 조용히 해 달라는 문구를 지워 주시기를 바랍니다. 그 문구가 관광객들에게 큰 혐오감을 불러일으켜 장사에 큰 방해가 되고 있습니다. 그 문구를 지워 주신다면 모든 벽화는 아니더라도 일부 벽화는 지울 생각입니다.

말하기 방식 파악

7 양측 대표의 말하기 방식으로 가장 적절한 것은?

① 벽화 찬성 주민 대표는 갈등 상황의 원인이 상대측에 있음을 강조하고 있다.
② 벽화 찬성 주민 대표는 상대측이 처한 상황에 대한 공감을 나타내며 협력적 태도를 보이고 있다.
③ 벽화 찬성 주민 대표는 신뢰성을 확보하기 위해 통계 자료를 제시하여 자신의 의견을 뒷받침하고 있다.
④ 벽화 반대 주민 대표는 상대방의 제안에 감정적으로 대응하며 상대방을 존중하지 않고 있다.
⑤ 벽화 반대 주민 대표는 자신이 처한 상황을 설명하며 상대측에게 무조건적인 양보를 요구하고 있다.

세부 내용 파악

8 빈출 유형

이 협상의 참여자들이 사용한 협상 전략과 그 내용으로 적절하지 않은 것은?

	협상 전략	협상 내용
①	목표 수립하기	벽화 찬성 주민 대표는 일부 벽화는 지우더라도 벽에 쓰인 문구를 지우겠다는 목표를 수립했다.
②	목표 수립하기	벽화 반대 주민 대표는 벽화에 반대하는 사람들의 집에 그려진 벽화만큼은 모두 지우겠다는 목표를 수립했다.
③	먼저 제안하기	벽화 반대 주민 대표는 벽화에 반대하는 사람의 집에 그려진 벽화를 지워 달라고 먼저 제안했다.
④	차선책 준비하기	벽화 찬성 주민 대표는 벽에 써 있는 문구를 지우는 것이 어려울 경우, 일부 벽화를 지우겠다는 차선책을 준비했다.
⑤	차선책 준비하기	벽화 반대 주민 대표는 마을의 모든 벽화를 지우는 것이 어려울 경우, 벽화에 반대하는 사람들의 집에 그려진 벽화만큼은 모두 지우겠다는 차선책을 준비했다.

[9~11] 다음 협상을 보고 물음에 답하시오.

벽화 찬성 주민 대표 벽화에 반대하는 분들이 진정 원하는 것이 사생활 침해에서 해방되는 것이라는 건 잘 알고 있습니다. 그런데 벽화에 반대하는 분들의 집에 그려진 벽화 중에 인기 있는 벽화들이 많습니다. 그것들을 모두 지우면 관광객 수가 급감하게 됩니다. 〈중략〉 그러니 전체가 아닌 일부만 지우는 것은 어떨까요? 그리고 특히 인기가 많은 몇 개 벽화는 위치를 옮겨서 사생활 침해를 최대한 줄이도록 노력하겠습니다.

벽화 반대 주민 대표 좋습니다. 벽에 쓰인 문구도 지우고, 벽화도 전체가 아닌 일부만 지우는 것을 받아들이겠습니다. 그러면 관광객 수 회복에 도움이 되겠죠. 벽화에 찬성하시는 분들은 관광객 수가 예전처럼 회복되는 것을 원할 테니까요. 그런데 우리가 한 마을의 주민으로서 공동체를 형성하고 있다면, 이익을 나눠야 하지 않을까요? 누구는 이익을 보고 누구는 피해만 보는 것은 부당한 일입니다. ㉠공동체라면 기쁨도 슬픔도 함께 나누어야 한다고 생각합니다.

벽화 찬성 주민 대표 생각해 보니 그러네요. 공동체의 모든 사람들이 관광객들의 소음으로 피해를 보는데 그 이익은 일부만 얻고 있었네요. 미처 그 생각을 못 했습니다. 공동체라면 기쁨도 슬픔도 함께 나누어야죠. 그것은 저희도 중요하게 생각하는 가치입니다. 따라서 공동체의 이익을 함께 나누어야 한다는 것에 동의합니다. 〈중략〉 다만 그 이익을 어떻게 나누어야 하는지에 대해서는 주민들과 이야기를 나누어 보아야 할 것 같습니다. 저희들만으로 결정할 문제는 아니니까요. 〈중략〉

벽화 반대 주민 대표 네, 좋습니다. 2차 협상에서 이익 분배에 대해 다시 논의해 보죠. 그럼, 다음에 뵙겠습니다.

세부 내용 파악

9 빈출 유형 **이 협상에서 양측이 얻은 것과 양보한 것으로 적절하지 않은 것은?**

① 벽화 찬성 측은 벽에 쓰인 문구를 지우는 것을 얻었다.
② 벽화 찬성 측은 인기가 많은 몇 개 벽화의 위치를 옮기는 것을 양보하였다.
③ 벽화 찬성 측은 벽화에 반대하는 주민들의 집에 그려진 벽화 중 일부만 지우는 것을 얻었다.
④ 벽화 반대 측은 벽에 쓰인 문구를 지우는 것을 양보하였다.
⑤ 벽화 반대 측은 공동체의 이익을 함께 나누는 것을 양보하였다.

표현 전략 파악

10 빈출 유형 **㉠에서 벽화 반대 주민 대표가 사용한 협상 전략으로 적절한 것은?**

① 먼저 제안하기
② 차선책 제시하기
③ 여러 제안 맞교환하기
④ 상대방이 정말 원하는 것 찾기
⑤ 상대방의 표준을 파악해 설득하기

세부 내용 파악

11 **다음의 (a), (b)에 들어갈 말을 이 협상에서 찾아 〈조건〉에 맞게 쓰시오.**

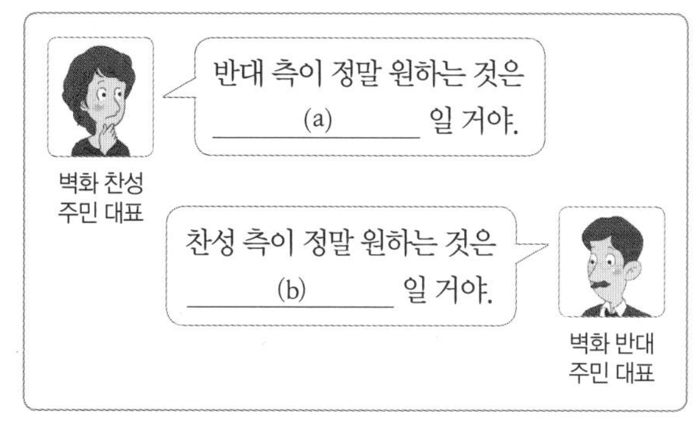

조건
(a), (b)에 들어갈 말을 각각 '~는 것'의 형식으로 쓸 것

6일 누구나 100점 테스트 1회

1 사회적 의사소통 행위로서의 화법과 작문에 대한 설명으로 적절하지 <u>않은</u> 것은?

① 사람들은 화법과 작문 활동을 통해 다른 사람들과 교류한다.
② 사람들은 대화를 통해 정보를 나누기도 하고 생각을 공유하기도 한다.
③ 말과 글은 인간의 의사표현 수단 중 생각과 느낌을 가장 효과적으로 전달할 수 있는 수단이다.
④ 사람들은 기존의 언어문화의 영향을 받으며 의사소통을 할 뿐, 새로운 언어문화를 형성할 수는 없다.
⑤ 사람들은 대화를 통해 정서를 나누고 소속감이나 친밀감을 느끼면서 공동체 의식을 함양하기도 한다.

2 다음 게시글과 댓글 반응에서 알 수 있는 작문 활동의 특성으로 거리가 <u>먼</u> 것은?

> **건의합니다**
>
> 작성자 chun*** 20○○-03-12 18:56
>
> 현재 우리 학교 상황을 보면 수업 시간 시작종이 울렸는데도 다른 일을 보다가 교실에 늦게 들어오는 학생들이 많습니다. 한 명이 늦더라도 열심히 공부에 임하려 하는 다른 친구들의 학습 분위기를 해칠 수 있습니다.
>
> 따라서 교실 수업 시간에 늦지 않을 수 있는 방안이 필요합니다. 한 가지 제안하자면, 수업 시작 3분 전에 수업 준비에 임하도록 하는 안내 방송을 하면 어떨까 생각합니다. 그러면 학생들이 수업 시작이 얼마 남지 않았다는 사실을 알고 하던 일을 정리할 수 있을 것입니다.
>
> 댓글 [2]
>
> ㄴ **익명 1** 동의합니다. 20○○-03-12 20:41
> ㄴ **익명 2** 좋은 생각이지만 부작용도 고려해보아야 할 것 같습니다. 20○○-03-13 07:49

① 다른 사람들과 문제 상황을 공유할 수 있다.
② 구성원들과 특정 주제에 대해 토의할 수 있다.
③ 문제 상황에 대한 사람들의 인식을 확인할 수 있다.
④ 시공간을 뛰어넘어 다른 사람과 의사소통할 수 있다.
⑤ 자신의 삶을 성찰하고 삶의 긍정적인 의미를 발견할 수 있다.

3 다음을 보고, 윤아의 일기 쓰기 활동에 대한 설명이 적절하면 ○표, 적절하지 않으면 ×표를 하시오.

윤아의 일기

어떤 사람이 보기에는 내 성격이 답답해 보일지 모른다. 하지만 나는 다른 사람의 기분을 잘 살피는 조심스러운 내가 좋다.

시원시원하게 내 의사를 표현하는 편은 아니지만, 함께 있는 사람들의 상황과 처지를 잘 고려하기 때문에 상대방이 존중받는 느낌을 가질 수 있다.

나는 이런 내 모습이 좋다.

(1)	자신의 단점을 숨기고 장점을 강조하고 있다.	(　　　)
(2)	자신의 긍정적인 면을 되새기며 자신을 독려하고 있다.	(　　　)
(3)	작문 활동을 통해 자아 개념을 긍정적인 방향으로 조정하고 있다.	(　　　)

정답과 해설 12쪽

[4~5] 다음 건의문과 대화를 보고 물음에 답하시오.

(가) **우산 대여 제도를 실시해 주세요**

현재 2학년에 재학 중인 김민정이라고 합니다. 이렇게 글을 올리게 된 이유는 학교에 한 가지 제안을 드리기 위해서입니다.

저도 물론 그런 일이 있었지만, 학생들이 수업을 마치고 집에 갈 때 갑자기 비가 오면 흠뻑 맞아야 하는 경우가 많습니다. 그러던 중 최근 한 신문을 통해 어떤 지역 관청에서 우산 대여 제도를 실시한다는 기사를 보았습니다. 그래서 우리 학교에서도 우산 대여 제도를 운영하면 어떨까 하는 생각이 들었습니다. 또한 학생회에서도 이에 대해 관심을 갖고 있다는 것을 알게 되어 구체적인 방법을 함께 고민하게 되었습니다.

생각한 방법은 다음과 같습니다. 학교 예산으로 먼저 우산을 구입해 주시면 좋겠습니다. 이후에는 학생회 내에서 역할을 정해 우산을 관리하고 비가 오는 날에는 필요한 학생들이 자신의 이름을 적고 우산을 빌려 간 다음에 반납하게 하면 됩니다.

㉠ 이 제도가 운영된다면 학생들 입장에서는 학교생활의 질이 향상될 것이며 이를 통해 학교생활에 대한 학생들의 만족도가 높아지고 결국 학교 공동체가 더욱 발전할 수 있는 좋은 방안이 될 것이라고 생각합니다.

항상 학생들과의 소통을 위해 애써 주셔서 감사합니다.

(나) **민정** 선생님, 안녕하세요. 찾으셨다고 해서 왔어요.

선생님 민정이 왔구나. 우선 지난번 네가 누리집에 건의한 우산 대여 제도가 참 괜찮다는 생각이 들더라. 그런데 학교에서 예산이 없어 구입하기가 어려울 것 같아. 그래서 학생들에게 우산을 기부받아서 활용하는 것은 어떨까 해.

민정 그것도 좋은 방법이네요. 그럼 선생님, 우산 관리를 학생회에서만 하는 것이 아니라 원하는 학생이면 누구나 봉사 활동을 할 수 있도록 홍보해 볼까 하는데 그것은 가능한가요?

선생님 그래, 가능하지. 그리고 신청 학생에게 봉사 시간을 부여하는 방안을 마련해 볼게.

민정 선생님, 이렇게 신경 써 주시니 감사합니다. 일단은 오늘 선생님과 의논한 것을 학생들에게 홍보하고 운영을 할 수 있게 준비해 보겠습니다.

4 (가), (나)에 대한 설명으로 적절하지 않은 것은?

① (가)는 우산 대여 제도를 실시해 줄 것을 요청하는 건의문이다.
② (가)에서 민정은 격식체를 사용하여 정중하게 제안을 하고 있다.
③ (가)에서 민정은 통계 자료를 활용하여 자신의 주장을 뒷받침하고 있다.
④ (나)에서 선생님은 우산을 기부받아서 활용하는 대안을 제시하고 있다.
⑤ (나)에서 민정과 선생님은 대화를 통해 서로의 입장과 견해를 조정하고 있다.

5 〈보기〉가 ㉠을 고쳐 쓰기 전의 내용이라고 할 때, 〈보기〉와 ㉠에 대한 설명으로 적절하지 않은 것은?

보기

이 제도를 꼭 운영해 주십시오. 우산 제도는 무조건 필요합니다. 제가 맞습니다.

① 〈보기〉는 자신의 의견이 무조건 옳다는 식으로 표현하였다.
② 〈보기〉는 건의문을 읽게 될 상대방의 입장을 고려하지 않았다.
③ ㉠은 건의가 받아들여졌을 때 기대되는 효과를 제시하고 있다.
④ ㉠은 자신의 건의가 학교 공동체의 발전을 위한 것임을 밝히고 있다.
⑤ ㉠보다는 〈보기〉와 같은 표현이 설득력이 높아 독자가 건의를 수용할 가능성이 높다.

6 〈보기〉는 다음 상황에 대한 설명이다. 빈칸에 공통적으로 들어갈 단어를 쓰시오.

보기

남학생은 여학생이 쪽지에 쓴 글의 의도를 제대로 파악하지 못하고 있다. 추운 날씨에 창문이 열려 있다는 주변 상황의 (　　　)와/과 이러한 상황에서 여학생이 쪽지에 글을 적은 목적 등을 전반적으로 고려하지 못했기 때문이다. 이처럼 (　　　)을/를 고려하지 않은 채 의사소통을 하면 의미 전달이 제대로 이루어지지 않고 오해가 생길 수 있다. 따라서 의사소통을 할 때에는 (　　　)을/를 고려하는 것이 매우 중요하다.

(　　　　　　　　　　)

7 다음 대화에서 학생의 말하기의 문제점으로 가장 적절한 것은?

① 자신의 잘못을 정당화하고 변명하고 있다.
② 적절한 시기를 놓치고 뒤늦게 사과하였다.
③ 자신의 행동에 대한 이유를 설명하지 않았다.
④ 자신의 잘못을 다른 사람의 탓으로 돌리고 있다.
⑤ 자신의 잘못을 인정하는 표현을 하지 않고 있다.

8 다음 (가)~(다)의 상황에 맞는 말하기 방법으로 적절하지 않은 것은?

① (가): 강요하거나 명령하듯이 말하지 않는다.
② (가): 상대방에게 부담을 주는 상황이므로 미안함을 드러내며 말한다.
③ (나): 이유는 생략하고 요청 사항만 간략하게 전달한다.
④ (나): 청자가 저항감을 가질 수 있으므로 위협하는 느낌을 주지 않도록 주의한다.
⑤ (다): 상대방의 행동이 도움이 된 부분을 이야기한다.

[9 ~ 10] 다음을 보고 물음에 답하시오.

가 학생의 발표 장면

> 지금까지 우리는 왜 스스로 긍정적으로 여겨야 하는가에 대해 말씀드렸습니다. 자, 다 같이 스스로에게 이렇게 말해 주는 것으로 발표를 마치겠습니다.
> **"나는, 가치 있는, 사람이다."**

나 TV 드라마의 한 장면

> **[상황]** 상심하여 기운을 잃은 봉순을 본 어머니가 봉순을 불러 이야기를 나눈다.

9 (가), (나)의 상황에서 사용할 수 있는 준언어적 표현 전략에 대한 설명으로 가장 적절한 것은?

① (가): 발표를 마무리하는 부분이므로 억양에 변화를 주지 말고 무미건조하게 말한다.

② (가): '나는, 가치 있는, 사람이다.'는 강조해야 할 부분이므로 천천히 끊어서 말한다.

③ (나): 어머니는 소리 지르는 듯한 큰 목소리로 말하여 봉순에게 힘을 준다.

④ (나): 어머니는 높은 음조로 빠르게 말하여 봉순의 가라앉은 기분을 고조시킨다.

⑤ (나): 봉순은 변화가 심한 억양으로 말하여 어머니의 말을 잘 이해하였음을 표현한다.

10 (가)의 발표자와 (나)의 어머니가 사용하고 있는 비언어적 표현 전략을 각각 하나씩 쓰시오.

(가):

(나):

6일 누구나 100점 테스트 2회

[1~2] 다음 대화를 보고 물음에 답하시오.

방과 후 혼자 책상에 앉아 공부를 하던 승희. 잠시 머리를 식히려 만화책을 펼친다.

아버지 (갑자기 방문을 열고 들어오며) 승희야, 아빠 왔다. (놀라서 멈칫하며) 어? 그런데 너 지금 무슨 책을 보고 있는 거니?

승희 아빠, 다녀오셨어요? 아, 이 책은 제가 계속 공부를 하다가 잠시 머리를 식히…….

아버지 (승희의 말을 끊으며) 너 중간고사 끝나고 나한테 뭐라고 했니? 이제부터 좋은 모습 보여 준다고 하지 않았니?

승희 아빠는 집에 오자마자 할 말이 공부 얘기밖에 없으세요?

아버지 뭐라고? 너 지금 그게 무슨 말버릇이니?

승희 (속으로) 내가 얼마나 노력해 왔는지 알지도 못하시면서…….

아버지 내가 지금 너한테 할 수 없는 일을 하라고 하는 거니? 네가 노력할 테니 지켜봐 달라고 그랬잖아. 걱정은 됐지만 내 자식이 믿어 달라니 더 이상 아무 말 않고 기다렸다. 그런데 이렇게 실망스럽게 행동하고서는 뭘 잘했다고 큰 소리니? (승희가 듣고 있는지 아닌지 확인하지 않고) 내가 너 괴롭히려고 이러는 거니? 공부하라고 야단치는 내 마음은 어떻겠니. 세상을 너보다 먼저 살아 보니 학생 때 공부하는 게 중요하다고 생각해서 그러는 거야.

승희 저도 나름대로 열심히 노력하는 중이라고요. 오늘은 공부가 잘 안 돼서 머리를 식히려 잠시 만화책을 펼쳤을 뿐인데, 그게 그렇게 큰일인가요? ㉠<u>아빠는 왜 맨날 앞뒤 사정 알아보지도 않고 화만 내세요?</u>

아버지 (책상 위 문제집을 펼치며) 아니, 그런데 이 책은 왜 이렇게 깨끗한 거야?

승희 아니, 그건 어제 산…….

아버지 (듣지도 않고) 풀지도 않을 책은 왜 사니? 이래 놓고서 뭘 믿어 달라는 거야?

승희 아빠랑은 말이 안 통해요.

1 승희와 아버지에게 공통적으로 조언할 수 있는 말로 적절한 것은?

① 높은 자아 개념을 형성하시기 바랍니다.
② 상대방의 말에 반응하지 마시기 바랍니다.
③ 대화에서 적극적인 태도를 보이시기 바랍니다.
④ 상대방의 입장에 공감하는 듣기를 하시기 바랍니다.
⑤ 사실 수준으로 자기표현의 정도를 조절하시기 바랍니다.

2 〈보기〉는 갈등을 효과적으로 해결할 수 있는 방식으로 ㉠을 적절하게 고친 것이다. 〈보기〉를 읽고 다음 제시된 ⓐ~ⓓ에 들어갈 알맞은 말을 쓰시오.

보기

제가 행동하는 것에도 나름 사정과 이유가 있는데, 아빠가 제대로 파악하지도 않은 채 화만 내시면 저도 많이 서운해요. 화내지 마시고 천천히 제 얘기를 들어 주셨으면 좋겠어요.

〈보기〉는 (ⓐ)을/를 사용하고 있어요. 이것은 (ⓑ)-(ⓒ)-(ⓓ)의 순서로 메시지를 구성하여, 타인을 평가하지 않고 자신의 감정을 표현하는 데 집중하는 방법이랍니다.

ⓐ: ( ) ⓑ: ( )
ⓒ: ( ) ⓓ: ( )

정답과 해설 12쪽

3 면접에서 좋은 결과를 얻기 위한 답변 전략으로 적절하지 않은 것은?

① 면접관의 질문 내용과 질문 의도가 무엇인지 파악한다.
② 결론부터 분명히 밝히고 이에 대한 근거를 최대한 많이 나열한다.
③ 전문성을 묻는 질문에는 전문성을 갖추고 있음을 구체적인 경험 중심으로 답변한다.
④ 밝은 표정으로 임하며 크고 또렷한 목소리와 자신 있는 말투, 진지하고 성실한 태도로 답변한다.
⑤ 약점을 묻는 질문에는 약점을 솔직하게 말하고 이를 극복하기 위해 노력한 점을 경험 중심으로 답변한다.

4 다음은 발표 준비를 하기 위해 작성한 메모이다. ㉠~㉢을 바탕으로 발표 내용을 구성할 때 고려할 점으로 적절하지 않은 것은?

- **주제** 반려동물 장례 문화
- **예상 청중** 같은 반 친구들
- **청중의 특성**
  - 주제에 대한 이해 정도
    ㉠친구들이 반려동물 장례 문화에 대해 아는 것이 많지 않다.
  - 주제에 대한 태도
    ㉡친구들이 반려동물에 대해 대부분 호감을 갖고 있다 보니, 반려동물 장례 문화에 대해서도 긍정적인 태도를 취하고 있다.
  - 주제와 관련된 세부 관심사
    ㉢반려동물은 대체로 화장을 시키는 경우가 많아, 친구들은 반려동물 공공 화장장에 관심을 갖고 있다.

① ㉠을 고려해 발표 내용을 비교적 쉽게 구성한다.
② ㉠을 고려해 청중의 이해를 도울 수 있는 다양한 자료를 활용한다.
③ ㉡을 고려해 청중이 주제에 대한 태도를 바꿀 수 있도록 한 후에 발표를 시작한다.
④ ㉡을 고려해 청중이 반려동물 장례 문화의 필요성을 확신할 수 있게 하는 표현으로 발표를 시작한다.
⑤ ㉢을 고려해 반려동물 공공 화장장에 대한 내용을 비중 있게 다룬다.

5 다음 ㉠, ㉡에 들어갈 말로 적절한 것은?

	㉠	㉡
①	불안해하지 않는 의연한 태도	신뢰성
②	친구들과 공유할 수 있는 경험을 활용하는 방법	신뢰성
③	자신 있는 태도로 신념과 열정을 드러내는 방법	신뢰성
④	친구들과 공유할 수 있는 경험을 활용하는 방법	사회성
⑤	자신 있는 태도로 신념과 열정을 드러내는 방법	사회성

6일

6 다음은 공신력의 구성 요소에 대한 학생들의 설명이다. 설명에 해당하는 공신력의 구성 요소를 〈보기〉에서 찾아 그 기호를 쓰시오.

(1)	은진	이것을 높이려면 말을 할 때 진심을 담아 표현하면 돼. ············( )
(2)	대연	이것은 자신 있는 태도로 신념과 열정을 드러내는 것과 관련이 있어. ································( )
(3)	민하	이것을 높이려면 화제, 주제와 관련된 내용을 사전에 충분히 조사하고 이에 대하여 이해하고 있음을 드러내면 돼. ······························( )
(4)	은우	이것을 높이려면 청중과 시선을 맞추고 청중에게 우호적인 태도를 가지고 있음을 언어적·준언어적·비언어적으로 표현하면 돼. ··········( )

보기

㉠ 전문성 ㉡ 신뢰성 ㉢ 침착성
㉣ 외향성 ㉤ 사회성

7 토론에서 반대 신문 단계의 질문 및 답변 전략으로 적절하지 않은 것은?

① 필요하다면 상대측이 말한 내용에 대해 보충 설명을 요구한다.
② 답변을 할 때에는 최대한 길고 자세하게 설명해 토론 시간을 독점한다.
③ 상대방이 제대로 답변하기 어려운 내용에 대하여 질문하는 것이 효과적이다.
④ 질문을 할 때에는 상대측 논증의 공정성, 신뢰성, 타당성을 비판하는 것이 효과적이다.
⑤ 잘 모르는 내용에는 '생각해 보지 않았다.' 대신 '~은 더 생각해 봐야 할 문제이다.' 등으로 답변한다.

8 〈보기〉는 '드론에 대한 규제를 완화하자.'라는 논제에 대한 토론의 일부이다. ㉠, ㉡에 대한 설명으로 적절한 것은?

보기

반대 2 드론에 대한 규제 완화를 통해 '순찰용 드론' 등을 치안에 사용할 수 있다고 하셨는데, 그럴 경우 개인의 사생활 침해 문제가 더욱 심각해질 것으로 보입니다. ㉠드론은 기존의 시시티브이(CCTV)와는 비교도 안 될 정도로 개인의 사생활을 침해할 수 있는데, 그럼에도 불구하고 규제 완화를 주장하십니까?

찬성 1 드론은 기동성이 있기 때문에 순찰용으로 사용했을 경우 범죄 예방에 큰 효과가 있을 것입니다. 물론 사생활 침해 등의 문제가 있을 수 있지만, 순찰은 대부분 공공장소에서 이루어질 것이므로 큰 피해는 없을 것이라…….

반대 2 생각이 너무 짧은 게 아닐까요? 드론으로 인한 사생활 침해의 피해가 크지 않을 거라고요? 참, 어처구니가 없습니다. 심지어 최근에는 ○○축제장에서 드론이 추락하여 8세 정도의 어린이가 크게 다치는 사고까지 발생했습니다. 드론은 하늘을 날아다니는 흉기입니다. 따라서 ㉡저희 측은 드론에 대한 규제를 완화하는 것이 아니라, 오히려 규제를 더욱 강화해야 한다고 생각하는데, 이에 대해 동의하십니까?

① ㉠은 복합적 질문으로, 답변자가 자신에게 유리한 것만을 골라 답변할 수 있다.
② ㉠은 개방형 질문으로, 답변자가 자기 측에 유리하도록 길고 장황하게 말할 수 있는 기회를 얻게 된다.
③ ㉡은 상대방이 말한 내용이 사실인지를 확인하는 질문이다.
④ ㉡은 상대방의 인격을 무시하는 표현으로, 상대방을 자극하고 불쾌하게 만들 수 있다.
⑤ ㉡은 폐쇄형 질문으로, 상대방이 '네', '아니요'로 대답하도록 하여 구체적이고 한정된 정보를 요구한다.

9 〈보기〉는 협상의 일부이다. ㉠, ㉡에 대한 설명으로 적절하지 않은 것은?

보기

㉠**맑음 마을 주민** 행복시 시장님께서 쾌적한 도시, 살고 싶은 도시를 만들기 위해 노력하시는 것이 맞지요?

㉡**행복시 공무원** 네.

맑음 마을 주민 그런데 왜 우리 마을에 혐오 시설인 납골당을 건설하시겠다는 거지요? 납골당이 있는 마을에 살고 싶은 사람은 없을 것입니다.

행복시 공무원 행복시를 쾌적하고 살고 싶은 도시로 만드는 것은 저희도 매우 중요하게 생각하는 가치입니다. 하지만 납골당은 지금 우리 지역 공동체에 꼭 필요한 시설입니다. 납골당을 건립하는 대신 복지 시설을 확충한다면 행복시가 좀 더 쾌적하고 살기 좋은 도시로 발전할 수 있지 않을까요?

① ㉠, ㉡은 양측 모두에게 이득이 될 수 있는 최선의 방법을 찾아야 한다.
② ㉠, ㉡은 상대방의 처지와 관점을 이해하여 서로의 입장 차이를 좁혀 나가야 한다.
③ ㉠, ㉡이 서로 대안에 합의하는 순간 이행 여부와 상관없이 모든 협상 절차가 종료된다.
④ ㉠은 ㉡이 중요하게 생각하는 것을 자신의 요구와 연결 지어 ㉡의 마음을 움직이는 협상 전략을 사용하였다.
⑤ ㉡이 준비한 대안이 받아들여지지 않을 경우, ㉡은 협상이 결렬되지 않도록 미리 준비한 차선책을 제시하는 것이 바람직하다.

10 다음 (가)~(다)의 상황에 나타난 협상 전략을 〈보기〉에서 찾아 그 기호를 쓰시오.

가 행복시에 납골당이 건립되어야 하는 상황이고 납골당을 지을 만한 공간이 맑음 마을밖에 없는데 이 마을 주민이 무조건 건립에 반대를 하는 것은 지역 이기주의로 비난을 받을 수 있다. 그러므로 맑음 마을 주민들은 무조건 건립에 반대하여 협상이 결렬되게 할 것이 아니라 납골당 건립을 수락하되 납골당 시설을 지하로 제한하고 평소 마을 주민이 원했던 도로 시설 확충, 복합 문화 센터 마련, 공원 확장 등을 요구하여 맞교환을 하면 주민들이 실익을 얻을 수 있다.

나 맑음 마을 주민들이 납골당 시설을 지하로 하고, 중앙 도로를 8차선으로 확장하고, 복합 문화 센터를 짓고, 공원을 확장하는 것을 최선책이라고 생각하고 제안을 하더라도 이 제안이 일부 받아들여지지 않을 수 있다. 그러므로 차선책으로 납골당 시설을 지하로 하되 지상에 공원을 만들고 우선 마을에서 가장 시급한 중앙 도로의 8차선 확장을 생각해 둔다.

다 행복시에서 맑음 마을에 납골당을 건립하더라도 납골당 층수를 조정하여 주민 피해를 최소화하고, 인근에 대규모 공원을 조성하고, 도로 시설을 정비해 주겠다고 먼저 제안을 하게 되면 맑음 마을 주민은 이 제안을 기준으로 하여 조정안을 마련하게 된다.

보기

㉠ 먼저 제안하기
㉡ 차선책 준비하기
㉢ 여러 제안 맞교환하기
㉣ 상대방이 정말 원하는 것 찾기

(가): ______ (나): ______ (다): ______

6일 참의·융합·코딩 서술형 테스트

1 참의 〈보기〉에서 찾을 수 있는 사회적 의사소통 행위로서 화법과 작문의 영향을 〈조건〉에 맞게 쓰시오.

보기

최근 미세 먼지의 위험성이 알려지자 인터넷 뉴스 댓글창과 누리 소통망에 이와 관련한 의견이 활발하게 올라오면서 미세 먼지의 원인을 알아내어 시급히 대책을 마련해야 한다는 사회 구성원들의 공통적인 의견이 형성되었다. 이후 이 의견은 정부 차원에서 미세 먼지 대응 정책을 마련하는 움직임을 보이는 데에 영향을 미쳤다.

조건

'화법과 작문 활동은 ~에 기여한다.'의 문장 형식으로 쓸 것

2 코딩 다음은 화법과 작문이 지닌 공동체 발전의 기능을 정리한 것이다. ㉡의 결과를 이루기 위해서 ㉠을 할 때 전제되어야 하는 것을 〈조건〉에 맞게 쓰시오.

공동체 안에서 갈등 발생
↓
㉠의사소통을 통한 공동체의 문제 해결
↓
㉡공동체의 발전

조건

- '남의 사정을 잘 헤아려 너그러이 받아들임.'의 뜻을 지닌 단어를 포함하여 쓸 것
- '~이/가 전제되어야 한다.'의 형식으로 쓸 것

[3~4] 다음은 학교 신문을 제작하기 위한 학교 신문부의 회의 내용이다. 읽고 물음에 답하시오.

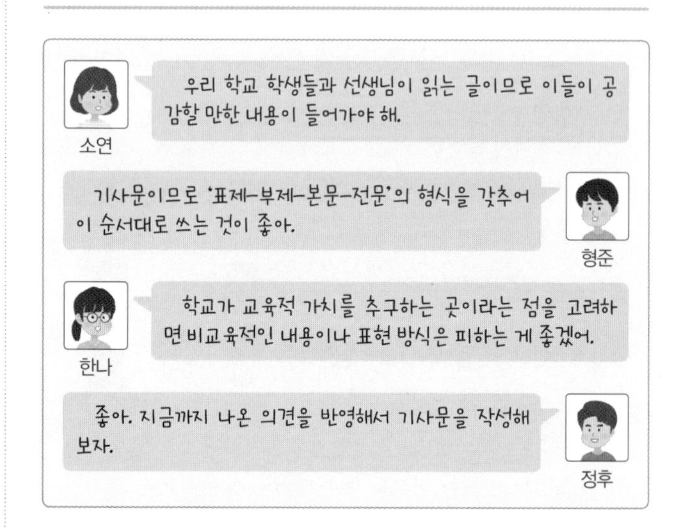

3 참의 융합 이 회의 내용에서 고려하고 있는 작문의 맥락과, 이러한 맥락을 고려하여 작문 활동을 할 때의 효과를 〈조건〉에 맞게 서술하시오.

조건

- '작문 활동을 할 때에는 (A)을/를 고려해야 (B)을/를 할 수 있다.'의 문장 형식으로 쓸 것
- (A)에는 작문 맥락 3가지, (B)에는 작문의 맥락을 고려했을 때의 효과를 쓸 것

4 참의 이 회의에서 내용상 틀린 부분이 있는 학생의 말을 바르게 고쳐 쓰시오.

5 창의 융합 **〈보기〉를 참고하여 ㉠이 다음 상황에 더 적절한 말이 되도록 〈조건〉에 맞게 고쳐 쓰시오.**

보기

감사의 마음을 표현할 때에는 진심을 담아 전달하는 것이 중요하다. 이때 상대방의 행동이 자신에게 어떻게 도움이 되었는지 구체적으로 이야기하는 것이 좋다.

조건

언니의 상황에 대한 언급을 포함하여 쓸 것

6 창의 융합 **다음 대화에서 승희와 아버지의 갈등이 심화되지 않도록 ㉠을 '나-전달법'을 활용하여 〈조건〉에 맞게 고쳐 쓰시오.**

방과 후 혼자 책상에 앉아 공부를 하던 승희. 잠시 머리를 식히려 만화책을 펼친다.

아버지 (갑자기 방문을 열고 들어오며) 승희야, 아빠 왔다. (놀라서 멈칫하며) 어? 그런데 너 지금 무슨 책을 보고 있는 거니?

승희 아빠, 다녀오셨어요? 아, 이 책은 제가 계속 공부를 하다가 잠시 머리를 식히…….

아버지 (승희의 말을 끊으며) 너 중간고사 끝나고 나한테 뭐라고 했니? 이제부터 좋은 모습 보여 준다고 하지 않았니?

승희 ㉠아빠는 집에 오자마자 할 말이 공부 얘기밖에 없으세요?

아버지 뭐라고? 너 지금 그게 무슨 말버릇이니?

조건

사건, 감정, 기대를 각각 한 문장으로 쓸 것

7 창의 **다음은 표현 전략을 설명하는 글이다. ㉠~㉣ 중 적절하지 않은 내용이 포함된 문장을 찾아 그 기호를 쓰고, 문장을 바르게 고쳐 쓰시오.**

㉠의사소통할 때에는 장소, 상대방, 분위기 등 상황에 맞는 언어적·준언어적·비언어적 표현 전략을 사용해야 의미를 잘 전달할 수 있다. ㉡먼저, 상황에 맞는 언어적 표현을 하려면 상황에 맞게 어휘를 선정하고 내용을 조직할 수 있어야 한다. ㉢또한 준언어적 표현을 적절히 활용하면 의미를 더 잘 전달할 수 있으므로 음조와 말의 빠르기를 상황에 맞게 조절한다. ㉣목소리 크기, 억양 등의 비언어적 표현도 언어적 표현으로 드러내는 의미의 전달에 영향을 미칠 수 있다.

6일

8 창의 다음 발표에서 발표자가 ㉠과 같이 말한 의도를 추측하여 〈조건〉에 맞게 서술하시오.

안녕하십니까? 저는 텀블러 사용에 대해 말하려고 합니다. 사실 텀블러를 사용하는 것은 많이 불편하죠? 매번 씻어서 챙겨 다니는 것이 거추장스럽기도 하고요.

㉠그런데 이렇게 생각해 보면 어떨까요? 이러한 작은 실천이 모여서 우리가 사는 지구에 큰 변화를 일으킬 수 있다고요.

조건

발표자가 고려한 청자의 특성을 포함하여 쓸 것

9 창의 융합 다음 면접 상황에서 승우가 좋은 평가를 받지 못했다고 할 때, 승우에게 해 줄 수 있는 적절한 조언을 〈조건〉에 맞게 쓰시오.

승우는 구청에서 모집 중인 행정 보조 업무 아르바이트 자리에 지원하여 면접을 보고 있다.

면접관 본인의 성격에서 약점이라고 생각하는 부분은 무엇인가요?

승우 저는 자신감이 많이 떨어지는 편입니다. 그래서 남들 앞에 나서야 하거나, 무슨 일을 주도적으로 해야 하는 상황이 너무 힘듭니다.

면접관 그렇군요. 많이 힘들겠네요……. 알겠습니다.

조건

- 면접관의 질문 의도를 파악하여 쓰고, 면접의 답변 전략에 맞게 승우의 답변을 고칠 방향을 제시할 것
- '약점을 묻는 질문은 ~(하)는 의도가 있으므로 ~(하)는 것이 좋아요.'의 문장 형식으로 쓸 것

10 창의 다음의 연설 계획 개요서에서 ㉠~㉢이 각각 어떤 설득 전략에 해당하는지 한 문장으로 서술하시오.

청자	우리 반 친구들
주제	꿈을 향한 노력에 늦은 시기란 없다.
목적	꿈을 이루기엔 이미 늦었다고 생각하는 친구들의 인식에 변화를 주는 것
설득 전략	㉠ 의연한 태도로 진심을 담아 표현하고, 열정적인 목소리로 신념을 드러낸다. ㉡ 뒤늦게 꿈을 이뤄 기뻐하는 유명인의 인터뷰 영상을 보여 주어 청자가 그 기쁨에 공감하게 한다. ㉢ 청소년기는 지식 습득 능력이 매우 뛰어나기 때문에 어느 정도 뒤처지더라도 노력으로 충분히 극복할 수 있다는 전문가의 의견을 근거로 제시한다.

11 창의 코딩

〈보기 1〉은 '드론 규제를 완화해야 한다.'라는 논제에 대한 반대 측의 입론 중 일부이다. 〈보기 2〉를 참고하여, 찬성 측이 반대 측에게 할 수 있는 반대 신문의 질문을 〈조건〉에 맞게 서술하시오.

보기 1

반대 1 서울은 고층 빌딩과 주요 행정 기관들이 많아 드론 운용에 규제가 분명 필요합니다. 섣불리 규제를 풀었다가는 또 다른 문제들이 발생하게 됩니다. 최근 사진 촬영에 이용되는 개인용 드론을 찾는 사람이 많습니다. 이런 상태에서 규제를 풀 경우 드론은 반드시 범죄에 이용됩니다. 따라서 드론에 대한 규제는 현행처럼 유지되어야 합니다.

보기 2

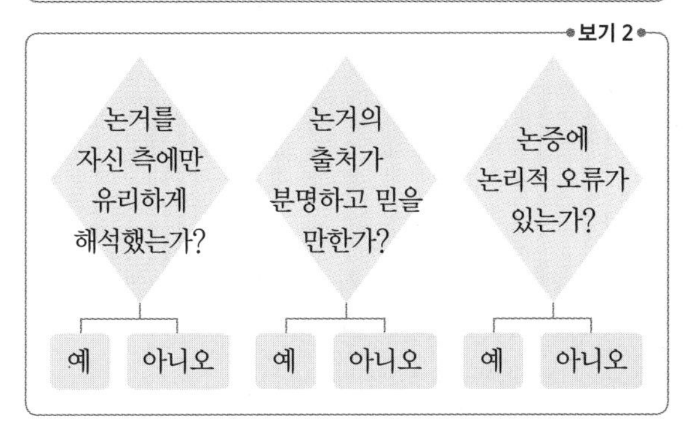

조건

- 〈보기 2〉에 제시된 세 질문을 기준으로 볼 때 〈보기 1〉에서 문제가 되는 부분을 간접 인용하여 쓸 것
- 폐쇄형 질문으로 쓸 것

12 창의 융합

다음 상황에서 도서부가 밴드부에 제안할 요구 사항을 〈조건〉에 맞게 서술하시오.

으뜸고등학교의 도서부는 독서 경진 대회에 나가기 위해 도서관에서 책을 읽고 있으며, 밴드부 역시 밴드 경연 대회에 나가기 위해 열심히 연습하고 있다. 문제는 밴드부 연습실에서 나오는 소리 때문에 도서부원들이 책을 읽는 데 집중할 수 없다는 것이다. 밴드부는 주로 점심시간과 방과 후에 연습을 하는데, 도서부 역시 그 시간에 도서관에서 책을 읽고 있다. 도서관에 다양하고 많은 책이 비치되어 있기 때문에 도서부원들이 다른 장소로 옮기는 것도 쉽지 않다. 결국 도서부의 부장은 밴드부의 부장에게 대화를 요청하였고, 도서부의 부원들과 밴드부의 부원들이 협상의 자리에 앉게 되었다.

조건

- '(A)을/를 요구한다. 이 요구가 수용되지 않으면 (B)을/를 제안한다.'의 형식으로 쓸 것
- (A)에는 도서부가 목표로 하는 최선책을, (B)에는 최선책이 거부당했을 경우 제안할 수 있는 차선책을 쓸 것

6일

7일 중간고사 기본 테스트 1회

1 화법과 작문 활동에 대한 설명으로 적절한 것은?

① 작문과 달리 화법은 문자 언어를 통해 소통한다.
② 화법과 달리 작문은 시공간을 뛰어넘어 다른 사람과 의사소통을 한다.
③ 화법과 달리 작문은 사람 사이의 갈등을 합리적으로 해결할 수 있는 수단이다.
④ 화법과 작문 활동을 통해 사람들은 언제나 긍정적인 자아 개념을 형성한다.
⑤ 화법과 작문 활동을 할 때에는 자신의 의견을 반드시 상대에게 관철시키겠다는 자세로 임해야 한다.

[2~3] 다음 기사문을 보고 물음에 답하시오.

○○고등학교 소식

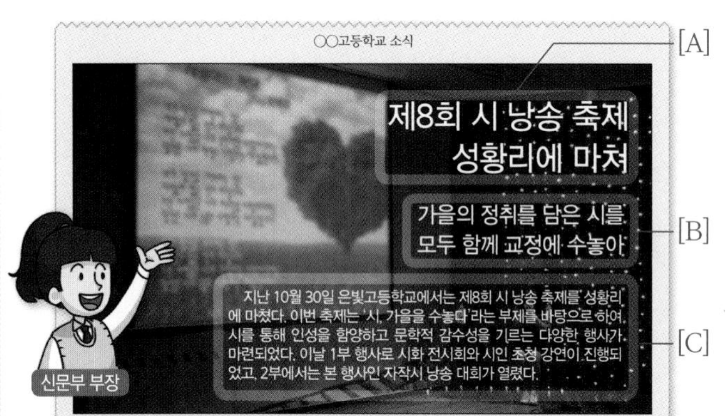

[A] 제8회 시 낭송 축제 성황리에 마쳐

[B] 가을의 정취를 담은 시를 모두 함께 교정에 수놓아

[C] 지난 10월 30일 은빛고등학교에서는 제8회 시 낭송 축제를 성황리에 마쳤다. 이번 축제는 '시, 가을을 수놓다'라는 부제를 바탕으로 하여 시를 통해 인성을 함양하고 문학적 감수성을 기르는 다양한 행사가 마련되었다. 이날 1부 행사로 시화 전시회와 시인 초청 강연이 진행되었고, 2부에서는 본 행사인 자작시 낭송 대회가 열렸다.

신문부 부장

[D] 1부 행사로 열린 시화 전시회는 가을의 정취와 어울리는 멋진 시와 그림으로 교정을 수놓아 한껏 아름다운 풍경을 자아냈다. 이어서 진행된 시인 초청 강연은 그동안 많은 작품을 통해 학생들에게도 잘 알려진 나들꽃 시인을 초청하여, 시에 대한 단상과 일상을 바라보는 태도를 배우는 자리를 가질 수 있었다. 강연 뒤에는 '작가와의 만남'을 진행하여 나 시인의 작품 세계와 인생관에 대하여 이야기를 나누는 시간을 마련했다. 질의응답과 사회 등 학생들이 적극적으로 주도한 진행이 큰 호응을 얻었다.

저녁 7시부터 진행된 2부에는 학생들의 자작시 낭송 대회가 열렸다. 특히 이번 대회는 악기 연주와 시극(詩劇), 나아가 랩까지 등장하는 등 학생들의 창의적이고 재치 있는 발상이 그 어느 때보다도 돋보였다. 모든 학생이 진지하게 참여하는 모습을 보며 관객들은 열렬한 박수로 화답했다. 시 낭송 대회의 심사 위원 중 국어를 가르치는 김신주 선생님은 "깜짝 놀랄 만한 좋은 시가 많았지만, 그중에서도 쉽게 지나칠 수 있는 주변의 평범한 대상 속에서 새로운 의미를 발견해 낸 작품들이 돋보여서 매우 흡족했다"라는 평을 주기도 하였다. 이날 시 낭송 대회의 최우수상은 2학년 최유나 학생이 쓴 '두꺼운 가을'에 돌아가며 축제의 막이 내렸다.

시 낭송 축제 행사를 지켜 본 선생님과 학부모들은 "날로 발전하는 학생들의 모습에 큰 감동을 받았다"라는 칭찬과 함께 내년 행사에 대해서도 기대를 걸었다. 이번 축제를 통해 확인한 은빛고 학생들의 잠재력을 통해 내년에 열릴 9회 축제에 더 큰 발전을 기대해 본다.

2 [A]~[D]에 대한 설명으로 적절하지 <u>않은</u> 것은?

① [A]: 신문 기사의 표제로, 기사 내용 전체를 간결하게 나타낸 큰 제목이다.
② [B]: 신문 기사의 부제로, 표제를 보완하는 작은 제목이다.
③ [C]: 신문 기사의 전문으로, 주제에 대한 글쓴이의 평가가 드러나는 부분이다.
④ [D]: 신문 기사의 본문으로, 이 부분은 육하원칙에 따라 간결한 문장으로 서술하는 것이 좋다.
⑤ [A]~[D]: 작문 관습에 따라 신문 기사가 갖춰야 할 구성 요소들이다.

3 다음은 글쓴이가 이 기사문을 쓰기 전 신문부 부원들과 나눈 누리 소통망 대화이다. 적절하지 <u>않은</u> 것은?

얘들아, 시 낭송 축제에 관한 기사를 쓰는 중인데 너무 어려워. 좀 도와줄 수 있을까?

진기: ① 우선 글을 쓸 때에는 작문 맥락을 고려하는 것이 매우 중요해.

정은: ② 학교 신문 기사이니 학생들이 읽을 것이고, 이를 고려해서 친구에게 말하는 듯한 반말체를 사용해야 해.

유민: ③ 독자 외에 고려할 작문 맥락에는 공동체의 가치와 신념이 있어.

희서: 그리고 ④ 기사문이 지닌 고유의 형식과 표현 방식을 고려하여 쓰는 게 좋아.

지민: 마지막으로 ⑤ 학교가 교육적 가치를 추구하는 곳임을 고려하여 비교육적인 내용은 피해야 해.

전송

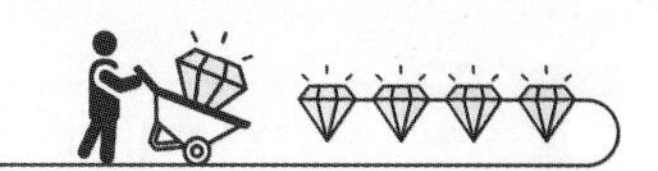

4 다음 상황에서 토끼의 사과에 대한 설명으로 적절하지 않은 것은?

#01 알아. 날 용서하지 못하겠지. 그럴 만도 해. 나라도 용서하지 못할 테니까. 내가 바보였어. 무책임하고 편견으로 가득했어. 날 미워해도 돼. 그래도 괜찮아.

#02 왜냐하면 난 못난 친구였고 네게 상처를 줬으니까. 하지만 이것만은 알아주었으면 해. 처음부터 네가 옳았어. 난 정말 멍청한 토끼야.

① 자신이 잘못한 부분을 구체적으로 밝히고 있다.
② 앞으로 어떻게 행동할지를 구체적으로 밝히고 있다.
③ 미안한 표정을 짓고 고개를 숙이는 등의 비언어적 표현을 통해 진심을 나타내고 있다.
④ '나라도 용서하지 못할 테니까.'라는 말로 상대의 마음에 공감하고 있음을 드러내고 있다.
⑤ '무책임하고 편견으로 가득했어.'라는 말로 자신의 생각이 옳지 않았다는 것을 솔직하게 인정하고 있다.

5 비언어적 표현에 대한 설명으로 적절하지 않은 것은?
① 시선, 표정, 동작, 자세 등을 적절하게 구사하는 것이다.
② 같은 비언어적 표현도 맥락에 따라서 다르게 해석될 수 있다.
③ 언어적·준언어적 표현 이외의 방법으로 의미를 표현하는 것이다.
④ 언어적 요소를 동반하지 않은 비언어적 표현만으로는 의미를 전달할 수 없다.
⑤ 상황에 맞는 비언어적 표현을 사용하면 의미를 보다 구체적으로 전달할 수 있다.

6 다음 라디오 대본에 어울리는 준언어적 표현 전략으로 적절하지 않은 것은?

안녕하십니까, 청취자 여러분! '생방송 좋은 아침'의 진행자 이진아입니다. 오늘도 상쾌한 아침이 밝았습니다. 오늘의 첫 곡은 신나는 음악으로 준비했는데요, 바로 '라데츠키 행진곡'입니다. 자, 음악을 들으며 활기찬 하루를 시작해 봅시다!

① 높은 음조로 말하여 즐거운 분위기를 표현한다.
② 큰 목소리로 말하여 활기찬 아침의 분위기를 표현한다.
③ 빠른 속도로 말하여 청취자들에게 신나는 느낌을 준다.
④ '라데츠키 행진곡'에 강세를 주어 음악의 제목을 강조한다.
⑤ 변화가 없는 단조로운 억양으로 말하여 준비한 음악에 어울리는 분위기를 표현한다.

[7~8] 다음 면접 상황을 보고 물음에 답하시오.

한국대학교 경영학과 면접장에서 이동건 학생이 면접을 치르고 있다.

면접관 다음 179번 면접자, 들어오세요.
이동건 (문을 열고 들어와 면접관에게 공손하게 인사하며) 안녕하세요? 저는 179번 이동건입니다.
면접관 네, 자리에 앉으세요.
이동건 네, 알겠습니다. (자리에 앉는다.)
면접관 우리 학과에 지원한 동기는 무엇인가요?
이동건 제 꿈은 기업가가 되는 것입니다. 이 꿈을 이루기 위해서는 경영학 전반을 깊이 있게 이해하는 것이 필요하다고 생각하여 지원했습니다. 〈중략〉
면접관 학교 생활 기록부를 보니 봉사 활동을 매우 열심히 했는데, 자신이 했던 봉사 활동의 의미를 말해 보세요.

7일 중간고사 기본 테스트 1회

[A]
이동건 저는 2주일에 한 번씩 지역 아동 센터에 가서 초등학교 저학년 아이들에게 수학을 가르쳐 주었습니다. 처음에는 아이들에게 공부를 어떻게 가르쳐 주어야 하는지 몰라서 힘들었지만, 차츰 아이들과 친해지면서 아이들의 눈높이에 맞추어 가르치는 것이 중요하다는 것을 알게 되었습니다. 이를 통해 서로의 소통을 위해서는 상대방의 입장을 이해하고 배려하는 것이 중요하다는 것을 느낄 수 있었습니다. 또한 제가 앞으로 기업을 운영할 때에도 소비자의 눈높이에 맞추어 제품을 만들고 홍보해야만 성공할 수 있다는 것도 깨달을 수 있었습니다. 〈중략〉

면접관 그럼 마지막으로 최근 본 기사 중 가장 관심을 끈 것이 무엇인지 말해 보세요.

[B]
이동건 저는 최저 임금 인상에 대한 기사가 가장 인상 깊었습니다. 그동안 우리나라의 최저 임금이 OECD의 다른 국가에 비해 낮았다는 것을 고려하면, 이는 우리나라가 선진국으로 진입하는 하나의 도약이라고 생각합니다. 또한 장기적인 관점에서 볼 때 노동자의 삶의 질을 향상시키는 것은, 소비 촉진으로 이어져 기업에게도 큰 이익으로 돌아올 것이라 생각합니다.

---

7 이 면접에 대한 이해로 가장 적절한 것은?

① 면접관은 취업을 위한 평가와 선발이라는 목적에 맞는 질문을 하고 있다.
② 면접관은 대체로 사실을 묻는 질문을 하여 이동건의 지식을 평가하고 있다.
③ 면접관은 이동건의 답변에 대해 추가 질문을 하여 진로에 대한 관심 정도를 파악하고 있다.
④ 이동건은 어법에 맞지 않는 표현을 사용하여 신뢰성을 떨어뜨리고 있다.
⑤ 이동건은 면접관에게 좋은 인상을 주기 위해 적절한 비언어적 표현을 사용하고 있다.

8 [A], [B]에 대한 설명으로 적절하지 않은 것은?

① [A]: 경험의 의미를 진로와 연관 지어 제시하였다.
② [A]: 구체적 사례를 통해 자신의 의사소통 능력을 강조하였다.
③ [B]: 기사와 관련지어 경제 주체로서의 가계와 기업의 상관성에 대한 생각을 밝혔다.
④ [B]: 지원하는 학과와 관련이 깊은 기사 내용을 제시하였다.
⑤ [A], [B]: 어법에 맞게 말하고, 유행어나 비속어를 쓰지 않았다.

9 다음이 〈보기〉의 공고문을 바탕으로 한 면접 상황임을 고려할 때, 박수찬에게 해 줄 수 있는 조언으로 적절하지 않은 것은?

보기

운동용품 개발자를 모집합니다

• 협력 업체뿐 아니라 동료 및 상사와의 원만한 관계를 바탕으로 하여 고품질의 운동용품을 개발할 수 있는 사람

－○○ 운동 회사

면접관 만약에 상사가 운동용품과 전혀 관련이 없는 업무를 지시한다면 어떻게 하시겠습니까?

박수찬 저는 그 지시를 따르지 않겠습니다. 그런 지시는 회사에 큰 손해를 끼칠 것이 뻔하기 때문입니다. 회사의 이익에 반하는 일이라면 아무리 상사의 지시라 하더라도 저는 결코 따르지 않을 것입니다.

① 면접 전에 회사가 추구하는 인재상을 파악하세요.
② 질문 의도를 명확하게 파악한 후 답변을 해 보세요.
③ 이 회사는 원만한 인간관계를 바탕으로 업무를 진행하는 능력을 중시한다는 점을 고려하세요.
④ 면접관의 질문에는 면접 대상자가 상사와 원만한 관계를 유지할 수 있는지를 파악하려는 의도가 있어요.
⑤ 회사에 대한 충성심을 더 잘 부각할 수 있도록 상사를 인사위원회에 고발하겠다는 답변을 준비하세요.

[10~11] 다음을 보고 물음에 답하시오.

10 (가)의 현우와 (나)의 창규에 대한 이해로 적절하지 않은 것은?

① 현우와 창규는 모두 발표를 앞두고 긴장하였다.
② 현우는 '나는 잘할 수 있어!'라고 한 것으로 보아 높은 자아 개념을 지니고 있다.
③ 창규는 '나는 잘하지 못할 거야.'라고 한 것으로 보아 낮은 자아 개념을 지니고 있다.
④ 현우는 친구의 평가에 긍정적인 반응을 보이고 있고, 창규는 냉소적인 반응을 보이고 있다.
⑤ 현우와 창규는 모두 친구와의 대화를 통해 원만한 인간관계를 형성해 나갈 것이라고 기대할 수 있다.

11 (가), (나)를 통해 알 수 있는 사실을 〈조건〉에 맞게 서술하시오.

조건
'자아 개념은 ~와/과 ~에 많은 영향을 끼친다.'의 형식으로 쓸 것

12 도윤은 〈보기〉의 맥락을 고려하여 다음의 발표 도입부를 마련하였다. 〈보기〉의 ㉠, ㉡에 들어갈 알맞은 말을 쓰시오.

보기
- **발표 주제** 쓰레기 분리배출을 철저히 하자
- **예상 청자** 같은 반 친구들
- **예상 청자의 특성**
  ① 주제에 대한 관심 정도: ___㉠___
  ② 주제에 대한 태도: ___㉡___

여러분들 모두 쓰레기 분리배출이 중요한 건 알지만, 이 쓰레기는 어디에 버리는 게 맞는지 정확히 몰라 궁금할 때가 많으시죠? 오늘 저는 여러분에게 쓰레기 분리배출의 구체적 실천 방법을 알려 드리고자 합니다.

13 〈보기〉에 사용된 설득 전략으로 알맞은 것은?

보기
"금연을 해야 한다."라는 내용으로 연설을 할 때 흡연이 건강에 해롭다는 것을 나타내는 피해 사례를 들고 흡연자의 후회가 담긴 말, 흉하게 변한 외모, 가족들의 고통을 생생하게 묘사한다.

① 감성적 설득 전략
② 이성적 설득 전략
③ 인성적 설득 전략
④ 정치적 설득 전략
⑤ 주관적 설득 전략

[14~16] 다음 협상을 보고 물음에 답하시오.

벽화 반대 주민 대표 저희는 마을의 모습을 예전으로 되돌리기를 원합니다. 주말이면 관광객들이 하루 종일 찾아와 시끄럽게 하는 바람에 도저히 정상적인 생활을 할 수가 없습니다.

벽화 찬성 주민 대표 네, 저희도 그 마음은 이해합니다. 하지만 이미 우리 마을 곳곳에 아름다운 벽화가 그려져 있고, 수많은 관광객이 이 벽화를 보기 위해 우리 마을을 찾고 있습니다. 그동안 낙후되어 있던 마을의 경기도 되살아났고, 많은 주민들이 관광객을 대상으로 장사를 하여 생계를 유지해 가고 있습니다. 무조건 벽화를 없애는 것만이 능사는 아니라고 생각합니다.

벽화 반대 주민 대표 네, 저희도 관광객을 대상으로 하는 장사가 주된 수입원이 되고 있다는 점을 잘 알고 있습니다. 그래서 마을의 모든 벽화를 다 없앨 수는 없다고 생각합니다. 하지만 벽화에 반대하는 사람들의 집에 그려진 벽화만큼은 지워 주셨으면 합니다. 그러면 소음이나 엿보기 같은 사생활 침해에서 벗어날 수 있을 테니까요.

벽화 찬성 주민 대표 그렇군요. 그럼 저희가 준비한 안을 말씀드리겠습니다. 우선 현재 벽에 써 있는 조용히 해 달라는 문구를 지워 주시기를 바랍니다. 그 문구가 관광객들에게 큰 혐오감을 불러일으켜 장사에 큰 방해가 되고 있습니다. 그 문구를 지워 주신다면 모든 벽화는 아니더라도 일부 벽화는 지울 생각입니다.

벽화 반대 주민 대표 음, 벽화를 모두 지우겠다는 것은 아니군요. 벽에 쓰인 문구를 지우는 것은 받아들일 수 있지만, 벽화에 반대하는 사람들의 집에 그려진 벽화를 모두 지우지는 않겠다는 그 제안은 선뜻 받아들이기 어렵네요.

벽화 찬성 주민 대표 벽화에 반대하는 분들이 진정 원하는 것이 사생활 침해에서 해방되는 것이라는 건 잘 알고 있습니다. 그런데 벽화에 반대하는 분들의 집에 그려진 벽화 중에 인기 있는 벽화들이 많습니다. 그것들을 모두 지우면 관광객 수가 급감하게 됩니다. 〈중략〉 그러니 전체가 아닌 일부만 지우는 것은 어떨까요? 그리고 특히 인기가 많은 몇 개 벽화는 위치를 옮겨서 사생활 침해를 최대한 줄이도록 노력하겠습니다.

벽화 반대 주민 대표 좋습니다. 벽에 쓰인 문구도 지우고, 벽화도 전체가 아닌 일부만 지우는 것을 받아들이겠습니다. 〈중략〉 그런데 우리가 한 마을의 주민으로서 공동체를 형성하고 있다면, 이익을 나눠야 하지 않나요? 누구는 이익을 보고 누구는 피해만 보는 것은 부당한 일입니다. 공동체라면 기쁨도 슬픔도 함께 나누어야 한다고 생각합니다.

14 이와 같은 담화에 대한 설명으로 적절하지 않은 것은?

① '시작-조정-해결' 단계로 전개된다.
② 주체들 간의 갈등 조정과 합의가 목적이다.
③ 합의한 후에는 합의 사항을 이행하는 것이 중요하다.
④ 양측 모두에게 이익이 되는 결과를 도출하는 것이 중요하다.
⑤ 상대측의 논증이 지닌 허점을 찾아내어 자신의 의견의 정당성을 입증하는 것이 목적이다.

15 이 협상의 참여자가 협상 전 세웠을 협상 계획 및 전략으로 적절하지 않은 것은?

 벽화 찬성 주민 대표	① 우선 상대의 마음에 공감하는 표현을 하여 담화 분위기를 부드럽게 해야지. ② 준비한 안이 받아들여지지 않을 경우를 대비해 차선책을 마련해 놔야겠다.
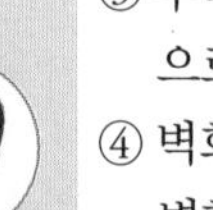 벽화 반대 주민 대표	③ 우리 측의 목표는 마을의 모습을 예전으로 되돌리는 거야. ④ 벽화에 반대하는 사람의 집에 그려진 벽화를 지워 달라고 먼저 제안해야지. ⑤ 인기가 많은 벽화를 이동시키는 안과, 공동체의 이익을 분배하는 안을 맞교환해야지.

16 〈보기〉에 제시된 협상 전략이 나타난 문장을 이 협상에서 찾아 쓰시오.

> 보기
> 상대방의 표준과 자신이 요구하는 바를 연결하여 상대방의 마음을 움직일 수 있게 표현한다.

[17~18] 다음은 스티븐 호킹 박사가 런던 장애인 올림픽 개막식에서 한 연설의 일부이다. 보고 물음에 답하시오.

장애인 올림픽 역시 세상을 바라보는 우리의 인식을 바꿀 것입니다. 우리는 모두 다릅니다. 표준적이거나 평범한 인간이란 없습니다. 하지만 우리는 모두 인간의 정신을 공유하고 있습니다. 또한, 우리는 무언가를 창조할 수 있습니다. 창조성은 다양한 형태로 드러나기 때문에 삶이 아무리 힘들어도 당신이 잘할 수 있고, 성취할 수 있는 것은 반드시 존재합니다. 장애인 올림픽은 선수들이 그들의 능력을 최대한 발휘하여 그 분야에서 우뚝 설 기회입니다. 우리 함께 이 탁월함과 우정 그리고 존경심을 기념합시다. 모두의 행운이 있기를 빕니다.

17 이 연설의 화자가 말하고자 하는 바로 적절하지 <u>않은</u> 것은?

① 우리 모두는 무언가를 창조할 수 있는 힘이 있다.
② 우리는 표준적이고 평범한 인간이 되기 위해 노력해야 한다.
③ 아무리 힘든 상황에 있는 사람이라도 잘할 수 있는 일이 반드시 있다.
④ 우리는 각자 다른 존재이지만 한편으로는 인간으로서 공통된 정신을 공유하고 있다.
⑤ 장애인 올림픽은 우리에게 인간은 누구나 성취할 수 있는 힘을 지니고 있음을 깨닫게 해 줄 것이다.

18 〈보기〉를 참고하여 이 연설을 들을 때, 〈보기〉의 내용이 이 연설의 설득력에 미치는 영향을 〈조건〉에 맞게 서술하시오.

> 보기
> **스티븐 호킹**(1942~2018): 영국의 이론 물리학자. 운동신경세포가 선택적으로 파괴되는 루게릭병을 앓고 있음에도 불구하고 우주의 형성과 블랙홀 연구 등에 뛰어난 업적을 남겼다.

> 조건
> '화자가 청자에게 공적으로 신뢰를 받을 만한 능력'을 뜻하는 단어를 포함하여 쓸 것

19 토론의 반대 신문에 대한 설명으로 적절하지 <u>않은</u> 것은?

① 교차 신문, 교차 조사라고도 한다.
② 찬반 양측의 질문과 응답으로 전개된다.
③ 새로운 논증이 제시되고 근거가 추가된다.
④ 입론, 혹은 입론 및 반론 단계에서 이루어진다.
⑤ 상대측 주장의 논리적 허점을 질문으로 드러내는 과정이다.

20 반대 신문 단계의 질문으로 적절하지 <u>않은</u> 것은?

① 자료의 출처를 명확히 밝혀 주실 수 있습니까?
② 제시하신 개념의 뜻을 ~로 이해해도 되겠습니까?
③ 정책이 곧 시행될 것이라고 하셨는데요, 맞습니까?
④ 제안은 잘 들었습니다만, 왜 이러한 방법을 시도하시는 겁니까?
⑤ ~와 같은 근거에도 불구하고, 그 제안이 설득력이 있다고 생각하십니까?

7일 중간고사 기본 테스트 2회

1 의사소통 문화에 대한 설명으로 적절하지 않은 것은?

① 민족, 국가, 세대 등에 따라 다르게 형성된다.
② 사회 구성원들이 특정 주제에 대해 가지는 공통적인 의견을 의미한다.
③ 우리나라에서 찾을 수 있는 의사소통 문화의 예로는 겸양의 표현이 있다.
④ 한번 형성된 의사소통 문화는 일회적인 현상을 보였다가 사라지는 것이 아니라 지속성을 가진다.
⑤ 특정 집단 혹은 사회에서 의사소통을 할 때 일반적으로 사용하는 공통적인 의사소통 양식을 의미한다.

[2~3] 다음 대화를 보고 물음에 답하시오.

2 〈보기〉를 참고하여, ㉠에서 드러나는 은제의 의사소통 방식의 문제점과 그 영향을 서술하시오.

> 보기
> 의사소통을 할 때에는 다른 사람의 견해를 충분히 이해하고 수용하려는 자세를 가져야 갈등을 합리적으로 해결하여 공동체의 발전에 기여할 수 있다.

3 이 대화의 은제와 승규에 대한 설명으로 적절한 것은?

① 은제는 부정적인 자아 개념을 가지고 승규에게 자신의 의견을 표현했다.
② 은제는 승규와의 대화를 통해 자아 개념을 긍정적인 방향으로 조정하고 있다.
③ 승규는 긍정적인 자아 개념을 갖고 있다.
④ 승규의 말은 은제가 부정적인 자아 개념을 형성하게 하고 있다.
⑤ 승규는 은제와의 대화 후 부정적인 자아 개념을 스스로 심화시키고 있다.

[4~5] 다음 강연을 보고 물음에 답하시오.

1학년 학생 여러분 반갑습니다. 저는 교내 안전 동아리인 '안전 지킴이'에 소속된 2학년 조성진입니다. 동아리에서 기획한 안전 캠페인 활동의 하나로 오늘은 여러분들과 같은 고등학생에게 자주 발생하는 교통사고의 유형과 그 ㉠예방법을 안내해 드리기 위해 이 자리에 섰습니다.

첫째, 보행 중에 발생하는 사고와 예방법을 안내하겠습니다. 이와 관련해서 최근 가장 문제가 되는 것은 스마트폰을 보면서 보행하는 행동입니다. 특히 최근 스마트폰 게임이 유행하면서 이러한 행동을 하는 학생들이 많은데, 이렇게 주변을 살피지 않고 걸으면 갑자기 어떤 상황이 벌어졌을 때 반응 속도가 늦어져서 위험합니다. 따라서 이러한 사고를 예방하기 위해서는 ⓐ보행 중에 스마트폰을 보지 않아야 합니다.

둘째, 무면허로 오토바이나 자동차를 운전하여 발생하는 사고의 위험성과 그 예방법에 대해 안내하겠습니다. 최근 무면허로 오토바이 및 자동차를 운전하여 발생하는 사고가 꾸준히 증가하고 있습니다. 무면허 운전으로 발생하는 사고의 경우 자신의 생명은 물론 타인의 생명까지도 위협할 수 있습니다. 따라서 이러한 사고를 예방하려면 무엇보다도 ⓑ무면허로 오토바이나 자동차 운전을 절대로 하지 않아야 합니다.

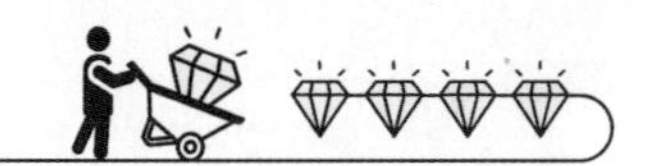

정답과 해설 17쪽

4 〈보기〉는 이 강연의 강연자가 세운 강연 계획이다. 강연에 반영된 것을 있는 대로 고른 것은?

> 보기
> ㄱ. 구체적 수치와 객관적인 통계 자료를 활용하여 주장을 뒷받침한다.
> ㄴ. 담화의 목적이 청중과의 관계를 발전시키기 위한 것임을 고려하여 사적인 이야기를 한다.
> ㄷ. 강연이라는 담화 관습을 고려하여, 청중이 1학년 후배들이라고 하더라도 정중하게 존댓말을 사용한다.

① ㄱ ② ㄷ
③ ㄱ, ㄴ ④ ㄴ, ㄷ
⑤ ㄱ, ㄴ, ㄷ

5 강연자가 ㉠의 사례로 ⓐ, ⓑ를 제시한 이유를 청중과 관련지어 서술하시오.

[6~7] 다음을 보고 물음에 답하시오.

가 **정현** 성연아, 이번 토요일에 동아리에서 하는 발표회에 참석해 줄 거지?
성연 ㉠아니, 나 바빠.

나 **진영** 현수야, 혹시 오늘 방과 후에 환경 미화 도와줄 수 있니?
현수 아니, 도와줄 수 없어. 왜냐하면 첫째, 내일은 국사 수행 평가가 있기 때문에 저녁에 공부할 시간이 필요해. 둘째, 지난주에 농구를 하다가 손목을 다쳐서 힘든 일은 할 수가 없어. 마지막으로 난 손재주가 없어서 환경 미화하는 데 도움이 안 돼. 그러니 네 부탁은 들어줄 수 없어.
진영 그, 그래……. 알았어. 넌 참 논리적이구나.

다

6 (가)~(다)에 대한 설명으로 적절하지 않은 것은?
① (가)에서 성연은 거절하는 이유를 충분히 설명하지 않았다.
② (나)에서 현수는 거절하는 이유를 상세하게 설명하였다.
③ (나)에서 현수는 상대방의 기분을 배려하지 않고 말했다.
④ (다)에서 채윤은 요청하는 상황에서 도리어 상대를 위협하듯 말했다.
⑤ (다)에서 채윤은 상대를 배려하지 않고 요청 사항과 요청하는 이유만을 말했다.

7 ㉠을 거절하는 상황에 맞게 고친 말로 가장 적절한 것은?
① 미안한데 안 돼.
② 그날은 바빠서 안 돼. 네가 이해해.
③ 그날 난 할 일이 많아. 넌 네 생각밖에 못하지?
④ 미안해. 그날은 해야 할 숙제가 너무 많아서 참석하기 어려워. 다음에는 꼭 참석할게.
⑤ 아니, 나도 가고 싶은데 그날은 해야 할 숙제가 너무 많아. 더 이상 나에게 부탁하지 마.

[8~9] 다음 발표를 보고 물음에 답하시오.

㉠오늘 제가 소개할 보물은 충무공 이순신 장군의 《난중일기》입니다. 〈중략〉 《난중일기》, ㉡처음부터 끝까지 제대로 읽어 보신 분, 혹시 계시면 손들어 보시겠어요? 보시다시피 거의 없습니다. 《난중일기》라고 하면 왠지 내용을 다 아는 것 같아서 제대로 읽어 볼 생각이 들지 않습니다. 〈중략〉

㉢자, 이순신은 왜 일기를 두 번 썼을까요? 이 기간에는 13척의 배로 133척의 왜선을 무찌른 그 유명한 명량 대첩이 있습니다. 아주 긴박했던 순간입니다. 고비를 극적으로 이겨 낸 이순신 장군은 그 전투의 순간순간을 돌이켜 본 거죠. 〈중략〉

㉣이제 마지막으로, 이 글자를 보시겠습니다. 숱한 전쟁을 치른 이순신. 전투를 앞둘 때마다 그의 속마음이 어땠는지 잘 표현해 주는 글자입니다. 바로 '웅크릴 축(縮)' 자입니다. 생사를 넘나드는 전쟁터. 장군이라고 해도 어찌 두렵지 않았겠습니까. 그 두려움에 이렇게 웅크릴 수밖에 없었던 겁니다. 하지만 그 두려움을 용기로 바꾸기 위해서 끊임없이 자신을 채찍질했던 것입니다.

ⓐ

㉤어떻습니까? 여러분, 아직도 이순신이 백전무패의 영웅으로만 보이십니까? 아니면 우리와 다르지 않은 한 인간으로 보이십니까? 영웅 이순신이 아닌 인간 이순신이 남긴 7년간의 기록, 《난중일기》입니다.

8 ㉠~㉤에 대한 설명으로 적절하지 않은 것은?

① ㉠: 자신이 소개할 대상을 분명하게 밝히고 있다.
② ㉡: 청중의 참여를 유도하고 있다.
③ ㉢: 질문을 통해 이순신에 대한 청중의 세부 관심사를 파악하고 있다.
④ ㉣: '마지막'이라는 어휘를 통해 결론 단계라는 정보를 청중에게 알려주고 있다.
⑤ ㉤: 청중에게 질문을 하여 생각할 거리를 주고, 화자가 하고 싶은 말을 강조하고 있다.

9 ⓐ에서 발표자가 사용한 비언어적 표현과 그 효과를 서술하시오.

[10~11] 다음 대화를 보고 물음에 답하시오.

가 아침, 교실에서

현성 안녕? 오늘 전학 온 김현성이라고 해.
윤지 응, 반갑다. 내 이름은 이윤지야. 잘 지내 보자. 궁금한 점이 있으면 알려 줄게.
현성 아, 혹시 체육복은 어디에서 사야 하니? 내일 체육이 들었던데, 아직 사지 못해서…….
윤지 학교 앞 보람 문구점에서 살 수 있어.
현성 응, 고마워.

나 방과 후, 집에 가는 길에서

서현 윤지야, 오늘 무슨 일 있었어? 종일 표정이 좋지 않던데.
윤지 음, 그냥…….
서현 ㉠그러고 보니 목소리에도 힘이 하나도 없네.
윤지 실은, 어제 정말 속상한 일이 있었어.
서현 ㉡그래? 어떤 일이 있었는데?
윤지 요즘 동생이 집에 들어오는 시간이 점점 늦어지고 있어. 그래서 어제 동생에게 귀가 시간이 늦어지면 미리 연락을 하면 어떻겠냐고 조심스럽게 말을 꺼내 보았는데, 오히려 화를 내는 거야.
서현 ㉢동생이 속상하지 않도록 너도 배려해서 말했을 텐데, 무척 속상했겠구나.
윤지 ㉣(고개를 끄덕이며) 맞아. 내 마음을 알아주는 사람은 역시 너뿐이야. 덕분에 기분이 조금 나아지는 것 같아. 고마워.

10 (가)에서 윤지가 다음과 같이 말을 덧붙여 현성이 당황했다고 할 때, 그 이유로 적절한 것은?

> "그런데 현성아, 나 오늘 기분이 좀 안 좋아. 요즘 동생 귀가 시간이 점점 늦어지길래 어제 조심스럽게 한마디 했는데, 오히려 나한테 화를 내더라고."

① 덧붙인 말이 사실 수준의 자기표현이기 때문에
② 윤지가 현성의 말을 귀담아 듣지 않았기 때문에
③ 윤지가 현성이 처한 상황에 잘 공감하지 못했기 때문에
④ 덧붙인 말에서 윤지의 부정적인 자아 개념이 드러났기 때문에
⑤ 윤지가 자기표현의 정도를 적절하게 조절하지 못했기 때문에

11 ㉠~㉣에 대한 설명으로 적절하지 않은 것은?

① ㉠: 서현이 윤지의 말에 집중하고 있음을 드러낸다.
② ㉡: 서현은 윤지가 하고 싶은 말을 더 많이 할 수 있도록 돕고 있다.
③ ㉢: 서현은 윤지의 말에 적극적으로 반응하고 있다.
④ ㉢: 서현은 '격려하기'의 방법을 활용하여 공감적 듣기를 하고 있다.
⑤ ㉣: 윤지는 서현의 말에 동감하고 있음을 언어적, 비언어적으로 나타내고 있다.

12 '나-전달법'에 대한 설명으로 적절한 것은?

① 사건, 감정, 용서로 메시지를 구성하여 전달한다.
② 자신이 느끼는 감정과 바람에 집중하여 표현한다.
③ 상대의 감정에 공감하고 있음을 드러내어 갈등을 해결한다.
④ 문제 상황에서 다른 사람을 비난하지 않고 긍정적으로 평가한다.
⑤ 갈등을 증폭시키지 않지만 문제 해결에는 효과적이지 않은 방법이다.

13 〈보기〉의 은하에게 조언해 주기에 적절한 면접의 답변 전략을 한 문장으로 쓰시오.

보기

면접관 우리 동아리에서는 해마다 부원들이 제작한 영화로 영화제를 열고 있는데, 이에 대해 어떻게 생각하십니까?

은하 좋은 활동이라고 생각합니다.

건후 학생들이 직접 제작한 영화로 영화제를 여는 것은 좋은 방법입니다. 서로의 작품에 대해 의견을 나눌 수 있고, 한 해의 활동을 되돌아볼 수 있기 때문입니다.

14 면접에서 다음과 같은 질문을 받았을 때 답변 전략으로 적절한 것은?

> "우리 회사에서 올해 출시한 상품은 무엇입니까?"

① 의견을 먼저 밝힌 후, 그에 대한 근거를 말한다.
② 자신의 업무 능력과 역량을 포함하여 답변한다.
③ 구체적이고 객관적인 정보를 활용하여 답변한다.
④ 합리적이고 창의적인 문제 해결 방법을 제시한다.
⑤ 구체적인 경험을 중심으로 자신의 인성을 드러낸다.

15 연설의 설득 전략에 대한 설명으로 적절하지 않은 것은?

① 인성적 설득 전략은 화자의 공신력과 관련이 있다.
② 화자가 청자에게 친근감을 주는 정도를 높이는 것은 인성적 설득 전략에 해당한다.
③ 이성적 설득 전략을 사용하기 위해서는 화자의 주장을 뒷받침할 수 있는 근거를 마련해야 한다.
④ 이성적 설득 전략과 감성적 설득 전략은 서로 상반되는 전략이므로 함께 사용하지 말아야 한다.
⑤ 감성적 설득 전략을 사용할 때 화자는 청자의 감성에 호소하여 청중이 자신의 주장을 수용하게 한다.

[16~17] 다음 발표를 보고 물음에 답하시오.

㉠어머니의 초등학교 시절, 교실 뒤편 게시판에 붙어 있던 꿈은 바로 항공 승무원이 되는 것이었습니다. 〈중략〉 어머니께서는 한참 동안 즐겁게 이야기를 하시다가 옅은 미소를 지으며 이렇게 이야기를 끝마치셨습니다.

"그것도 다 어렸을 때 얘기지. 내가 진짜 항공 승무원이 된 것도 아니고. 이건 꿈이라고 하기도 좀 그렇다, 얘."

저의 어머니는 현재 항공 승무원이 아니십니다. 어머니의 어린 시절 꿈은 이루어지지 못한 거죠. 그런데 이렇게 어린 시절의 꿈을 이루지 못한 것은 비단 제 어머니만의 일은 아니었습니다. (화면에 통계 자료가 제시된 후) ㉡2013년 발표된 통계인데요, 만 35세부터 50세까지의 직장인 400명에게 다음과 같이 질문했습니다.

"당신의 꿈을 포기해 본 적이 있나요?"

이 질문에 대해 응답자의 74%는 '그렇다'라고 대답했습니다. 경제적 이유, 예상되는 낮은 성공률, 가족의 만류 등 다양한 이유로 그들은 자신의 꿈을 포기할 수밖에 없었다고 이야기했습니다. 〈중략〉

2주 전 대학 수학 능력 시험이 있었습니다. 시험이 끝난 직후를 촬영한 뉴스 영상에서 집으로 돌아가는 수많은 고등학생 사이로 언뜻 백발의 노인분들을 발견할 수 있었습니다. 수십 년 만에 다시 공부를 시작하신 만학도 할머니, 할아버지들이셨는데요, 그분들이 하셨던 인터뷰 중에서 매우 인상 깊은 말씀이 있습니다.

㉢"저 같은 사람이 합격하면 젊은 사람들이 또 뭐 하겠어요. 젊은 사람들이 다 합격하고 나는 안 되어도 좋지만, 해 보는 것까지만이라도 참 영광으로 생각합니다."

대학이라는 꿈이 있는 할머니께서는 꿈을 가지고 그 꿈을 향해 나아가는 과정만으로도 행복하다고 말씀하십니다. ㉣꿈은 이루든 이루지 못했든 도전 그 자체만으로도 충분히 가치가 있으며, 우리를 새로운 방향으로 나아가게 한다는 것, 무의미한 꿈 같은 것은 없다는 것. 지금 이 시간 꿈을 지니고 있는 우리가 기억해야 하는 것이 아닐까요? 자신 또는 주변 사람이 불가능해 보이는 꿈을 꾼다고 해서 걱정하지 마세요. ㉤그 꿈은 결국 우리 삶의 소중한 조각으로 남으니까요. 감사합니다.

16 이 발표를 들은 학생들의 반응 중 적절하지 않은 것은?

번호	학생	반응
①	가은	통계 자료의 구체적 수치를 제시해 내용의 객관성이 높아진 듯 해.
②	나영	만학도 할머니의 인터뷰 자료는 꿈에 대한 우리의 일반적인 인식을 새롭게 만들어 주었어.
③	다인	어머니의 일화를 듣고 우리 부모님 생각이 나서, 발표자에게 친근감이 들고 내용에 흥미를 느끼게 되었어.
④	라희	꿈은 도전 그 자체로도 충분한 가치가 있다는 주제로 청소년들에게 희망을 심어 주는 내용이 인상적이야.
⑤	마현	우리가 관심 있어 하는 대학 수학 능력 시험에 관한 전문가의 인터뷰 내용이 진로를 설정하는 데 도움이 되었어.

17 ㉠~㉤에서 사용할 수 있는 준언어적·비언어적 표현 전략으로 적절하지 않은 것은?

① ㉠: 어머니의 꿈이 이루어지지 않은 상황임을 고려하여 낮은 음조로 우울함을 표현한다.
② ㉡: 청중의 시선을 화면으로 집중시키기 위해 손짓으로 화면을 가리킨다.
③ ㉢: 청중의 흥미를 유발하고 근거의 신뢰성을 높이기 위해 실제 인터뷰 영상을 보여 준다.
④ ㉣: 발표에서 가장 강조하고자 하는 부분이므로 문장에 힘을 실어 말한다.
⑤ ㉤: 발표를 마무리하는 부분이므로 청중에게 시선을 맞추고 천천히 말한다.

18 협상에 대한 설명으로 적절하지 않은 것은?

① 협상에서 합의가 필요한 사안을 '의제'라고 한다.
② 협상의 시작 단계에서는 문제 해결의 가능성을 확인한다.
③ 협상에서 최선책이라고 생각하는 것이 거부되었을 때에는 협상을 종료하는 것이 바람직하다.
④ 협상에서는 제안된 것을 기준으로 상대방이 조정안을 내놓으므로 먼저 제안하는 것이 유리하다.
⑤ 협상은 합의했다고 끝나는 것이 아니므로, 합의 내용이 이행되어 문제가 해결되는지 잘 살펴야 한다.

[19~20] 다음은 '드론 규제를 완화해야 한다.'라는 논제에 대한 반대 측의 입론이다. 보고 물음에 답하시오.

반대 1 저희는 드론에 대한 규제 완화에 반대합니다.

우선 우리나라의 드론 규제가 다른 나라들에 비해 유달리 까다로운 것이 아닙니다. 기체 신고 기준이나 조종 자격 기준, 비행 고도 제한 등에서 미국, 일본과 큰 차이가 없습니다. 따라서 우리나라 드론 산업 발전이 부진한 원인을 전적으로 규제로 돌리는 건 적절하지 않습니다.

또한 우리나라의 드론 산업이 성장에 어려움을 겪는 것은 드론 사업을 시작하려는 사업체들과 연구 인력이 적기 때문이지, 규제 때문이 아닙니다. 드론 제작에 필요한 기술이나 부품들은 그 수준이 꽤 높기 때문에 신생 기업들이 선불리 시작하기가 힘듭니다. 우리나라는 특히 군에서 세계적으로 높은 드론 기술력을 갖고 있지만, 보안상의 이유로 민간에서는 사용하지 못하는 실정입니다.

마지막으로 서울은 고층 빌딩과 주요 행정 기관들이 많아 드론 운용에 규제가 분명 필요합니다. 선불리 규제를 풀었다가는 또 다른 문제들이 발생하게 됩니다. 최근 사진 촬영에 이용되는 개인용 드론을 찾는 사람이 많습니다. 이런 상태에서 규제를 풀 경우 드론은 반드시 범죄에 이용됩니다. 따라서 드론에 대한 규제는 현행처럼 유지되어야 합니다.

19 다음은 토론의 필수 쟁점(ⓐ~ⓒ)이 이 입론에 어떻게 제시되어 있는지 정리한 것이다. ㉠~㉤ 중 적절하지 않은 것의 기호를 쓰시오.

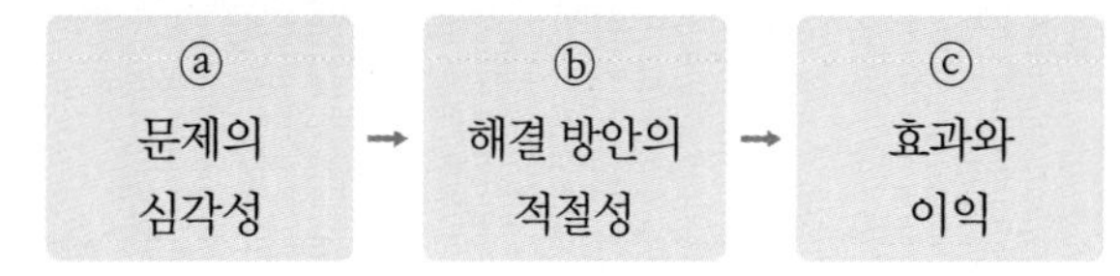

ⓐ	㉠ 우리나라의 드론 규제는 다른 나라에 비해 지나치지 않으므로 문제가 심각하지 않다.
ⓑ	㉡ 우리나라의 드론 산업은 어려움을 겪고 있지 않다. ㉢ 따라서 드론 규제 완화는 문제 해결 방안으로 적절하지 않다.
ⓒ	㉣ 드론에 대한 규제를 완화할 경우 서울이라는 대도시의 특성상 문제가 발생할 것이다. ㉤ 따라서 이러한 부작용이 나타나는 것을 막기 위해 드론 규제를 완화해서는 안 된다.

20 이 입론 중 타당성 측면에서 문제가 될 만한 내용을 서술하시오.

7일

Memo

핵심정리 01 화법과 작문의 특성

[관련 단원] 1단원 (1) 화법과 작문의 특성

사회적 의사소통 행위로서의 화법과 작문

화법
- 말로 생각과 느낌을 나눔.
- 주로 같은 ❶ ㅅㄱㄱ 에 있는 사람들과 의사소통을 함.

작문
- 글로 생각과 느낌을 나눔.
- 시공간을 뛰어넘어 다른 사람들과 의사소통을 함.

↓

- 지식과 정보를 나누고 생각을 공유할 수 있음.
- 소속감, 친밀감을 느끼며 공동체 의식을 함양할 수 있음.
- 새로운 ❷ ㅇㅇㅁㅎ 를 형성하고 계승할 수 있음.

답 ❶ 시공간 ❷ 언어문화

핵심정리 02 화법과 작문의 기능

[관련 단원] 1단원 (2) 화법과 작문의 기능

자아 개념의 의미와 형성

❶ ㅈㅇ ㄱㄴ	자기 자신에 대한 스스로의 이해, 자기 자신에 대한 신념과 태도
타인에게 긍정적인 표현을 많이 들을 경우 →	긍정적 자아 개념이 형성됨.
타인에게 부정적인 표현을 많이 들을 경우 →	부정적 자아 개념이 형성됨.

자아 성장과 의사소통

화법과 작문 활동을 통해 자아 개념을 ❷ ㅇㅅ 하고, 이를 긍정적인 방향으로 조정할 수 있음.

답 ❶ 자아 개념 ❷ 인식

핵심정리 03 화법과 작문의 맥락

[관련 단원] 1단원 (3) 화법과 작문의 맥락

맥락의 개념과 중요성

맥락의 개념	사물이나 사건 등의 요소가 서로 이어져 있는 ❶ ㄱㄱ
맥락의 중요성	맥락은 말과 글의 ❷ ㅇㅁ 를 이해하는 데 큰 영향을 미침. ⇨ 원활하고 의미 있는 의사소통을 위해서는 맥락을 잘 고려해야 함.

답 ❶ 관계 ❷ 의미

핵심정리 04 상황에 맞는 말하기

[관련 단원] 2단원 1-(1) 상황에 맞는 말하기

상황에 맞는 말하기 방법

 부탁할 때	부담을 주는 상황에 대한 미안함을 드러내고, 완곡하고 정중하게 말함.
 요청할 때	요청을 하게 된 ❶ ㅇㅇ 를 충분히 밝히고, 정중하게 말함.
 거절할 때	요구를 들어주지 못하는 미안함을 드러내고, 거절의 이유를 충분히 밝히며 정중하게 거절함.
 사과할 때	잘못을 인정하며 정중하고 공손하게 미안한 마음을 드러냄.
 감사할 때	상대방의 행동이 구체적으로 어떻게 도움이 되었는지 밝히며 ❷ ㅈㅅ 을 담아 표현함.

답 ❶ 이유 ❷ 진심

자르는 선

01 [관련 단원] 1단원 (1) 화법과 작문의 특성

사회적 의사소통 행위로서의 화법과 작문의 영향

① 의사소통 문화 형성

- 의사소통 문화: 특정한 집단 혹은 사회에서 의사소통을 할 때 일반적으로 사용하는 공통적인 의사소통 양식이나 규범
- 의사소통 문화는 민족, 국가, 세대, 성별 등에 따라 다르게 형성됨.
- 한번 형성된 의사소통 문화는 ❶ㅇㅎㅈ 인 현상을 보였다가 사라지는 것이 아니라 지속성을 갖게 되며 사람들의 언어생활에 영향을 미침.

② 사회적 담론 형성

- 사회적 담론: 특정한 사회의 구성원들이 어떠한 주제나 화제 등에 대해서 가지는 공통적인 의견
- 화법과 작문은 사회적 담론을 형성하는 데 기여함.
  → 화법과 작문이 ❷ㄱㅇㅈ 차원에서 벗어나 사회적 차원에서 이루어짐.

답 ❶ 일회적 ❷ 개인적

02 [관련 단원] 1단원 (2) 화법과 작문의 기능

공동체 발전과 의사소통

공동체 안에서 갈등이 발생함.

❷ㅇㅅㅅㅌ 을 통해 공동체의 문제를 해결함.

공동체의 발전

공동체 발전을 위한 의사소통의 전제

서로에 대한 ❶ㅇㅎ 가 전제되어야 타인을 이해하고, 서로의 생각을 공유할 수 있음.

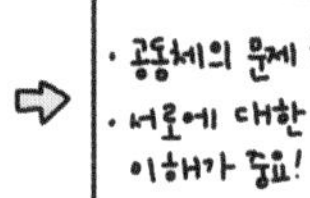

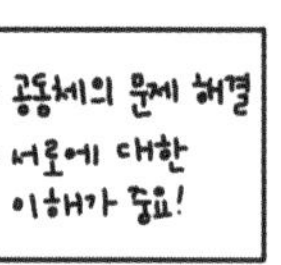

답 ❶ 전제 ❷ 의사소통

03 [관련 단원] 1단원 (3) 화법과 작문의 맥락

화법의 맥락과 작문의 맥락

 화법의 맥락	담화 목적	담화의 목적에 따라 말하기 방식을 달리 해야 함.
	담화 참여자	담화에 참여하는 사람에 따라서 적절한 말하기 방식을 결정해야 함.
	❶ㄷㅎ ㄱㅅ	담화의 유형에 따라서 관습적으로 형성된 표현 방식을 고려해야 함.

 작문의 맥락	독자	독자가 이해하고 수용할 만한 표현 방식으로 글을 써야 함.
	공동체의 가치와 신념	필자와 독자가 속해 있는 공동체의 가치와 신념을 반영해야 함.
	작문 관습	글이 지니고 있는 고유한 표현 방식과 ❷ㅎㅅ 을 고려해야 함.

답 ❶ 담화 관습 ❷ 형식

04 [관련 단원] 2단원 1-(1) 상황에 맞는 말하기

상황에 맞게 말할 때 유의할 점

 부탁할 때	강요하거나 명령하듯 말하는 것 → 부탁이 잘 받아들여지지 않을 수 있음.
 요청할 때	❶ㅇㅎ 하듯 말하는 것 → 청자 입장에서 저항감이 생길 수 있음.
 거절할 때	거절을 나쁘게 생각하여 제때 거절하지 못하는 것 → 자신이 오히려 곤란해질 수 있음.
 사과할 때	잘못을 ❷ㅈㄷㅎ 하고 변명하는 것 → 상대방을 더욱 화나게 할 수 있음.
 감사할 때	고마움을 말로 표현하지 않는 것 → 호의를 베푼 사람이 섭섭해질 수 있음.

답 ❶ 위협 ❷ 정당화

자르는 선

핵심정리 05 상황에 맞는 표현 전략

[관련 단원] 2단원 1-(2) 상황에 맞는 표현 전략

○ 언어적 표현 전략

	예시
상황에 맞는 적절한 어휘 선정하기	공식적 말하기 상황에서는 격식 있는 어휘를 ❶ㅇㅂ에 맞게 표현함.
상황을 고려하여 내용을 적절하게 조직하기	발표나 연설은 '도입부-전개부-결론부'로 내용을 조직하여 표현함.

○ 비언어적 표현

종류	시선, 얼굴 표정, 동작, 자세, 신체 접촉 등
특징	• 언어적 표현의 의미를 ❷ㅂㅇ하고 강화함. • 말을 직접 하지 않더라도 비언어적 표현만으로 의미를 전달할 수 있음.

답 ❶ 어법 ❷ 보완

핵심정리 06 대화 ①

[관련 단원] 2단원 2-(1) 대화

○ 자아 개념과 대화 성향

자아 개념이 높은 사람

긍정적, 적극적, 수용적, 우호적, ❶ㄱㅂㅈ 의사소통 성향

자아 개념이 낮은 사람

부정적, 회피적, 방어적, 공격적, 폐쇄적 의사소통 성향

○ 적절한 자아 개념 형성하기

부정적 자아 개념을 가지고 있을 경우 스스로 자신에 대한 인식을 긍정적인 방향으로 바꾸고, 상대와 대화를 나누며 ❷ㅊㅁ한 인간관계를 맺을 수 있어야 함.

답 ❶ 개방적 ❷ 친밀

핵심정리 07 대화 ②

[관련 단원] 2단원 2-(1) 대화

○ 공감적 듣기

상대방의 말을 들을 때 화자의 입장에 공감하면서 적절히 반응하며 듣는 것. 원만한 인간관계를 형성하는 데에 도움을 줌.

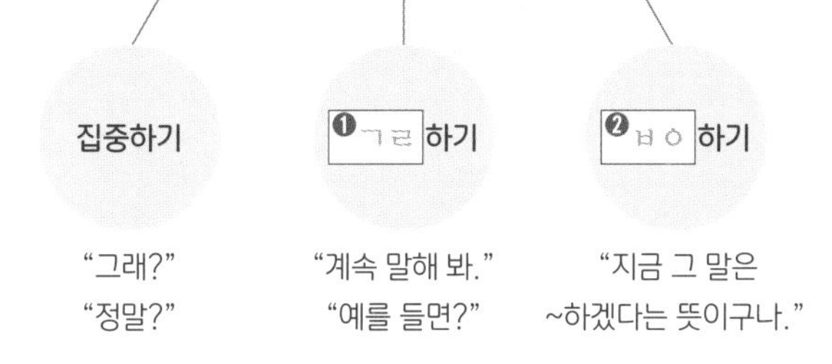

집중하기	❶ㄱㄹ하기	❷ㅂㅇ하기
"그래?" "정말?"	"계속 말해 봐." "예를 들면?"	"지금 그 말은 ~하겠다는 뜻이구나."

답 ❶ 격려 ❷ 반영

핵심정리 08 면접 ①

[관련 단원] 2단원 2-(2) 면접

○ 면접의 효과적인 답변 방법

① 답변을 위한 준비
- 지원한 단체나 기관이 추구하는 목표, 이념, 인재상, 최근 동향 등을 미리 살펴봄.
- 자신이 해당 단체나 기관에 필요한 인재라는 것을 어떻게 부각할 것인지 미리 생각해 둠.

② 질문 ❶ㅇㄷ 파악하기
- 면접관의 질문은 면접 대상자의 능력, 인성, 잠재력을 파악하기 위한 것임.
- 면접관의 질문을 끝까지 ❷ㄱㅊ한 뒤, 질문의 내용과 의도를 충분히 파악하여 답변함.

답 ❶ 의도 ❷ 경청

자르는 선

06 [관련 단원] 2단원 2-(1) 대화

상대방과의 관계에 따라 자기를 표현하기

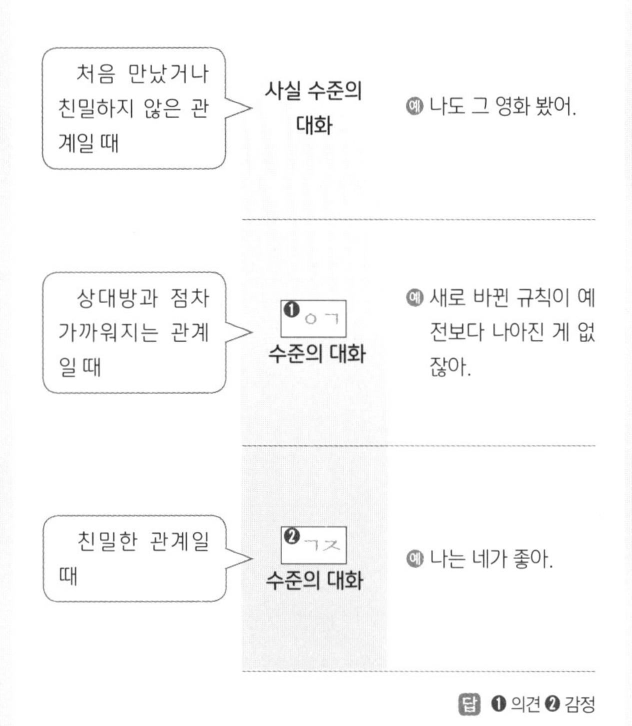

관계	대화 수준	예
처음 만났거나 친밀하지 않은 관계일 때	사실 수준의 대화	예 나도 그 영화 봤어.
상대방과 점차 가까워지는 관계일 때	❶ㅇㄱ 수준의 대화	예 새로 바뀐 규칙이 예전보다 나아진 게 없잖아.
친밀한 관계일 때	❷ㄱㅈ 수준의 대화	예 나는 네가 좋아.

답 ❶ 의견 ❷ 감정

05 [관련 단원] 2단원 1-(2) 상황에 맞는 표현 전략

준언어적 표현

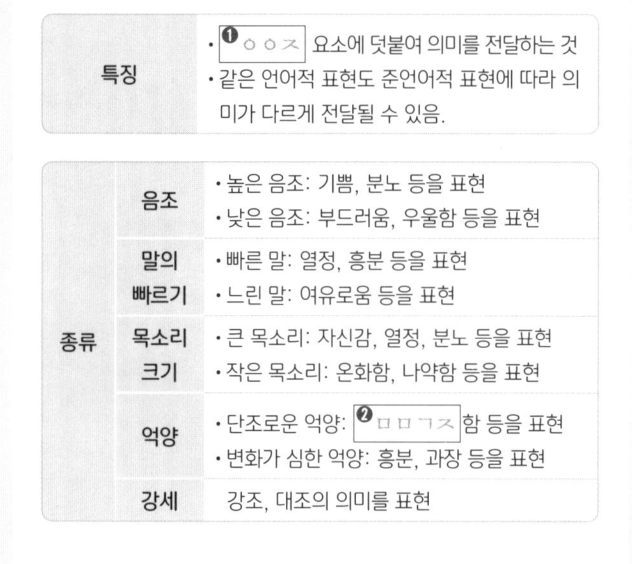

특징	• ❶ㅇㅇㅈ 요소에 덧붙여 의미를 전달하는 것 • 같은 언어적 표현도 준언어적 표현에 따라 의미가 다르게 전달될 수 있음.

종류	음조	• 높은 음조: 기쁨, 분노 등을 표현 • 낮은 음조: 부드러움, 우울함 등을 표현
	말의 빠르기	• 빠른 말: 열정, 흥분 등을 표현 • 느린 말: 여유로움 등을 표현
	목소리 크기	• 큰 목소리: 자신감, 열정, 분노 등을 표현 • 작은 목소리: 온화함, 나약함 등을 표현
	억양	• 단조로운 억양: ❷ㅁㅁㄱㅈ함 등을 표현 • 변화가 심한 억양: 흥분, 과장 등을 표현
	강세	강조, 대조의 의미를 표현

답 ❶ 언어적 ❷ 무미건조

08 [관련 단원] 2단원 2-(2) 면접

내용 측면의 답변 전략

사실을 묻는 질문	구체적이고 ❶ㄱㄱㅈ인 정보를 활용하여 답변함.
의견을 묻는 질문	먼저 자신의 의견을 밝힌 후 그에 대한 이유나 근거를 말함.

약점을 묻거나 지적하는 질문	약점을 솔직하게 말하고, 그것을 극복하기 위한 노력을 구체적인 ❷ㄱㅎ 중심으로 답변함.
역량이나 전문성을 묻는 질문	구체적인 경험 중심으로 역량이나 전문성을 갖추고 있음을 드러냄.
문제 상황을 제시하고 해결책을 묻는 질문	합리적이고 창의적인 해결 방법을 제시함. 이때 협동심, 솔선수범 등의 인성을 지니고 있음을 함께 나타내는 것이 좋음.

답 ❶ 객관적 ❷ 경험

07 [관련 단원] 2단원 2-(1) 대화

나-전달법

문제 상황에서 다른 사람을 ❶ㅍㄱ하고 해석하는 대신 자신이 느끼는 감정과 바람에 집중하여 표현하는 의사소통 방법

'사건-감정-기대'의 순서로 메시지를 구성하여 전달함.

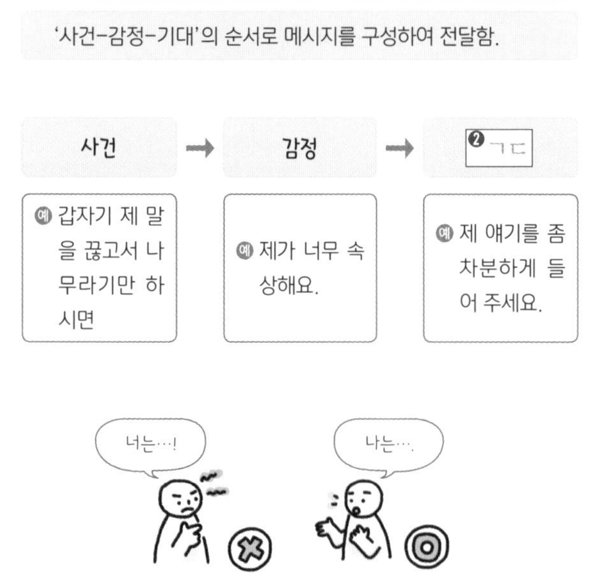

사건 →	감정 →	❷ㄱㄷ
예 갑자기 제 말을 끊고서 나무라기만 하시면	예 제가 너무 속상해요.	예 제 얘기를 좀 차분하게 들어 주세요.

답 ❶ 평가 ❷ 기대

자르는 선

핵심 정리 09 면접 ②

[관련 단원] 2단원 2-(2) 면접

형식 측면의 답변 전략

결론부터 말하기	• 제한된 시간 안에 답변해야 하기 때문임. • 결론을 분명히 밝힌 후 논리적인 ❶ㄱㄱ 를 제시함.
사례를 제시하며 말하기	• 자신의 생각을 더욱 ❷ㅅㄹㅅ 있게 전달할 수 있음. • 잘 아는 분야의 사례를 간단명료하게 제시함.

답 ❶ 근거 ❷ 신뢰성

핵심 정리 10 발표

[관련 단원] 2단원 3-(1) 발표

발표 내용 구성 시 고려해야 할 청자의 특성 (1)

① 청자의 흥미와 이해 정도

내용에 흥미가 없을 경우
청자의 ❶ㄱㅅ을 유발할 수 있는 표현, 행동으로 발표를 시작함.
내용이 지나치게 쉽거나 어려울 경우
청자의 이해 수준을 고려하여 발표 내용을 조정함.

② 청자의 주제에 대한 태도

주제에 대해 긍정적일 경우
긍정적 태도를 ❷ㅎㅅ하도록 표현한 후 구체적 내용을 전달함.
주제에 대해 부정적일 경우
주제에 대해 긍정적으로 생각하도록 한 후 구체적 내용을 전달함.

답 ❶ 관심 ❷ 확신

핵심 정리 11 연설 ①

[관련 단원] 2단원 3-(2) 연설

화자의 공신력

화자가 청자에게 공적으로 신뢰를 받을 만한 능력을 의미함.

전문성	화자가 화제에 대한 지식이나 경험을 갖춘 정도
신뢰성	화자의 성품이 믿음직한지, 주변의 ❶ㅍㅍ은 어떠한지에 대한 것
침착성	화자가 위기나 돌발 상황에서 당황하지 않고 침착하게 대처하는 태도
외향성	화자가 역동적인 어조, 몸짓으로 신념과 열정을 표현하는 정도
사회성	화자가 ❷ㅊㄱㄱ을 주는 정도

답 ❶ 평판 ❷ 친근감

핵심 정리 12 연설 ②

[관련 단원] 2단원 3-(2) 연설

이성적, 감성적 설득 전략

	이성적 설득 전략	감성적 설득 전략
개념	타당한 근거를 들어 ❶ㄴㄹㅈ으로 주장하여 청중이 주장을 수용하게 하는 전략	청중의 ❷ㄱㅅ에 호소하여 청중이 주장을 수용하게 하는 전략
방법	청중의 요구와 수준을 고려해 근거를 마련하고, 내용을 논리적으로 조직하여 말함.	청중의 감정을 유발하기 위해 효과적인 언어적·준언어적·비언어적 표현을 사용함.

답 ❶ 논리적 ❷ 감성

자르는 선

10 [관련 단원] 2단원 3-(1) 발표

○ 발표 내용 구성 시 고려해야 할 청자의 특성 (2)

① 주제와 관련된 세부 관심사

청자가 특히 ❶ ㄱㅅ 을 갖는 세부 관심사를 파악하여 이를 발표 내용에 반영함.

② 청자의 정서적 상태

청자의 정서적 상태를 이해하고 ❷ ㄱㄱ 하고 있음을 말과 행동으로 표현함.

→ 청자가 화자의 발표를 관심 있게 들어 보겠다는 생각을 하게 됨.

답 ❶ 관심 ❷ 공감

09 [관련 단원] 2단원 2-(2) 면접

○ 표현 측면의 답변 전략

언어적 표현	어법에 맞게 말하고, 유행어나 비속어를 쓰지 않음.
❶ ㅈㅇㅇㅈ 표현	크고 또렷한 목소리와 자신 있는 말투로 말함.
비언어적 표현	밝은 표정으로 면접관의 눈을 바라보며, 진지하고 성실한 태도로 말함.

표현 전략을 적절히 사용하면 면접관에게 좋은 ❷ ㅇㅅ 을 줄 수 있음.

답 ❶ 준언어적 ❷ 인상

12 [관련 단원] 2단원 3-(2) 연설

○ 설득 전략을 사용할 때의 유의점

① 설득 전략을 상호 보완적으로 사용하기

청중을 효과적으로 설득하기 위해서는 ❶ ㅇㅅㅈ 설득 전략과 감성적 설득 전략을 상호 보완적으로 사용하는 것이 좋음.

② 윤리적 가치 고려하기

연설의 목적을 달성하기 위해 청자에게 특정 집단, 지역, 견해 등에 대해 ❷ ㅂㅈㅈ 인식을 심어 주거나 잘못된 판단을 유발하게 해서는 안 됨.

답 ❶ 이성적 ❷ 부정적

11 [관련 단원] 2단원 3-(2) 연설

○ 인성적 설득 전략

① 개념

화자의 ❶ ㄱㅅㄹ 을 높여 청중이 화자의 말을 수용하게 하는 전략

② 공신력을 높이는 방법

전문성	주제와 관련된 내용을 사전에 충분히 조사하고 이를 이해하고 있음을 드러냄.
신뢰성	말을 할 때 진심을 담아 표현함.
침착성	불안해하지 않고 의연한 태도로 말을 함.
외향성	자신 있는 태도로 신념과 열정을 드러냄.
사회성	청중과 공유할 수 있는 ❷ ㄱㅎ 이나 청중의 상황에 공감하고 있음을 언급함.

답 ❶ 공신력 ❷ 경험

자르는 선

부록 핵심 정리 총집합

핵심 정리 13 토론 ①

[관련 단원] 2단원 4-(1) 토론

토론 용어

입론	주어진 쟁점에 관한 자신의 견해를 확인하고 근거를 들어 주장을 펼치는 과정
반론	상대측 주장이 타당하지 않음을 증명하기 위해 ❶ㅂㅂ하는 과정
반대 신문	토론에서 상대측이 주장한 것에 논리적 문제가 있음을 ❷ㅈㅁ으로 드러내는 과정
논증	옳고 그름을 이유와 근거를 들어 밝히는 것
필수 쟁점	쟁점 가운데 반드시 다루어야 하는 것으로, '문제의 심각성', '방안의 적절성', '효과와 이익'이 있음.

답 ❶ 반박 ❷ 질문

핵심 정리 14 토론 ②

[관련 단원] 2단원 4-(1) 토론

반대 신문 단계의 답변 방법

- 앞서 주장한 내용과 다르지 않게 답변함.
- 장황하게 늘어놓지 말고 ❶ㄱㄷㅁㄹ하게 답변함.
- 부정확한 내용을 ❷ㅈㅎㅈ으로 답변하지 않음.
- 답변하기 어려운 문제는 '~은 더 생각해 봐야 할 문제이다.' 등으로 답변함.

답 ❶ 간단명료 ❷ 즉흥적

핵심 정리 15 협상 ①

[관련 단원] 2단원 4-(2) 협상

협상의 의제와 입장

협상	개인이나 집단 사이에 이익과 주장이 달라 갈등이 생길 때, 서로 ❶ㅌㅎ하고 조정하면서 문제 해결 방법을 찾아가는 의사소통 행위
의제	협상에서 ❷ㅎㅇ가 필요한 사안 예 납골당 건립
입장	의제에 대한 협상 참여자의 태도 예 ○○시 ○○동에 납골당을 건립하겠다.

답 ❶ 타협 ❷ 합의

핵심 정리 16 협상 ②

[관련 단원] 2단원 4-(2) 협상

조정 단계에서의 협상 전략

상대방이 정말 원하는 것 찾기

양측의 관점을 파악하여 상대방이 정말 원하는 것을 파악함.

상대방의 ❶ㅍㅈ을 파악하여 마음을 움직일 수 있게 표현하기

상대방이 중요하게 생각하는 것과 자신의 목표를 연결하여 표현함.

먼저 제안하기

먼저 제안된 내용을 기준으로 상대측에서 조정안을 내놓기 때문임.

여러 제안 맞교환하기

의제와 관련된 여러 사항을 생각해 두고 상황에 따라 맞교환함.

❷ㅊㅅㅊ 준비하기

최선책이 거부됐을 때 협상이 바로 결렬되지 않게 하기 위해서임.

답 ❶ 표준 ❷ 차선책

자르는 선 ✂

14 [관련 단원] 2단원 4-(1) 토론

○ 반대 신문 단계의 유의점

인신공격하지 않기

인신공격성 발언은 상대를 자극하고 불쾌하게 하여 논리적 토론을 방해함.

상대의 말 끊지 않기

상대가 말하는 도중에 끊는 것은 [❶ ㅁㄹ]한 행동임.

새로운 논증 또는 근거 추가하지 않기

반대 신문은 상대측 주장의 [❷ ㅁㅈㅈ]을 드러내어 자기 측의 주장의 설득력이 있음을 주장하는 과정이기 때문임.

답 ❶ 무례 ❷ 문제점

13 [관련 단원] 2단원 4-(1) 토론

○ 반대 신문 단계의 질문 방법

상대방이 말한 내용의 사실 여부를 확인하기

의문이 있는 부분에 대해 보충 설명을 요청함.

상대측 논증의 공정성, 신뢰성, 타당성을 비판하기

상대측 주장, 전제, 근거에 존재하는 오류와 모순을 지적함.

[❶ ㅍㅅㅎ]으로 질문하기

상대측이 '네', '아니요'로 대답하도록 유도함.

정답을 아는 질문을 하기

상대방보다 최신의, 결정적인 정보를 가진 상태에서 질문함.

한 번에 하나씩 질문하기

[❷ ㅂㅎㅈ] 질문은 상대가 유리한 것만 골라 답할 수 있음.

답 ❶ 폐쇄형 ❷ 복합적

16 [관련 단원] 2단원 4-(2) 협상

○ 해결 단계에서의 협상 전략

[❶ ㅊㅅ]의 방법과 우선순위 결정하기

양측 모두에게 이득이 될 수 있는 최선의 방법을 생각해 봄.

합의 사항 점검하기

합의 사항을 점검하고 구체적인 [❷ ㅇㅎ] 방안을 명확히 함.

답 ❶ 최선 ❷ 이행

15 [관련 단원] 2단원 4-(2) 협상

○ 협상의 절차

시작 단계	[❶ ㅈㅈ] 단계	해결 단계
• 갈등의 원인 분석 • 문제 해결의 가능성 확인	• 문제 확인 • 상대방의 처지와 관점 이해 • 제안이나 대안 상호 검토	• 최선의 해결책 제시 • 합의와 문제 해결 • 합의 이행

○ 시작 단계에서의 협상 전략

목표 수립하기

- 협상 의제 확인
- 협상 당사자들이 자신들만의 협상 [❷ ㄷㅇ] 마련
- 대안이 하나밖에 없는 상황이라면 새로운 대안도 생각해 둠.

답 ❶ 조정 ❷ 대안

자르는 선

#시험대비
#핵심정복

7일 끝 중간고사 기말고사

Chunjae
Makes
Chunjae

▼

[7일 끝] 고등 화법과 작문

개발총괄 김덕유
편집개발 박지인, 임명준
조판 대진문화(구민범, 권재원)
제작 황성진, 조규영

발행일 2021년 5월 30일 초판 2021년 5월 30일 1쇄
발행인 (주)천재교육
주소 서울시 금천구 가산로9길 54
신고번호 제2001-000018호
고객센터 1577-0902
교재 내용문의 (02)3282-1755

※ 정답 분실 시에는 천재교육 홈페이지에서 내려받으세요.

7일 끝으로 끝내자!

7

고등 화법과 작문

BOOK 2

기 말 고 사 대 비

이 책의 차례

우리 학교 시험 범위 확인

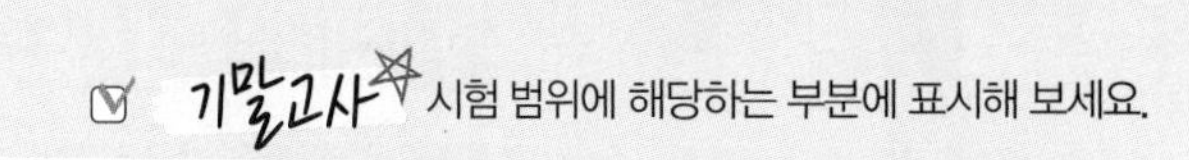

교과서 단원		본 교재
1. 화법과 작문의 본질	(1) 화법과 작문의 특성 (2) 화법과 작문의 기능 (3) 화법과 작문의 맥락	☐ BOOK 1 1일, 6일 1회, 7일
2. 화법의 원리와 실제	1-(1) 상황에 맞는 말하기 1-(2) 상황에 맞는 표현 전략	☐ BOOK 1 2일, 6일 1회, 7일
	2-(1) 대화 2-(2) 면접	☐ BOOK 1 3일, 6일 2회, 7일
	3-(1) 발표 3-(2) 연설	☐ BOOK 1 4일, 6일 2회, 7일
	4-(1) 토론 4-(2) 협상	☐ BOOK 1 5일, 6일 2회, 7일
3. 작문의 원리와 실제	1-(1) 정보를 전달하는 글 쓰기 1-(2) 보고하는 글 쓰기	☐ BOOK 2 1일, 6일 1회, 7일
	2-(1) 설득하는 글 쓰기 2-(2) 비평하는 글 쓰기 2-(3) 건의하는 글 쓰기	☐ BOOK 2 2일, 6일 1회, 7일
	3-(1) 자기를 소개하는 글 쓰기 3-(2) 친교의 내용을 표현하는 글 쓰기	☐ BOOK 2 3일, 6일 1회, 7일
	4-(1) 정서를 표현하는 글 쓰기 4-(2) 자기를 성찰하는 글 쓰기	☐ BOOK 2 4일, 6일 2회, 7일
4. 화법과 작문의 태도	(1) 화법과 작문의 윤리 (2) 진심을 담은 의사소통 (3) 화법과 작문의 관습과 바람직한 언어문화	☐ BOOK 2 5일, 6일 2회, 7일

1 -(1) 정보를 전달하는 글 쓰기
1 -(2) 보고하는 글 쓰기

생각 열기 어떻게 하면 독자가 원하는 정보를 이해하기 쉽게 전달할 수 있을까?

배움 내용

정보 전달과 보고의 글

❶ 정보의 선별과 글의 내용 조직

❷ 과정과 절차가 드러나는 보고서 작성 방법

핵심 1 정보 전달을 위한 글

1 개념 어떤 대상, 사실, 현상 등에 대한 새로운 정보를 알리고 ❶ [ ]하는 글

예 설명문, 기사문, 안내문, 공고문 등

❶ 설명

2 목적 독자에게 믿을 만하고 정확한 ❷ [ ]를 전달하는 것

❷ 정보

3 정보 전달을 위한 글을 쓰는 방법

다양한 자료 수집 → 가치 있는 정보 선별 → 정보의 속성에 따른 내용 조직

핵심 2 정보 전달을 위한 글 쓰기의 과정

1 내용 생성하기 다양한 자료를 수집하여 그중 가치 있는 정보를 선별함.

구분	내용
자료 수집 방법	• 책, 사전, 신문, 방송이나 인터넷 등의 ❸ [ ] 활용 • 면담, 견학, 관찰, 실험, 설문 조사 등의 방법 사용 → 수집해야 할 자료와 수집 방법은 글을 쓰는 데 필요한 정보의 내용에 따라 달라짐.
정보 선별 방법	• 글의 목적에 맞고 ❹ [ ]의 이해를 도울 수 있는 정보 선별 • 독자의 요구, 기대, 배경지식에 부합하는 정보 선별 • 신뢰할 만한 정보 선별: 신뢰할 만한 ❺ [ ]가 쓴 자료, 공신력 있는 신문이나 방송의 정보, 과장되거나 왜곡되지 않은 정보, 지나치게 오래되어 효용이 떨어지지 않은 정보를 선별

❸ 매체
❹ 독자
❺ 전문가

2 내용 조직하기 선별한 정보의 속성에 따라 알맞은 구조로 내용을 조직함.

나열(병렬) 구조	순서 구조	인과 구조	비교·대조 구조	문제 해결 구조
서로 대등한 관계의 정보를 늘어놓으며 설명	시간 순서나 공간의 이동에 따라 내용 조직	❻ [ ]과 결과에 따라 내용 조직	대상 간의 공통점(비교)이나 차이점(❼ [ ])을 중심으로 내용 조직	문제와 그 해결 방안을 중심으로 내용 조직

❻ 원인
❼ 대조

3 표현하기

• 명확하고 ❽ [ ]인 표현을 사용함.
• 독자의 이해를 방해하는 모호한 표현이나 함축적인 표현은 사용하지 않아야 함.

❽ 객관적

기초 확인 문제

정답과 해설 34쪽

1 **정보 전달을 위한 글에 대한 설명으로 적절한 것에는 ○표, 적절하지 않은 것에는 ×표를 하시오.**

(1) 어떤 대상, 사실, 현상 등에 대한 새로운 정보를 알리고 설명하는 글이다. (　　)

(2) 독자의 생각이나 태도, 행동에 변화를 이끌어 내는 것이 목적이다. (　　)

(3) 이와 같은 글의 유형에는 설명문, 기사문, 안내문, 공고문 등이 있다. (　　)

2 **다음 중 정보 전달을 위한 글을 쓸 때 유의해야 할 점으로 알맞은 것끼리 묶은 것은?**

> ㄱ. 글을 쓰는 데 필요한 정보의 내용에 따라 자료나 자료 수집 방법을 달리한다.
> ㄴ. 독자에게 다양한 정보를 제공하기 위하여, 수집한 자료는 모두 활용한다.
> ㄷ. 전달하고자 하는 정보의 속성에 따라 내용 조직 방법을 다르게 한다.
> ㄹ. 대상을 설명할 때에는 주관적이고 함축적인 표현을 사용한다.

① ㄱ, ㄴ　② ㄱ, ㄷ　③ ㄴ, ㄷ
④ ㄴ, ㄹ　⑤ ㄷ, ㄹ

3 **정보 전달을 위한 글에 사용할 자료를 선별하는 방법으로 적절하지 않은 것은?**

① 최신의 정보 대신 오래된 정보를 선별한다.
② 신뢰할 만한 전문가가 작성한 정보를 선별한다.
③ 과장되거나 왜곡된 내용이 없는 정보를 선별한다.
④ 공신력 있는 신문이나 방송 매체에서 수집한 정보를 선별한다.
⑤ 글을 쓰는 목적, 독자의 요구와 기대, 배경지식에 부합하는 정보를 선별한다.

4 **정보 전달을 위한 글의 내용 조직 방법에 관한 설명으로 적절하지 않은 것은?**

① 인과 구조: 일이 일어난 원인과 결과에 따라 내용을 조직하는 방법이다.
② 순서 구조: 시간의 흐름이나 장소의 이동에 따라 내용을 조직하는 방법이다.
③ 나열 구조: 서로 대등한 관계에 있는 정보를 늘어놓아 내용을 조직하는 방법이다.
④ 문제 해결 구조: 발생한 문제와 그 피해 사례를 중심으로 내용을 조직하는 방법이다.
⑤ 비교·대조 구조: 설명하려는 대상들 사이의 공통점이나 차이점을 중심으로 내용을 조직하는 방법이다.

5 **〈보기〉의 내용을 활용하여 정보를 전달하는 글을 쓸 때 사용할 내용 조직 방법으로 가장 적절한 것은?**

보기

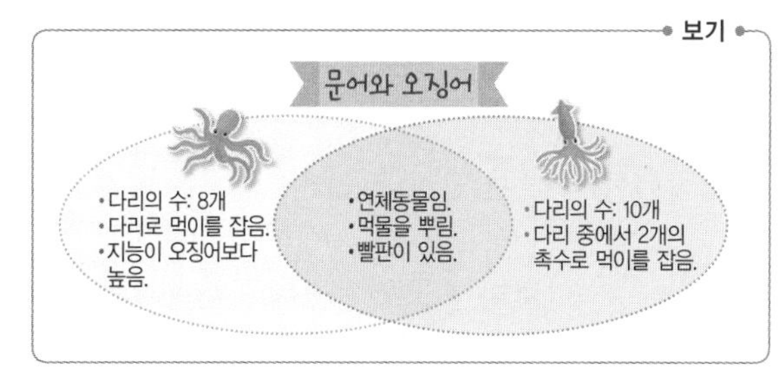

① 나열 구조
② 순서 구조
③ 인과 구조
④ 문제 해결 구조
⑤ 비교·대조 구조

핵심 1 보고하는 글

1 개념 특정한 사안이나 현상에 대한 연구의 과정과 결과를 ❶ [ ]에게 전달하기 위한 글

예 실험 보고서, 관찰 보고서, 조사 보고서, 연구 보고서 등

❶ 독자

2 목적 어떤 주제에 대한 실험, 관찰, 조사, 연구 등의 ❷ [ ]과 결과를 독자에게 알리는 것

❷ 과정

핵심 2 보고하는 글을 쓰는 방법

1 보고하는 글을 쓰는 방법

- 연구의 ❸ [ ]과 필요성, 연구의 기간, 연구 대상, 연구 방법, 연구 결과 등의 요소를 꼭 포함해야 함.
- 실험, 관찰, 조사, 연구 등의 과정과 ❹ [ ]를 객관적이면서도 구체적으로 전달해야 함.
- 연구 기간의 날짜를 정확하게 기입하고, 연구의 대상이 사람인 경우에는 연령, 성별과 같은 연구 대상자의 특성 등을 구체적으로 기술해야 함.
- 독자의 이해를 돕기 위해 표, 그림, 그래프 등의 여러 가지 ❺ [ ] 자료를 제시하는 것이 좋음.

❸ 목적
❹ 결과
❺ 시각

2 보고하는 글을 쓸 때 유의할 점

모든 과정과 결과를 ❻ [ ]대로 기술해야 함.	결과가 처음 의도와 달라도 있는 그대로 제시해야 함.	간결하고 명확한 표현을 사용해야 함.

❻ 사실

핵심 3 보고하는 글의 구조

첫 번째 부분(서론)	연구의 필요성, 목적, 이론적 배경, 연구 ❼ [ ] 등을 제시
가운데 부분	연구 결과와 해석 제시 ➔ 보고하는 글의 핵심임.
세 번째 부분(결론)	연구 내용의 요약, ❽ [ ], 제언 등을 제시

❼ 방법
❽ 결론

기초 확인 문제

정답과 해설 34쪽

1 다음 ㉠, ㉡에 들어갈 알맞은 말을 각각 쓰시오.

> 보고하는 글 쓰기의 목적은 어떤 주제에 대한 실험, 관찰, 조사, 연구 등의 [㉠]와/과 [㉡]을/를 독자에게 알리는 것이다.

2 보고하는 글을 쓰는 방법으로 적절한 것에는 ○표, 적절하지 않은 것에는 ×표를 하시오.

(1) 꾸밈이 많은 화려한 표현으로 독자의 흥미를 유발한다. (　　)

(2) 연구의 목적과 필요성, 연구 방법 중에 필요한 것만 선별하여 기술한다. (　　)

(3) 연구 과정과 연구 결과는 연구자의 의도가 뚜렷하게 드러나도록 수정하여 쓴다. (　　)

3 보고하는 글을 쓸 때 유의할 점으로 적절하지 않은 것은?

① 인용한 자료의 출처는 정확하게 밝힌다.

② 연구 과정과 결과를 모두 사실대로 기술한다.

③ 연구의 기간을 작성할 때에는 날짜를 정확하게 기입한다.

④ 독자가 글을 이해하기 쉽게 시각 자료를 활용하는 것이 좋다.

⑤ 연구 대상이 사람일 때에는 개인 정보를 보호하기 위해 성별, 연령 등의 특성을 밝히지 않는다.

4 보고하는 글의 일반적인 구조에 알맞은 내용 요소를 연결하시오.

(1) 첫 번째 부분 • 　　　• ㉠ 이론적 배경

(2) 가운데 부분 • 　　　• ㉡ 연구 내용의 요약

(3) 세 번째 부분 • 　　　• ㉢ 연구 결과와 해석

5 다음 상황에서 해야 할 행동으로 가장 적절한 것은?

실험 보고서를 쓰기 위해 과학 실험을 수행하였는데, 결과가 처음에 의도한 것과 다르게 도출되었네.

① 실험 결과는 제외하고 실험 계획만 작성한다.

② 도출된 결과에 맞추어 실험의 목적과 설계를 수정한다.

③ 처음 의도한 것과 결과의 차이가 지나치게 크다면 보고서를 폐기한다.

④ 처음 의도한 실험 결과와, 실제 실험의 과정과 결과를 있는 그대로 기술한다.

⑤ 처음에 의도한 것과 결과의 차이가 유의미하게 크지 않다면 결과를 적절하게 수정한다.

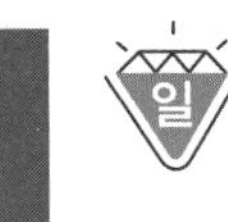

1일 교과서 기출 베스트

[1 ~ 2] 다음은 승준이 글을 쓰기 위해 수집한 자료를 선별하는 과정이다. 읽고 물음에 답하시오.

승준: 학교 신문에 '태양계 행성의 특징'에 대한 정보를 전달하는 글을 올리고 싶어. 주제를 쉽게 설명해서, 과학에 관심이 없는 친구들도 내용을 잘 이해했으면 좋겠어.

가 태양계의 행성에는 수성, 금성, 지구, 화성, 목성, 토성, 천왕성, 해왕성, 명왕성이 있다.

– 《○○ 백과사전》, 1998

명왕성은 태양계 행성에서 예전에 빠지지 않았나? 왜 들어가 있지? 최신 자료를 찾아야겠군.

나 목성은 태양으로부터 평균 5.2 천문단위(AU) 떨어져 있는 행성으로, 자전축이 3도 기울어져 있다. 목성의 자전 주기는 지구보다 거의 3배나 빠른데 적도에서 9시간 50분, 극 부근에서는 9시간 55분이며 태양 주위를 한 번 공전하는 데는 약 12년이 걸린다.

– 국내 과학기술학 학술지, 2009

일부 학교 친구들에게는 내용이 조금 어렵게 느껴질 수 있겠어.

다 토성은 목성 다음으로 큰 행성이며, 얼음 알갱이와 암석 조각으로 이루어진 뚜렷한 고리가 발달해 있다. 행성 중 밀도가 가장 작고, 가장 납작한 타원 모양이다. 많은 위성을 가지고 있으며, 그중 가장 큰 위성인 타이탄에는 대기가 존재한다.

– 중학교 과학 교과서, 2017

내가 글을 쓰는 목적에도 맞고, 교과서에 나온 내용이니까 신뢰할 수 있겠어.

작문 맥락 파악

1 승준의 글쓰기 목적으로 알맞은 것은?

① 특정한 대상에 대한 정보를 전달하기 위함이다.
② 특정한 대상에서 느낀 감정을 표현하기 위함이다.
③ 특정한 문제에 대한 해결책을 제시하기 위함이다.
④ 특정한 정책이 지닌 문제점을 지적하기 위함이다.
⑤ 특정한 주제에 대한 자신의 주장을 드러내기 위함이다.

세부 내용 파악

2 빈출 유형 (가)~(다)에 대한 승준의 평가로 적절하지 않은 것은?

① (가)는 최신의 정보를 담고 있지 않다.
② (나)는 자료의 출처가 신뢰할 만하지 않다.
③ (나)는 예상 독자의 수준에 맞지 않는 내용이다.
④ (다)는 글의 목적에 부합하고 신뢰할 만한 정보이다.
⑤ (가), (나)는 독자의 이해를 도울 수 있는 정보라고 보기 어렵다.

자료 선별의 기준 이해

3 빈출 유형 정보 전달을 위한 글을 쓰기 위해 수집한 자료를 선별하는 기준으로 적절하지 않은 것은?

① 글을 쓰는 목적에 적합한 자료인가?
② 신뢰할 만한 전문가가 쓴 자료인가?
③ 창의적이고 독창적인 내용을 담은 자료인가?
④ 독자의 수준과 배경지식에 부합하는 자료인가?
⑤ 지나치게 오래되어 효용이 떨어지는 자료는 아닌가?

내용 조직 방법 파악

4 〈보기〉에 사용된 내용 조직 방법을 쓰시오.

보기

독도는 원래 하나의 섬이었지만, 파랑에 의한 침식 작용으로 약 250만 년 전에 두 개의 섬으로 분리되었다. 그 후 오랜 세월이 흐르면서 계속된 비바람과 파랑에 의한 침식 작용으로 약 210만 년 전에 현재와 같은 모습을 갖추게 되었다.

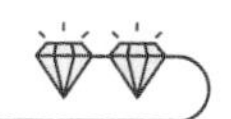

[5~6] 다음을 보고 물음에 답하시오.

가 한옥과 양옥의 차이

나 한옥의 외풍 방지 방안

내용 조직 방법의 적절성 파악

5 빈출 유형 **(가)의 내용을 주제로 글을 쓸 때의 내용 조직 방법으로 가장 적절한 것은?**

① 한옥과 양옥의 구성 요소를 나열하여 설명한다.
② 한옥과 양옥의 특징을 대조의 방식으로 설명한다.
③ 한옥과 양옥이 지어지는 과정을 순서대로 설명한다.
④ 양옥이 발달한 원인이 한옥에 있다는 것을 설명한다.
⑤ 한옥의 장점을 바탕으로 양옥의 문제점을 해결하는 방안을 제시한다.

내용 조직 방법의 적절성 파악

6 서술 유형 **(나)를 주제로 글을 쓸 때 적절한 내용 조직 방법은 무엇이며, 그 이유는 무엇인지 서술하시오.**

내용 조직 방법의 이해

7 **〈보기〉의 ㉠, ㉡에 각각 들어갈 말로 적절한 것은?**

보기

정보 전달을 위한 글의 내용 조직 방법 중 '인과 구조'는 일이 일어난 (㉠)와/과 (㉡)에 따라 내용을 조직할 때 사용한다. 이 때 (㉠)와/과 (㉡)의 선후 관계가 분명하게 드러나게 하면 독자의 흥미를 끌고 이해를 도울 수 있다.

① ㉠: 결과 ㉡: 문제
② ㉠: 원인 ㉡: 해결 방안
③ ㉠: 원인 ㉡: 결과
④ ㉠: 시간 ㉡: 공간
⑤ ㉠: 공통점 ㉡: 차이점

정보 전달을 위한 글의 표현 방법 이해

8 빈출 유형 **정보 전달의 효과를 높이기 위한 표현 방법에 대한 설명으로 적절하지 않은 것은?**

① 주관적인 표현보다는 객관적인 표현을 사용한다.
② 독자의 이해를 방해하는 표현은 사용하지 않는다.
③ 독자의 빠르고 쉬운 이해를 돕는 명확한 표현을 사용한다.
④ 다양한 해석이 가능하도록 모호하고 중의적인 표현을 사용한다.
⑤ 함축적인 표현보다는 의미가 직접적으로 드러나는 표현을 사용한다.

[9 ~ 10] 다음 글을 읽고 물음에 답하시오.

Ⅰ. 서론

1. 연구의 필요성과 목적

〈전략〉 교육부 자료인 '2010~2014년 학교 급식물 처리 발생 현황'에 따르면, 잔반으로 인한 음식물 처리 비용이 2010년 120억 원에서 2013년 202억 원으로 68퍼센트가량 증가한 것으로 나타났다. 이로 볼 때 학교에서 음식물 쓰레기를 줄이기 위한 대책 마련이 시급하다.

이에 본 연구에서는 '그린 존(Green Zone)'과 '레드 존(Red Zone)'이라는 별도의 잔반 처리 구역을 운영하는 것이 학생 개개인의 급식 잔반량을 줄이고 나아가 학교 전체 음식물 쓰레기의 양을 줄이는 결과를 낳을 수 있는지 확인하고자 한다. '그린 존'은 음식을 남기지 않은 학생이 가는 구역이고, '레드 존'은 음식을 남긴 학생이 가는 구역이다. 본 연구의 목적은 음식물 쓰레기를 줄이는 하나의 효과적인 방안을 마련하는 것이다.

글쓰기 전략 파악

9 빈출 유형 **이 글에 대한 설명으로 적절하지 않은 것은?**

① 자료의 출처를 밝혀 신뢰성을 높이고 있다.
② 용어의 정의를 명확하게 밝혀 이해를 돕고 있다.
③ 연구의 필요성을 부각하는 이론적 배경을 밝히고 있다.
④ 구체적 수치를 제시하여 자료의 객관성을 높이고 있다.
⑤ 연구 주제와 관련 깊은 경제적 비용을 근거로 들어 연구의 필요성을 강조하고 있다.

작문 맥락 파악

10 **다음은 이 글에 나타난 연구 목적이다. ㉠, ㉡에 각각 들어갈 알맞은 말을 이 글에서 찾아 쓰시오.**

> '그린 존', '레드 존'의 운영이 (㉠)을/를 줄이는가를 확인함으로써 (㉡)을/를 줄이는 효과적인 방안을 마련하는 것이다.

[11 ~ 14] 다음 글을 읽고 물음에 답하시오.

가 3. 연구 방법

(1) 연구 대상과 기간

- **대상**: △△고등학교 전교생 1,045명
- **기간**: 2013년 3월 2일~2014년 12월 31일

(2) 연구 설계와 절차

1) 우선 ㉠'그린 존 / 레드 존 제도'를 실행하기 위해 학교 급식실에 '그린 존'과 '레드 존'이라는 별도의 잔반 처리 구역을 설치한다. 이후 학생들이 급식 잔반 유무에 따라 '그린 존', '레드 존'을 달리 이용하게 한다. 급식을 남기지 않은 학생은 '그린 존'을 이용하게 하고, 학생이 직접 아프리카 기아 아동을 형상화한 '카미시와 쿰바'에게 가상의 음식물 모형(스티커 형태)을 주게 함으로써 자신이 급식을 남기지 않은 것이 아프리카 기아 아동에게 도움이 되었음을 인식하게 한다.

2) 〈중략〉 이 제도를 1년간 시행한 후, 제도를 실시하기 전인 2013년도와 제도 실시 1년 후인 2014년도의 학생 개인별 잔반량, 학교 전체의 월별 급식 잔반량 및 잔반 처리 비용을 비교함으로써 학생 개개인과 학교 전체의 급식 잔반량이 감소되었는지 확인한다.

나 Ⅱ. 연구 결과와 해석

다음 그래프는 '그린 존 / 레드 존 제도' 시행 후에 학생들 개개인이 자신의 잔반량을 제도 시행 이전의 양과 비교한 결과이다. 잔반량 측정 기준은 식사 후 급식판의 밥을 담는 부

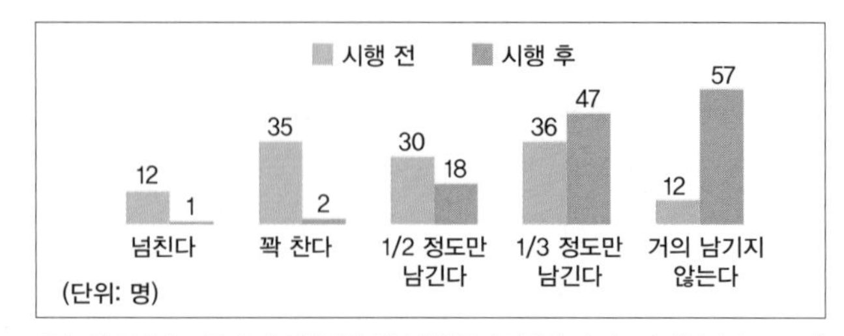

'그린 존 / 레드 존 제도' 시행 전후 일부 학생들의 잔반량 비교(조사 대상자 수: 125명)

분에 잔반을 모았을 때, 밥을 담는 부분의 넓이 대비 잔반이 차지하는 넓이이다.

다 다음 두 그래프는 '그린 존 / 레드 존 제도' 시행 후, 학교 전체의 급식 잔반량과 잔반 처리 비용이 시행하기 전보다 큰 폭 감소하였음을 보여 준다.

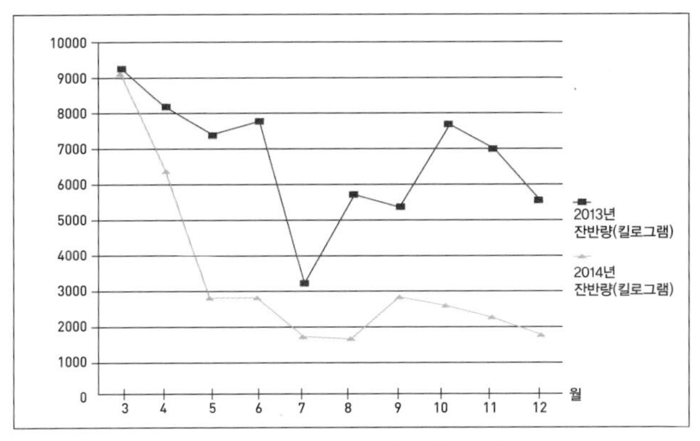

2013년과 2014년 잔반량 비교 그래프

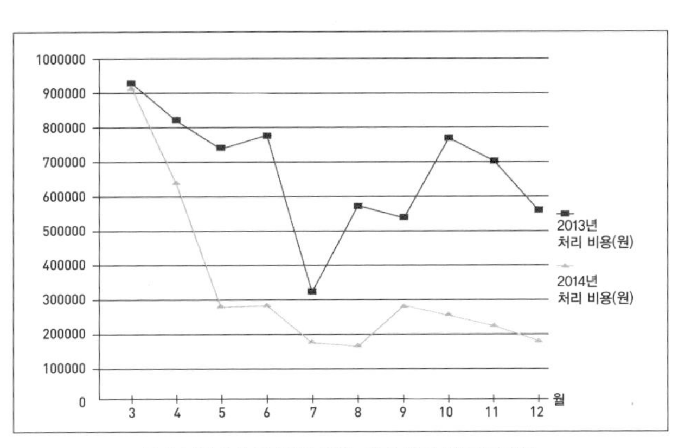

2013년과 2014년 잔반 처리 비용 비교 그래프

세부 내용 파악

11 이 글에서 찾을 수 있는 내용이 아닌 것은?

① 잔반량을 측정하는 기준
② 연구 설계가 지닌 문제점
③ '그린 존'과 '레드 존'의 차이점
④ '그린 존 / 레드 존 제도'의 시행이 학교 전체의 급식 잔반량에 미친 영향
⑤ '그린 존 / 레드 존 제도'의 시행 전후 일부 학생들의 급식 잔반량의 변화 양상

보고하는 글의 구조 이해

12 빈출 유형 〈보기〉 중에서 보고서의 구조상 (다)의 뒤에 들어갈 내용을 있는 대로 고른 것은?

보기

ㄱ. 연구의 방법
ㄴ. 연구 내용의 요약
ㄷ. 글쓴이의 생각이나 의견

① ㄷ ② ㄱ, ㄴ ③ ㄱ, ㄷ
④ ㄴ, ㄷ ⑤ ㄱ, ㄴ, ㄷ

세부 내용 파악

13 ㉠에 대한 설명으로 적절한 것은?

① ㉠의 시행은 학생들의 개별 잔반량에 영향을 미치지 않았다.
② ㉠의 시행으로 학생들의 개별 잔반량과 학교 전체의 급식 잔반량이 감소하였다.
③ ㉠의 시행으로 2013년과 2014년의 연말 급식 잔반량이 연초에 비해 감소하였다.
④ ㉠의 시행으로 2013년과 2014년의 7월 급식 잔반량이 다른 달에 비해 감소하였다.
⑤ ㉠의 시행으로 학교 전체의 급식 잔반량은 감소하였으나 잔반 처리 비용은 증가했다.

시각 자료의 효과 이해

14 서술 유형 이 글에 사용된 그래프의 효과를 〈조건〉에 맞게 서술하시오.

조건

- 효과를 2가지 쓰되 하나는 독자의 이해 측면, 다른 하나는 자료의 객관성 측면에서 쓸 것
- 각각 완결된 한 문장으로 쓸 것

1일

2일

대단원 3. 작문의 원리와 실제

2-(1) 설득하는 글 쓰기
2-(2) 비평하는 글 쓰기
2-(3) 건의하는 글 쓰기

생각 열기 어떻게 하면 독자를 내가 원하는 방향으로 변화하게 할 수 있을까?

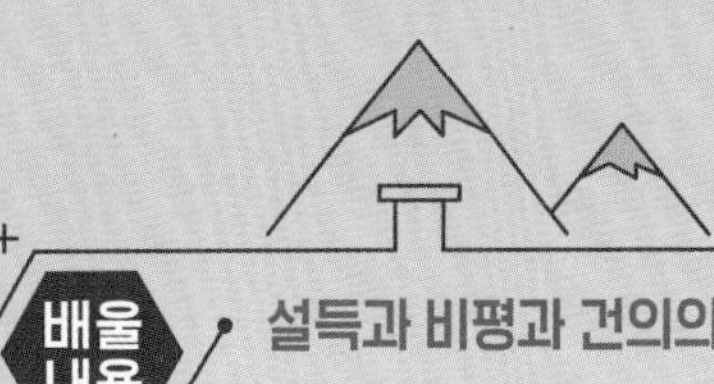

배울 내용

설득과 비평과 건의의 글

❶ 논거와 설득 전략
❷ 비평의 관점 수립
❸ 건의 내용의 실현 가능성

2일 교과서 핵심 정리

핵심 1 설득하는 글

1 개념 필자의 ❶ ＿＿과 그에 따른 근거를 제시하여 타인의 생각, 태도, 행동 등을 ❷ ＿＿시키려는 의도를 가지고 쓴 글 예 논설문, 비평문, 건의문, 광고문 등

2 설득하는 글을 쓰는 방법

• 타당하고 공정하고 믿을 만한 논거 마련 • 맥락을 고려한 설득 전략 사용	➜	글의 설득력 높이기

핵심 2 설득을 위한 논거

1 논거의 종류

사실 논거	구체적, ❸ ＿＿ 사례로서의 실제적 근거 예 통계 자료, 설문 조사 자료, 실험 결과 등
의견 논거	권위 있는 사람 혹은 전문가의 ❹ ＿＿ 예 특정 분야의 전문적 지식을 지닌 학자의 견해

2 수집한 논거의 선별 방법 수집한 ❺ ＿＿의 타당성, 공정성, 신뢰성 여부를 판단하여 선별

타당성	• 주장과 관련이 있는가? • 주장을 뒷받침할 수 있는 합리성과 객관성을 갖추었는가?
공정성	• 어느 한쪽의 입장에 치우치지는 않았는가? • 필자의 선입견이나 편견이 들어가지는 않았는가?
신뢰성	• 출처가 분명하고 자료가 객관적인가? • 인용한 자료의 ❻ ＿＿가 권위 있는 것인가? • 의견을 낸 화자나 필자가 전문성이 있는가?

핵심 3 글의 설득력을 높이는 전략

1 맥락을 고려한 설득 전략

❼ ＿＿	주제	글의 유형
독자의 연령, 특성, 상황 고려	글의 주제를 고려	글의 길이 및 매체 고려

2 설득력을 높이는 표현 방법: 비유법, 설의법, 이중 부정과 같은 표현 방법을 적절하게 사용하여 글의 ❽ ＿＿을 높일 수 있음.

❶ 주장
❷ 변화
❸ 객관적
❹ 의견
❺ 논거
❻ 출처
❼ 독자
❽ 설득력

개념 Catch

- **논거**: 독자가 글쓴이의 주장을 납득하고 수용할 수 있게 주장을 뒷받침하는 타당하고 믿을 만한 근거
- **설의법**: 누구나 알고 있는 사실을 의문의 형태로 제시하여 독자가 스스로 그 해답을 찾아내게 하여 의미를 강조하는 방법
- **이중 부정**: 한 번 부정한 것을 다시 부정하여 긍정을 강조하는 표현 방법

정답과 해설 36쪽

1 설득하는 글에 대한 설명으로 적절한 것에는 ○표, 적절하지 않은 것에는 ×표를 하시오.

(1) 다른 사람들의 생각, 태도, 행동 등을 변화시키려는 목적으로 쓰는 글이다. (　　)

(2) 이와 같은 글을 쓸 때에는 타당하고 공정하고 믿을 만한 논거를 제시해야 한다. (　　)

(3) 이와 같은 글을 쓸 때 비유적인 표현을 사용하면 독자의 이해를 방해하므로 피한다. (　　)

2 다음 ㉠, ㉡에 들어갈 알맞은 말을 쓰시오.

> 논거는 [㉠]와/과 [㉡](으)로 나눌 수 있는데, [㉠]은/는 구체적이고 객관적인 사례로서의 실제적인 근거를 말하고, [㉡]은/는 권위 있는 사람이나 전문가의 의견을 말한다.

㉠: (　　　　　　), ㉡: (　　　　　　)

3 다음에 제시된 논거의 선별 기준과 관련 깊은 말을 〈보기〉에서 찾아 쓰시오.

> 보기
>
> 타당성　　공정성　　신뢰성

(1) 논거 자체가 믿을 만한가?

(2) 어느 한쪽의 입장에 치우치지 않은 논거인가?

(3) 주장과 관련이 있으면서 주장을 뒷받침할 수 있는 합리적이고 객관성 있는 논거인가?

4 다음 공익 광고에 사용된 설득 전략으로 볼 때, 광고를 제작한 사람이 고려했을 예상 독자로 가장 적절한 것은?

① 형제가 많은 가정의 어린이
② 결혼을 하지 않으려는 사람들
③ 다자녀를 계획하고 있는 사람들
④ 화목하지 않은 가정을 둔 사람들
⑤ 자녀를 한 명만 낳으려는 사람들

5 글의 설득력을 높이기 위한 전략으로 적절하지 <u>않은</u> 것은?

① 글의 주제에 따라 사용하는 논거를 달리한다.
② 글을 싣는 매체에 따라 표현 전략을 달리한다.
③ 글의 길이나 유형에 따라 표현 방법을 달리한다.
④ 독자의 연령대에 따라 사용하는 어휘를 달리한다.
⑤ 독자의 특성이나 독자가 처한 상황에 따라 주장의 내용을 달리한다.

핵심 1 비평하는 글

1 개념 어떤 사물이나 현상에 대해 옳고 그름, 아름다움과 추함 등의 ❶ [ ] 를 논하며 특정 문제에 대해 객관적이고 타당한 논거를 들어 글쓴이의 의견 혹은 관점을 드러내는 글

예 문학 작품에 대한 비평문, 책에 대한 평가를 담은 서평, 특정한 사람이 쓴 글에 대한 비평 글 등

❶ 가치

2 비평하는 글의 특징

- 자신의 ❷ [ ] 을 내세우며 근거를 제시해 이를 뒷받침함.
- 설득하는 글보다 필자의 주관(해석이나 관점)이 뚜렷하게 나타남.

❷ 주장

핵심 2 비평하는 글 쓰기의 과정

단계	내용
비평의 대상 선정하기	비평하는 글은 대상에 대한 ❸ [ ] 를 담은 글이므로, 그 대상을 명확하게 정해야 함.
비평의 대상 이해하기	• 선정한 대상에 대해 평가를 하려면 비평하는 ❹ [ ] 을 이해해야 함. • 비평하는 대상을 잘 이해하기 위해서는 대상을 바라보는 다양한 관점의 글들을 많이 읽어 보는 것이 좋음.
자신의 관점 수립하기	• 비평 대상을 이해한 내용을 바탕으로 필자는 자신의 ❺ [ ] 을 수립하고, 그 관점을 글 안에서 일관성 있게 유지해야 함. • 필자의 주장에 동의하지 않는 ❻ [ ] 도 있을 수 있고, 필자의 주장이 오해나 논쟁을 불러일으킬 수도 있기 때문에 비평하는 글을 쓸 때에는 자신의 관점을 신중하게 정해야 함.
비평의 근거 마련하기	• 비평하는 글은 특정 대상에 대한 평가를 주장으로 내세우므로 필자의 관점을 뒷받침해 줄 수 있는 적절한 ❼ [ ] 를 마련해야 함. • 필자가 선택하지 않은 다른 관점들의 단점이나 약점, 문제점도 주장의 근거로 활용할 수 있음.
표현하기	• 필자의 ❽ [ ] 이 분명하게 드러나는 표현을 사용해야 함. • 미사여구를 지나치게 사용하는 것은 좋지 않고, 가급적 간결한 표현을 사용해야 함.

❸ 평가
❹ 대상
❺ 관점
❻ 독자
❼ 근거
❽ 관점

기초 확인 문제

정답과 해설 36쪽

1 비평하는 글에 대한 설명으로 적절하지 않은 것은?

① 서평, 영화 비평, 인물 비평 글을 예로 들 수 있다.
② 특정한 대상에 대한 평가를 주장으로 내세우는 글이다.
③ 비평 대상에 대한 깊이 있는 이해가 전제되어야 한다.
④ 대상에 대해 옳고 그름, 아름다움과 추함 등의 가치를 논하는 글이다.
⑤ 문학 평론가, 시사 평론가 등 해당 분야의 전문가들만이 생산하고 수용하는 글이다.

2 비평의 특징으로 적절한 것에는 ○표, 적절하지 않은 것에는 ×표를 하시오.

(1) 비평은 대상이 지닌 잘못이나 흠을 근거를 들어 들추는 행위이다. ( )
(2) 같은 영화에 대해서도 사람마다 다양한 관점에서 비평할 수 있다. ( )
(3) 한 편의 영화 전체보다 영화의 구성, 배우의 연기 등과 같이 비평 대상을 구체화하면 더 깊이 있는 비평을 할 수 있다. ( )

3 비평하는 글 쓰기 과정의 순서에 따라 〈보기〉의 기호를 알맞게 나열하시오.

보기

㉠ 표현하기
㉡ 비평의 대상 선정하기
㉢ 자신의 관점 수립하기
㉣ 비평의 대상 이해하기
㉤ 비평의 근거 마련하기

( ) → ( ) → ( ) → ( ) → ( )

4 비평하는 글 쓰기 과정에 대한 설명으로 적절한 것에는 ○표, 적절하지 않은 것에는 ×표를 하시오.

(1) 비평의 대상 선정하기: 비평하는 대상의 범위를 되도록 넓게 선정한다. ( )
(2) 비평의 근거 마련하기: 필자가 선택하지 않은 관점의 문제점을 근거로 활용할 수 있다. ( )
(3) 표현하기: 미사여구를 활용한 화려한 표현으로 필자의 관점을 은유적으로 드러낸다. ( )

5 비평하는 글 쓰기 과정 중 '자신의 관점 수립하기' 단계에 대한 이해가 적절하지 않은 사람은?

① 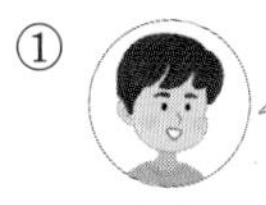
준수: 이때 관점은 필자가 대상을 바라보는 태도, 방향, 처지를 의미해.

② 
현오: 비평 대상을 이해한 것을 바탕으로 필자가 자신의 관점을 수립하는 단계야.

③ 
준영: 이때 필자는 수립한 관점을 글의 처음에서 끝까지 일관성 있게 유지해야 해.

④ 
도현: 필자는 다양한 관점보다는 하나의 관점에 대한 글을 많이 읽고 관점을 수립하는 것이 좋아.

⑤ 
진서: 필자의 주장에 동의하지 않는 독자도 있을 수 있음을 고려하며 관점을 신중하게 수립해야 해.

핵심 1 건의하는 글

1 개념 어떤 현안을 분석하여 쟁점을 파악하고 그 현안을 ❶ [　　] 할 방안을 제시한 글

❶ 해결

2 건의하는 글의 특징 설득하는 글과는 달리 독자가 상당히 ❷ [　　] 임.

❷ 구체적

설득하는 글의 예	건의하는 글의 예
• 주제: 안전하게 운전하자. • 독자: 일반적인 운전자들	• 주제: 밭을 도로로 만들어 우리 동네로 진입하는 도로를 넓혀 주세요. • 독자: 지방 정부 관계자

핵심 2 건의하는 글을 쓰는 방법

독자의 공감 유도	문제 상황의 심각성에 대한 독자의 ❸ [　　] 을 이끌어 내야 함. → 독자가 문제를 해결하고자 하는 의지를 갖게 할 수 있음.
요구 사항의 구체화	• 문제 해결 방안이나 요구 사항을 구체적으로 표현함. • 합리적이고 ❹ [　　] 가능한 요구 사항을 제시해야 함.
기대 효과 제시	글쓴이가 제시하는 해결 방안이나 요구 사항 실현 시 나타날 수 있는 긍정적인 ❺ [　　] 를 함께 제시 → 글이 좀 더 설득력을 얻을 수 있음.
타당한 논거 제시	타당한 논거를 마련해야 함. → 건의하는 글의 목적은 독자를 ❻ [　　] 하는 것이기 때문임.
예의 바르고 공손한 표현	예의 바르고 공손한 표현을 사용해야 함. → 글쓴이에 대한 독자의 ❼ [　　] 을 높여 독자가 글쓴이의 요구 사항을 긍정적으로 검토할 수 있도록 함.

❸ 공감
❹ 실현
❺ 효과
❻ 설득
❼ 호감

핵심 3 건의하는 글의 형식

건의 내용이 담긴 제목 — 인사, 자기소개 — 문제 상황 — 해결 방안이나 요구 사항 — 건의 내용의 강조 — 기대 효과 — 쓴 날짜 — 쓴 사람

→ 독자가 명확하여 대체로 ❽ [　　] 형식으로 씀.

❽ 편지

기초 확인 문제

정답과 해설 36쪽

1 건의하는 글에 대한 설명으로 적절한 것에는 ○표, 적절하지 않은 것에는 ×표를 하시오.

(1) 어떤 현안을 분석하고 이를 비판하는 글이다. (　　　)

(2) 설득하는 글과 달리 예상 독자가 구체적이다. (　　　)

2 다음의 주제로 건의하는 글을 쓸 때, 예상 독자로 가장 적절한 것은?

> 우리 동네 입구에 가로등을 설치해 주세요.

① 학교 친구들
② 우리 동네 주민들
③ 지방 정부 관계자
④ 우리 학교 교장 선생님
⑤ 일반적인 전기 기술자

3 다음은 지자체장에게 건의하는 글의 내용을 정리한 것이다. ㉠에 들어갈 건의문의 구성 요소로 적절한 것은?

건의 내용이 담긴 제목	멸종 위기 식물인 '깽깽이풀'을 지켜주세요.
독자에게 인사, 자기소개	안녕하세요? 저는 인천 ○○고등학교의 환경 동아리 회장 ○○○입니다.
㉠	멸종 위기 식물인 깽깽이풀이 인천에서 발견되었는데 현재 보호 받지 못하고 방치되어 있습니다.
해결 방안이나 요구 사항 제시	깽깽이풀 전담 관리 기관이나 단체를 정하여 지속적으로 관리해 주실 것을 부탁드립니다.
건의 내용의 강조	현재 문제 상황을 꼭 개선해 주시기를 다시 한번 부탁드리겠습니다.
기대하는 효과	깽깽이풀을 잘 보존한다면 관광 자원으로도 활용할 수 있을 것입니다.
쓴 날짜, 쓴 사람	20△△년 4월 5일 ○○○ 올림

① 실현 가능성
② 예상되는 결과
③ 문제 상황 제시
④ 요구 사항의 강조
⑤ 독자의 행동 촉구

4 건의하는 글을 쓰는 방법으로 적절하지 않은 것은?

① 합리적이고 실현 가능한 요구 사항을 제시한다.
② 독자를 설득할 수 있는 타당한 논거를 마련한다.
③ 문제 해결 방안이나 요구 사항을 구체적으로 표현한다.
④ 독자의 감정을 자극하여 문제의 심각성에 대한 독자의 공감을 이끌어 낸다.
⑤ 해결 방안이나 요구 사항이 실현되었을 때 나타날 수 있는 부정적 효과를 함께 제시한다.

5 다음 '학교 건의 게시판'에 글을 쓸 때 사용할 표현 방법으로 가장 적절한 것은?

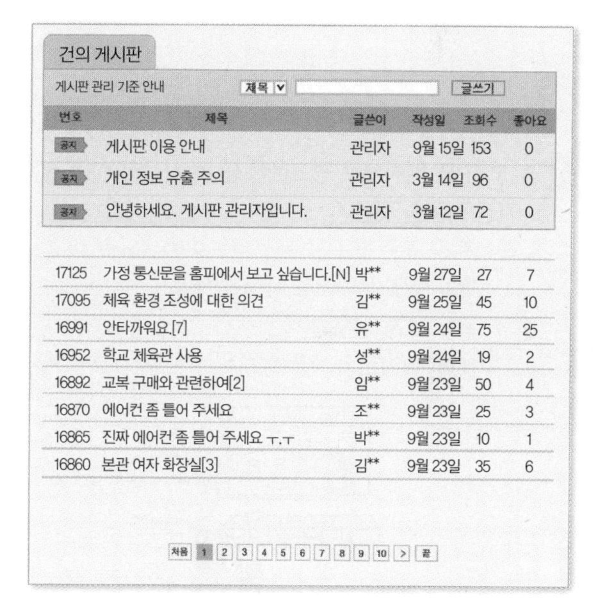

건의 게시판

게시판 관리 기준 안내　제목 ∨　글쓰기

번호	제목	글쓴이	작성일	조회수	좋아요
공지	게시판 이용 안내	관리자	9월 15일	153	0
공지	개인 정보 유출 주의	관리자	3월 14일	96	0
공지	안녕하세요. 게시판 관리자입니다.	관리자	3월 12일	72	0
17125	가정 통신문을 홈피에서 보고 싶습니다.[N]	박**	9월 27일	27	7
17095	체육 환경 조성에 대한 의견	김**	9월 25일	45	10
16991	안타까워요.[7]	유**	9월 24일	75	25
16952	학교 체육관 사용	성**	9월 24일	19	2
16892	교복 구매와 관련하여[2]	임**	9월 23일	50	4
16870	에어컨 좀 틀어 주세요	조**	9월 23일	25	3
16865	진짜 에어컨 좀 틀어 주세요 ㅜ.ㅜ	박**	9월 23일	10	1
16860	본관 여자 화장실[3]	김**	9월 23일	35	6

처음 1 2 3 4 5 6 7 8 9 10 > 끝

① 반말과 격의 없는 표현을 사용하여 독자에게 친밀감을 준다.
② 유행어와 창의적인 표현을 사용하여 독자의 흥미를 유발한다.
③ 예의 바르고 공손한 표현을 사용하여 독자의 호감을 높인다.
④ 강압적인 표현을 사용하여 필자의 주장에 대한 자신감을 드러낸다.
⑤ 미사여구와 어려운 한자어를 사용하여 필자의 지적 능력을 드러낸다.

교과서 기출 베스트

작문 맥락의 이해

1 빈출 유형 **설득하는 글을 쓰는 목적으로 가장 적절한 것은?**

① 특정 현안의 쟁점을 분석하기 위해서
② 특정 현안의 해결책을 제시하기 위해서
③ 자기의 생각과 느낌을 표현하기 위해서
④ 다른 사람들에게 새로운 정보를 알려 주기 위해서
⑤ 다른 사람들의 생각, 태도, 행동 등을 변화시키기 위해서

설득 전략의 적절성 파악

2 **〈보기〉의 맥락으로 광고문을 쓸 때 사용할 설득 전략으로 가장 적절한 것은?**

보기

- **예상 독자:** 노부모를 모시는 사람
- **목적:** 효도 상품 판매
- **매체:** 텔레비전

① 매체를 고려하여 문자로만 내용을 전달한다.
② 독자의 지식 수준을 고려하여 전문 용어를 사용한다.
③ 독자의 성별을 고려하여 적합한 어휘나 문장을 사용한다.
④ 독자의 상황을 고려하여 효심을 자극하는 어휘나 문구를 사용한다.
⑤ 글의 유형을 고려하여 서론, 본론, 결론의 형식을 갖추어 내용을 제시한다.

논거의 적절성 파악

3 빈출 유형 **〈보기〉의 ㉠이 논거로서 타당성이 떨어지는 이유로 가장 적절한 것은?**

보기

혈액형은 성격과 관련이 있다. ㉠<u>실제로 내 주변의 친구들을 살펴보아도 에이(A)형인 친구들은 하고 싶은 말이 있어도 자신 있게 말하지 못한다. 또 비(B)형인 친구들은 규칙과 질서를 존중하지 않고 자신의 기분대로 행동하는 경향이 있다.</u>

① 필자의 전문성이 떨어지기 때문에
② 조사 대상자의 수가 너무 적기 때문에
③ 주장하는 바와 관련성이 떨어지기 때문에
④ 자료의 출처를 분명하게 밝히지 않았기 때문에
⑤ 필자의 주장과 반대되는 입장을 고려하지 않았기 때문에

표현 방법의 이해

4 **글의 설득력을 높여 주는 표현 방법에 대한 설명으로 적절하지 <u>않은</u> 것은?**

① '비유법'은 어떤 현상을 다른 비슷한 현상에 빗대어 설명하는 방법이다.
② '비유법'은 독자의 배경지식을 이용하여 글쓴이의 주장을 더 쉽고 빠르게 전달할 수 있다.
③ '설의법'은 필자가 스스로 질문을 던지고 그에 답을 하여 의미를 강조하는 방법이다.
④ '설의법'은 평서문으로 표현할 때보다 격정적인 느낌을 주어 독자를 효과적으로 설득할 수 있다.
⑤ '이중 부정'은 한 번 부정한 것을 다시 부정하여 긍정을 강조하는 방법이다.

[5~7] 다음의 (가)는 노키즈존과 관련한 지용의 경험과 생각이고, (나)는 (가)를 바탕으로 하여 지용이 쓴 글의 일부이다. 읽고 물음에 답하시오.

가

나 대다수의 사람들이 노키즈존의 확산을 비판적으로 보고 있다. ㉠필자의 주변 어른들께 여쭤 본 결과, 열에 아홉은 노키즈존에 비판적인 시각을 갖고 있었다. 이렇게 많은 사람들이 안 된다고 하는데 노키즈존을 줄이려 노력하기는커녕 늘어나도록 놔 두어서는 될 일인가?

노키즈존은 육아를 사회적 책임으로 보지 않고, 단지 부모에게만 전가하는 문제를 낳을 수 있다. 육아는 개인만의 문제가 아니며 공동체가 함께해야 할 일이다. 더욱이 개인화되는 현대 사회에서는 육아를 공동 분담하는 사회적 장치가 절실하다. ○○대학교 사회복지학과 박○○ 교수는 "육아에는 부모의 역할이 물론 중요하나 '아이를 키우는 데에는 온 마을이 필요하다'는 옛말도 있듯이 사회 구성원이 함께해야 할 몫도 분명히 있다. 노키즈존이 확산되는 것은 부모만이 육아를 책임져야 한다는 사회적 분위기를 자연스럽게 조성하는 것으로 이는 육아의 사회적 책임을 흐리는 문제를 낳는다."라고 한 바 있다. 〈중략〉

아이들을 특정 장소에 출입하지 못하게 하면 다른 손님들과 종업원, 업주는 당장은 편할지 모른다. 하지만 노키즈존이 생긴 것은 아이들이 원인이 아니라 소란을 피우는 일부 아이들을 관리하지 못한 어른들의 책임인 점을 생각한다면 이는 언 발에 오줌 누기이고 눈 가리고 아웅이 아닐 수 없다.

작문 맥락 파악

5 **(가)를 통해 알 수 있는 (나)의 작문 맥락으로 적절하지 않은 것은?**

주제	노키즈존의 확산을 억제하는 것은 부당하다. ①
목적	독자들이 자신의 생각에 공감할 수 있도록 설득하는 것 ······ ②
예상 독자	• 학교 친구들 ······ ③ • 특성: 노키즈존에 대해 잘 모를 수 있음. ··· ④
매체	학교 누리집 게시판 ······ ⑤

설득 전략 파악

6 빈출 유형 **(나)에 사용된 설득 전략으로 적절하지 않은 것은?**

① 의문형 표현을 활용하여 말하고자 하는 바를 강조하고 있다.
② 이중 부정의 표현을 활용하여 긍정의 의미를 강조하고 있다.
③ 예상되는 문제점에 대한 반론을 제기하여 독자를 설득하고 있다.
④ 전문가의 견해를 인용한 신뢰성 있는 논거로 독자를 설득하고 있다.
⑤ 잘 알려진 속담을 활용하여 전달하고자 하는 내용을 효과적으로 표현하고 있다.

논거의 적절성 파악

7 서술 유형 **㉠이 논거로서 타당성이 떨어지는 이유를 한 문장으로 서술하시오.**

[8~10] 다음은 진영이 비평하는 글을 쓰는 과정 중 일부이다. 읽고 물음에 답하시오.

가 비평의 대상 선정하기

진영이 한 빵집이 유통기한이 지난 케이크를 판매했다는 허위 사실이 퍼져 피해를 입은 사건에 대한 신문 기사를 읽고, 비평하는 글을 쓰려고 한다.

요즈음 이런 식으로 ㉠부정확한 정보가 퍼져나가는 현상이 자주 일어나는 것 같아. 이런 현상을 비평하는 글을 학교 누리집에 게시해 보면 어떨까. 그러기 위해서는 우선 이번 사건을 다양한 관점에서 살펴보아야겠어.

나 비평의 대상 이해하기

관점 1
- 확인되지 않은 내용을 퍼뜨리는 누리 소통망 사용자들, 부족한 정보 윤리 의식이 문제이다.
- 누리 소통망 시대의 개개인은 정보를 퍼뜨릴 자유만 누릴 것이 아니라, 정보 생산자로서 지켜야 할 의무를 깨달아야 한다.

관점 2
- 사실 여부를 확인하지 않고 뉴스를 확산시킨 언론들이 문제이다. 기자들의 각성이 필요하다.
- 언론인들은 뉴스를 생산하는 역할만 할 것이 아니라 자신이 생산한 뉴스의 사실 여부에 책임감을 지닐 필요가 있다.

다 자신의 관점 수립하기

다양한 관점들을 검토해 보니 나의 관점을 세울 수 있겠어. 나는 확인되지 않은 정보를 퍼뜨리는 누리 소통망 사용자들의 의식에 문제가 있다고 생각해.

앞에서 비평의 대상을 이해하면서 찾은 다양한 관점들과 그 관점의 근거들을 내가 쓸 글의 근거를 생성하는 데에 자료로 활용해야지. 특히 언론의 문제로 이 사건을 바라보는 관점은, 정확한 정보를 신중하게 전달해야 할 개인의 책임을 간과하는 것이 아니냐는 점을 근거로 들면서 내 관점을 강화해야겠어.

세부 내용 파악

8 진영이 비평하고자 하는 현안으로 알맞은 것은?

① 유통기한을 정확하게 기재하지 않는 현상
② 유통기한이 지난 음식을 무분별하게 유통하는 현상
③ 확인되지 않은 정보가 퍼져나가 피해가 발생하는 현상
④ 누리 소통망 사용자와 언론이 서로에게 책임을 미루는 현상
⑤ 누리 소통망 시대의 개인들이 언론보다 막강한 권한을 누리는 현상

세부 내용 파악

9 서술 유형 (나)에 제시된 ㉠에 대한 두 가지 관점을 〈조건〉에 맞게 서술하시오.

조건
'관점 1은 ㉠을 ~(으)로 보는 관점이고, 관점 2는 ㉠을 ~(으)로 보는 관점이다.'의 문장 형식으로 쓸 것

글쓰기 전략 파악

10 빈출 유형 진영이 글쓰기 과정에서 떠올렸을 생각으로 적절하지 않은 것은?

① 우선 비평하는 대상을 명확하게 정해야겠어.
② 관점을 수립하기 위해 현안을 다양한 관점에서 바라봐야겠어.
③ 조사한 두 가지 관점 중에서 관점 1을 나의 관점으로 정해야겠어.
④ 내가 선택하지 않은 관점 2가 지닌 약점을 근거로 들어 나의 관점을 강화해야겠어.
⑤ 관점 2는 정확한 정보를 신중하게 전달해야 할 개인의 책임을 지나치게 강조하고 있다는 점을 근거로 들어야겠어.

[11 ~ 12] 다음 글을 읽고 물음에 답하시오.

교실에 탈의 공간을 만들어 주세요

교장 선생님, 안녕하세요? 저는 2학년 ○○반 김재희입니다. 항상 저희들을 위해 애써 주시는 교장선생님께 감사한 마음을 전하며, 한 가지 사항을 건의드립니다.

교실에 탈의 공간을 만들어 주시기 바랍니다. 학교에 별도로 탈의 공간이 없어서 매우 불편합니다. 체육 수업을 하려면 체육복으로 갈아입어야 하는데, 탈의 공간이 없다보니 화장실에서 갈아입을 수밖에 없습니다. 한데 10분이라는 짧은 시간 안에 옷을 갈아입어야 하는 친구들도 화장실을 이용해야 하고, 급한 용무를 봐야 하는 친구들도 화장실을 이용해야 하니 줄이 항상 깁니다. 이 때문에 체육 수업에 늦는 학생들이 많고, 심지어는 급한 용무를 보러 왔다가 종이 쳐서 용무를 보지 못하는 친구도 있습니다.

교실에 간이 탈의 공간이 마련된다면 옷을 빨리 갈아입을 수 있기 때문에 체육 수업에 늦지 않게 참여할 수 있을 것입니다. 화장실 이용도 더 편해질 것입니다. 또한 간이 탈의실이기 때문에 비용도 많이 들지 않을 것입니다.

저희를 위해 이 문제를 꼭 살펴봐 주시기를 다시 한번 부탁드립니다. 교실에 탈의 공간을 마련해 주신다면 저희의 학교 생활이 한결 편안해질 것입니다. 감사합니다.

20△△년 4월 20일 / 김재희 올림

세부 내용 파악

11 이 글에서 제기한 문제 상황으로 알맞은 것은?

① 수업 시간에 늦는 학생들이 너무 많다.
② 학교에 별도의 탈의 공간이 없어 불편하다.
③ 화장실을 이용할 수 있는 시간이 너무 짧다.
④ 수업 시간 중에 체육 수업이 차지하는 비율이 너무 적다.
⑤ 쉬는 시간이 짧아서 체육복으로 갈아입을 시간이 부족하다.

글쓰기 전략 파악

12 빈출 유형 다음은 이 글을 쓰기 위해 글쓴이가 쓴 메모이다. 이 글에 반영되지 <u>않은</u> 것은?

- 예의 바른 표현을 사용하여 독자로부터 호감을 얻어야지. ········ ㉠
- 문제 상황의 심각성을 강조하여 독자의 공감을 유도해야지. ········ ㉡
- 문제 상황을 구체적으로 제시하여 문제 해결에 대한 독자의 의지를 자극해야지. ········ ㉢
- 요구 사항이 실현되었을 때 나타날 수 있는 긍정적인 효과를 서술하여 설득력을 강화해야지. ··· ㉣
- 요구 사항을 받아들였을 때 학교 측과 학생 측이 얻을 수 있는 이익을 제시하여 설득력을 강화해야지. ········ ㉤

① ㉠　② ㉡　③ ㉢　④ ㉣　⑤ ㉤

문제 해결 방안의 조건 이해

13 서술 유형 〈보기〉의 소영과 영진이 고려하고 있는, 문제 해결 방안의 조건을 서술하시오.

보기

○○고등학교 학생들은 '버스의 배차 간격이 길어 등·하교가 힘들다.'라는 문제 상황을 해결하기 위해 학급 회의를 열었다. 다음은 이 회의에서 도출된 '버스 배차 간격을 단축해야 한다.'라는 해결 방안에 대한 두 학생의 의견이다.

대단원 3. 작문의 원리와 실제

3-(1) 자기를 소개하는 글 쓰기
3-(2) 친교의 내용을 표현하는 글 쓰기

생각 열기 어떻게 글을 써야 원하는 곳에 합격할 수 있을까?

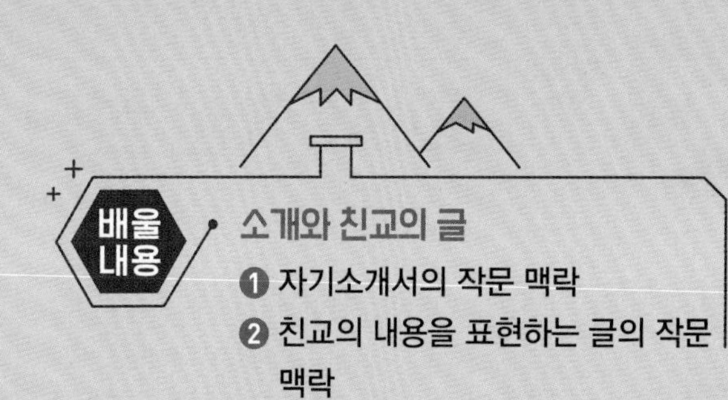

배울 내용

- 소개와 친교의 글
  1. 자기소개서의 작문 맥락
  2. 친교의 내용을 표현하는 글의 작문 맥락

교과서 181~189쪽

핵심 1 자기를 소개하는 글

1 개념 자신의 이력, 경험, ❶ [ ] 등을 담아 자기를 잘 모르는 독자에게 자기에 대해 ❷ [ ]하여 진학, 취업, 동아리 가입 등과 같은 특정한 목적을 달성하기 위한 글

2 자기를 소개하는 글을 쓸 때 고려할 작문 맥락

목적과 독자	자기소개서를 쓰는 ❸ [ ]에 따라 독자가 달라지므로 독자가 요구하는 바를 고려해야 함. 예 • 진학이 목적일 때의 독자: 대학의 입학 사정관 • 취업이 목적일 때의 독자: 기업의 인사 담당자
매체	자기소개서를 쓸 때에는 ❹ [ ]를 고려해야 함. 예 인쇄 매체인지 인터넷 매체인지에 따라 활용할 수 있는 자료가 달라짐.

핵심 2 자기소개서 작성 방법

1 작문 맥락을 고려한 자기소개서 작성 방법

작문 맥락	자기소개서 작성 방법
• 목적: 진학 • 독자: 입학 사정관	독자는 글쓴이의 학업 능력, 학교생활, 인성 등을 파악하고자 함. → 작성 방법: ❺ [ ]에 기울인 노력, 학습 경험, 학교생활, 교내·외 활동 경력, 학업 계획, 진로 계획 등을 중심으로 내용 구성
• 목적: 취업 • 독자: 인사 담당자	독자는 글쓴이가 업무 수행 능력을 갖고 있는지를 파악하고자 함. → 작성 방법: 자신의 학업과 해당 직무와의 연관성, 경력, ❻ [ ] 동기, 입사 후 포부 등을 중심으로 내용 구성
• 목적: 동아리 가입 • 독자: 동아리 부원	독자는 동아리에 대한 글쓴이의 ❼ [ ]과 열정을 파악하고자 함. → 작성 방법: 취미, 특기, 동아리 지원 동기를 중심으로 내용 구성

2 자기소개서의 내용과 표현

- 내용을 구체적이고 깊이 있게 써야 함.
- 창의적으로 내용을 구성하고, 품격 있는 표현을 사용해야 함.
- 과장하거나 꾸며 내어서 자신을 돋보이려고 하지 말고, ❽ [ ]한 내용을 써야 함.

❶ 장점
❷ 소개
❸ 목적
❹ 매체
❺ 학업
❻ 지원
❼ 관심
❽ 진솔

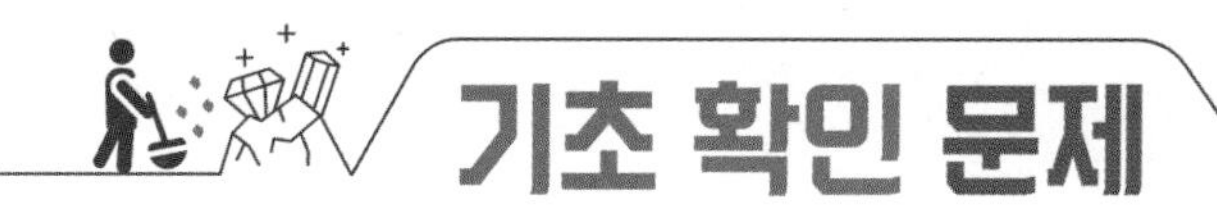

기초 확인 문제

정답과 해설 38쪽

1 자기를 소개하는 글에 대한 설명으로 적절한 것에는 ○표, 적절하지 않은 것에는 ×표를 하시오.

(1) 자기를 잘 모르는 독자에게 자기에 대해 알리는 글이다. (　　)

(2) 독자를 고려하지 않고 자기를 마음껏 표현하는 글이다. (　　)

(3) 글을 쓰는 목적에 따라 자기를 소개하는 내용의 구성이 달라질 수 있다. (　　)

2 다음에 제시된 자기소개서의 목적에 알맞은 글쓰기 전략을 〈보기〉에서 찾아 그 기호를 쓰시오.

보기

㉠ 동아리에 대한 관심과 열정을 드러낸다.

㉡ 업무 수행 능력을 드러낼 수 있는 경험 위주로 내용을 구성한다.

㉢ 독자가 나의 학업 능력, 학교생활을 긍정적으로 받아들일 수 있을 만한 내용을 중심으로 쓴다.

(1) 진학 → (　　　)

(2) 취업 → (　　　)

(3) 동아리 가입 → (　　　)

3 〈보기〉에서 자기소개서의 작성 방법으로 적절한 것을 골라 그 기호를 쓰시오.

보기

㉠ 비속어, 어법에 맞지 않는 말을 쓰지 않는다.

㉡ 필요한 부분은 과장하여 자신을 최대한 돋보이게 쓴다.

㉢ 한 가지 경험을 깊이 있게 쓰기보다는 최대한 여러 가지 경험을 드러내는 것이 좋다.

4 다음 상황에서 자기소개서를 읽은 인사 담당자의 반응으로 적절하지 않은 것은?

저는 엄하신 아버지와 자애로운 어머니 밑에서 1남 1녀 중 첫째로 태어나 예의범절과 건전한 정신의 가르침을 받으며 성장하였습니다. 학창시절에는 다양한 알바를 하며 사회 경험을 쌓았습니다.

① 상투적인 표현을 사용하여 지원자의 개성이 잘 드러나지 않는군.

② 격식을 갖추어 써야 할 글에 줄임말을 사용한 것은 좋은 인상을 주지 못하는군.

③ 다양한 경험을 할 때 자신이 보인 태도와 경험 이후의 노력을 표현한 것이 인상 깊군.

④ 이미 지원자의 자기소개서를 읽고 있는데 '저는'이라는 표현을 쓴 것은 불필요해 보이는군.

⑤ 구체적 일화를 쓰지 않고 '다양한' 경험을 하였다고 표현하니 지원자에 대해 파악하기가 어렵군.

5 자기를 소개하는 글을 평가하는 기준으로 적절하지 않은 것은?

① 진솔한 내용을 썼는가?

② 품격 있는 표현을 사용했는가?

③ 창의적으로 내용을 구성했는가?

④ 내용을 구체적이고 깊이 있게 썼는가?

⑤ 다른 사람과 다르지 않도록 무난하게 작성했는가?

핵심 1 친교의 내용을 표현하는 글

1 개념 초대, 감사, 부탁 등 다양한 목적으로 다른 사람과 친밀한 관계를 맺기 위해 쓰는 글

2 친교의 내용을 표현하는 글을 쓰는 방법

친교의 내용을 표현하는 글을 쓸 때에는 글을 받는 사람, 즉 ❶ [ ]와 글을 쓰는 확실한 ❷ [ ](초대, 감사, 부탁 등)을 고려하여 쓰는 것이 중요함.

❶ 독자
❷ 목적

핵심 2 친교의 내용을 표현하는 글을 쓸 때 고려할 작문 맥락

독자	• 친교의 내용을 표현하는 글은 받는 사람, 즉 독자가 정해져 있음. • 독자와 ❸ [ ]와의 관계, 독자의 ❹ [ ], 관심사 등을 고려하여 글을 써야 함.
목적	• 친교의 내용을 표현하는 글의 목적은 초대, 축하, 위로, 사과, 소개, 요청 등 매우 다양함. • 친교의 목적을 달성하기 위해서는 글쓴이가 글의 ❺ [ ]을 확실히 정하고 글을 써야 함.

❸ 나
❹ 나이
❺ 목적

핵심 3 친교의 내용을 표현하는 글 쓰기 과정

독자와 목적 정하기	누구에게, 어떤 목적으로 글을 쓸 것인지를 ❻ [ ]하게 정해야 함.
↓	
내용 생성하기	• 독자가 처한 ❼ [ ]을 고려하여 적절한 내용을 생성해야 함. 예 독자가 일이 많아 힘들어하는 아버지인 경우 → 아버지의 상황에 맞는 내용을 생성하고, 부드럽고 공손한 어조를 사용함. • 글을 쓰는 목적을 고려하여 내용을 생성해야 함. 예 목적이 사과인 경우 → 미안함을 느낀 상황과 그때의 마음을 떠올리며 내용을 생성하고, 앞으로의 다짐이나 기대 등을 덧붙일 수 있음.
↓	
표현하기	• 오로지 글로만 의미를 전달하므로 ❽ [ ] 바르고 공손한 표현을 사용하는 것이 중요함. • 거짓을 쓰거나 과장된 표현을 사용하지 말고 마음을 진솔하게 표현해야 함.

❻ 명확
❼ 상황
❽ 예의

기초 확인 문제

정답과 해설 38쪽

1 다음 ㉠~㉢에 들어갈 알맞은 말을 각각 쓰시오.

> • 친교의 내용을 표현하는 글은 글을 받는 [㉠] 이/가 정해져 있다.
> • 친교의 내용을 표현하는 글은 초대, 부탁, 감사 등 다양한 [㉡](으)로 다른 사람과 친밀한 [㉢]을/를 맺기 위해 쓴다.

2 친교의 내용을 표현하는 글을 쓸 때 고려할 점으로 적절한 것에는 ○표, 적절하지 않은 것에는 ×표 하시오.

(1) 친교의 내용을 표현하는 글을 쓸 때에는 독자와 나의 관계를 고려해야 한다. ( )

(2) 친교의 내용을 표현하는 글을 쓸 때에는 글의 목적을 명확하게 정해야 한다. ( )

(3) 특정하지 않은 다수의 일반적인 독자를 대상으로 하는 것이 일반적이므로 이를 고려하여 쓴다. ( )

3 다음 친교를 표현하는 글의 목적으로 적절한 것은?

> 영민아, 어제 내가 네 속상한 이야기를 잘 들어 주지 않아서 많이 서운했지? 정말 미안해. 실은 부모님께 꾸중을 듣고 속이 많이 상한 상황이었거든. 어제 내 행동은 진심이 아닌 것 알지? 내 귀는 항상 너를 향해 열려 있다고. 앞으로도 서로의 이야기에 귀를 기울여 주는 친구가 되자.

① 초대 ② 요청 ③ 위로 ④ 감사 ⑤ 사과

4 다음 상황에서 지예의 반응으로 볼 때, 편지글 쓰기에 대해 준영에게 조언할 내용으로 가장 적절한 것은?

> 지예야, 안녕? 나 준영이야.
> 오늘 널 만나서 하고 싶은 말이 있어서 글을 남겨.
> 이따 오후에 공원에서 보자!
> 20△△년 9월 20일
> 준영 씀

① 편지글을 쓸 때에는 글을 실을 매체를 고려해야 해.

② 편지글을 쓸 때에는 글을 쓰는 목적을 고려해야 해.

③ 편지글을 쓸 때에는 필자와 독자와의 관계를 고려해야 해.

④ 편지글을 쓸 때에는 독자를 확실하게 정하고 글을 써야 해.

⑤ 편지글을 쓸 때에는 편지글의 형식을 고려해서 글을 써야 해.

5 친교의 내용을 표현하는 글을 쓸 때의 표현 방법으로 적절하지 않은 것은?

① 과장된 표현은 피하고 진솔하게 쓴다.

② 공적인 의사소통 상황에서 쓸 때에는 내용과 표현 면에서 격식을 차려 쓴다.

③ 다 쓰고 난 뒤에는 문법상의 오류나 상대방의 기분을 상하게 할 내용은 없는지 검토한다.

④ 개인적인 의사소통 상황에서 쓸 때에는 예의를 차리지 않은 표현으로 독자에게 친근감을 준다.

⑤ 웃어른께 편지를 쓸 때에는 '~께', '귀하', '올림' 등의 표현을 사용하여 공손한 태도를 드러낸다.

교과서 기출 베스트

[1 ~ 2] (가)는 자기소개서의 초고이고, (나)는 (가)를 고쳐 쓴 것이다. 읽고 물음에 답하시오.

가 저는 디자인에 관심이 많아 어려서부터 디자인 분야의 책을 많이 읽었습니다. 또한 저는 미술에 소질이 있습니다. 다양한 교내·외 미술 대회에 참가하여 여러 차례 수상한 경력이 있습니다. 저의 디자인에 대한 풍부한 지식을 바탕으로 하여 광고를 만드는 ○○ 회사에서 활약하고 싶습니다. 타고난 미적 소질을 살려 우리나라 광고계에 한 획을 긋는 광고를 만들고 싶습니다.

나 "누군가에게는 이 계단이 에베레스트 산입니다."

이 광고 문구를 처음 보았을 때 저는 가슴 깊은 울림을 느꼈습니다. 단 한 번도 저는 지하철 계단을 '다른 누군가'의 관점에서 바라본 적이 없었기 때문입니다. 좋은 광고는 한 줄의 문장으로도 사람의 마음을 움직이는 힘이 있음을 그때 처음 알았고, 그때부터 저는 광고의 매력에 흠뻑 빠졌습니다.

찰나의 감동을 줄 수 있는 광고를 만들고 싶어 저는 다양한 교내·외 미술 대회에 참가하였습니다. 미술 대회에 작품을 내면 심사 위원을 비롯한 많은 사람들의 평가를 받을 수 있기 때문에, 제 작품에 대한 여러 사람들의 평가를 듣고 사람들이 지닌 다양한 관점을 이해하고 싶었기 때문입니다.

글쓰기 전략 이해

1 빈출 유형 **이와 같은 글을 쓸 때 유의할 점으로 적절하지 않은 것은?**

① 글의 목적과 독자를 고려하여 쓴다.
② 경험은 구체적으로 작성하는 것이 좋다.
③ 자신의 경험을 꾸미지 말고 진솔하게 쓴다.
④ 어법에 어긋나는 표현, 줄임말, 유행어, 비속어 등은 피한다.
⑤ 다른 사람들이 쓸 법한 내용과 표현으로 서술하여 자신이 상식 있는 사람임을 드러낸다.

글쓰기 전략 파악

2 빈출 유형 **글쓴이가 (가)를 (나)로 고쳐 쓸 때 고려하였을 글쓰기 전략으로 적절하지 않은 것은?**

① 경험만 쓰지 말고 경험을 할 때 내가 지녔던 태도를 함께 서술하는 것이 좋겠어.
② 한두 가지 경험을 자세히 쓰는 것보다는 다양한 경험을 나열하는 것이 좋겠어.
③ 첫 부분은 상투적인 내용보다는 인상 깊은 문구로 시작하여 독창성을 드러내야겠어.
④ 경험한 사실뿐만 아니라 경험을 통해 깨달은 점을 서술하면 나를 좀 더 잘 드러낼 수 있을 것 같아.
⑤ 광고업에 열정이 있음을 막연하게 제시하기보다는 구체적인 경험을 통해 드러내는 쓰는 것이 좋겠어.

글쓰기 전략의 적절성 파악

3 **다음 학생이 대학 진학을 위한 자기소개서를 쓰기 위해 경험을 떠올리고 있다고 할 때, ㉠~㉣을 활용할 방안으로 적절하지 않은 것은?**

① ㉠을 통해 교내 활동에 대한 적극성을 드러낸다.
② ㉡을 통해 자신의 인성을 드러낸다.
③ ㉢은 남들과 차별화되는 특별하고 거창한 경험이 아니면 활용하지 않는다.
④ ㉣을 통해 자신이 스스로 탐구하고 학습하는 능력을 갖췄음을 드러낸다.
⑤ ㉠~㉣을 모두 나열하기 보다는 자기소개서의 작문 맥락에 맞는 것 한두 가지를 골라 깊이 있게 쓴다.

[4~6] 다음 대화를 읽고 물음에 답하시오.

태은 선생님, 이번 주말까지 연극부 가입을 위한 자기소개서를 작성해서 연극부 누리집 게시판에 올려야 하는데 어떻게 써야 할지 막막해요.

선생님 그래? 그럼 일단 네가 글을 쓰는 상황을 분석해 보렴. 네가 자기소개서를 쓰는 목적이 무엇이지?

태은 연극부에 꼭 들어가고 싶어요. 그래서 연극부 선배들 및 부원들에게 저를 알리고, 연극부 선배들이 저를 부원으로 뽑도록 하고 싶어요.

선생님 그럼, ⓐ연극부 선배들은 연극부원으로 어떤 사람을 원할까?

태은 대본을 이해하는 능력과 연기력을 갖춘 사람을 원할 것 같아요. 어렸을 때부터 책을 읽고 책 속 인물을 따라 연기하는 것이 취미였다는 점을 적으면 어떨까요? 그리고 여러 사람이 함께 하는 활동이니까 협동심이 있다는 것, 또 책임감이 강하다는 것도 강조하고 싶어요.

선생님 그리고 ㉠동아리 누리집에 자기소개서를 올린다고 했지? 그럼 글 말고 다른 형태의 자료도 활용할 수 있겠구나.

태은 아, 그렇겠어요. 조언해 주셔서 감사합니다, 선생님.

작문 맥락 파악

4 빈출 유형 **다음은 태은이 쓰려는 자기소개서의 작문 맥락을 분석한 것이다. 적절하지 않은 것은?**

목적	연극부 지도 교사가 자신을 연극부원으로 뽑도록 하는 것 ············ ①
독자	• 연극부 선배들 ············ ② • 독자의 특성: 대본을 이해하는 능력과 연기력을 갖춘 사람을 연극부원으로 뽑기를 원함. ③
매체	• 동아리 누리집 ············ ④ • 매체의 특성: 글 외에도 시각 자료를 함께 활용할 수 있음. ············ ⑤

세부 내용 파악

5 **태은이 수립한 자기소개서의 글쓰기 전략으로 적절한 것은?**

① 자신과 연극부 선배들의 친분을 강조한다.
② 자신이 협동심과 책임감이 있다는 것을 강조한다.
③ 자신이 어려서부터 연기력이 뛰어났음을 강조한다.
④ 자신이 책 속 인물을 분석하는 능력이 뛰어남을 강조한다.
⑤ 자신이 누리집에 다양한 매체 자료를 활용하여 글을 쓰는 능력이 뛰어남을 강조한다.

작문 맥락을 고려한 글쓰기 전략

6 서술 유형 **㉠을 고려할 때, 태은이 자기소개서에 활용할 수 있는 자료의 예를 서술하시오.**

보기
ⓐ에 대해 태은이 분석한 내용을 강조할 수 있는 자료를 쓸 것

글쓰기 전략의 적절성 파악

7 **다음 ㉠~㉢의 목적으로 자기소개서를 작성할 때 유의할 점으로 적절하지 않은 것은?**

㉠: 대학 진학

㉡: 동아리 가입

㉢: 회사 취업

① ㉠: 자신의 학업 능력, 학교생활이 잘 드러나도록 작성한다.
② ㉠: 자신의 경험과 지원 업무와의 연관성을 중심으로 작성한다.
③ ㉡: 동아리 활동에 대한 관심과 열정이 드러나도록 작성한다.
④ ㉢: 경력 사항, 지원 동기 등을 중심으로 작성한다.
⑤ ㉢: 자신의 업무 수행 능력이 드러나도록 작성한다.

3일

3일 교과서 기출 베스트

글쓰기 전략 파악

8 빈출 유형 **다음 글에 대한 설명으로 적절하지 않은 것은?**

근래 평안히 지내지요. 채 정승(채제공)은 몇십 일만 지나면 80세 노인이 됩니다. 정승의 별자리가 근래 또 장수를 관장하는 별에 접근하고 있어 영중추부사는 82세, 봉조하는 72세, 판부사는 71세 그리고 경(심환지)은 70세가 되니 어찌 장한 일이 아닙니까? 조정에서 보기 드문 성대한 일입니다. 묵은 해를 보내고 새해를 맞이하는 때 이렇게 마음의 선물을 보내니 이 마음을 잘 알겠지요? 이만 줄입니다. 무오년(1798) 12월 10일 만천명월주인(萬川明月主人)은 쓴다.

–정조가 신하 심환지에게 보낸 연하장

① 의문문을 활용하여 글쓴이의 생각을 강조하였다.
② 독자의 나이를 고려하여 예의를 갖춘 표현을 사용하였다.
③ 새해를 맞아 독자의 안부를 묻는 친교의 내용을 담은 글이다.
④ 왕이 신하에게 보내는 편지이므로 명령하는 어투를 사용하였다.
⑤ 글을 쓴 날짜와 자신이 누구인지 드러내는 표현으로 글을 마무리하였다.

글쓰기 전략의 적절성 파악

9 빈출 유형 **〈보기〉의 작문 맥락으로 글을 쓸 때 글쓰기 전략에 대한 의견으로 적절하지 않은 것은?**

보기

- **필자의 입장**: 과학 과제로 실험 보고서를 제출해야 하는데, 다리를 다쳐 기한 내에 과제를 수행하기 어려움.
- **독자**: 과학 선생님
- **목적**: 과학 선생님께 필자의 입장을 고려하여 보고서 제출 기한을 늘려 달라고 부탁드리는 것
- **매체**: 전자 우편

① 
성우: 독자와의 관계를 고려하여 공손하고 예의 바른 표현을 써야 해.

② 
예은: 글을 쓰는 목적을 고려하여 필자의 학년, 반, 이름을 명확하게 밝혀야 해.

③ 
찬성: 기한 내에 보고서를 제출하기 어려운 상황을 구체적으로 충분히 밝히는 것이 좋아.

④ 소은: 부탁이 잘 받아들여지게 하려면 강한 어조로 강요하듯이 표현하는 것이 효과적이야.

⑤ 
준영: 과학 선생님과 친분이 있더라도 공적인 상황임을 고려하여 사적인 내용이나 가벼운 표현은 삼가는 것이 좋아.

표현 방법의 이해

10 서술 유형 **친교의 내용을 표현하는 글을 쓸 때 예의 바른 표현을 사용해야 하는 이유를 〈조건〉에 맞게 한 문장으로 서술하시오.**

조건

의미 전달 수단으로서 글이 지닌 특성을 포함하여 쓸 것

[11 ~ 13] **다음은 퇴계 이황이 고봉 기대승에게 쓴 편지이다. 읽고 물음에 답하시오.**

기정자의 안부를 묻습니다.

헤어진 뒤로 한동안 소식을 듣지 못했는데 어느덧 해가 바뀌었습니다. 어제 박화숙을 만나 다행히 그대가 부탁한 편지를 받았습니다. 애타게 기다리던 마음에 매우 위안이 되었습니다. 영예롭게 돌아온 뒤로 몸가짐과 마음가짐이 나날이 더욱 귀하고 풍성해졌을 것으로 생각합니다. 겉으로 처지가 바뀔수록 안으로 더욱 반성하고 보존함은 모두가 덕에 다가가고 어짊[仁]을 익히는 경지이니, 그 즐거움에 끝이 있겠습니까? 〈중략〉

선비들 사이에서 그대가 논한 사단칠정(四端七情)의 설을 전해 들었습니다. 저는 이에 대해 스스로 전에 말한 것이 온당하지 못함을 근심했습니다만, 그대의 논박을 듣고 나서 더욱 잘못되었음을 알았습니다. 그래서 그것을 다음과 같이 고쳐보았습니다. "사단의 발현은 순수한 이(理)인 까닭에 선하지 않음이 없고, 칠정의 발현은 기(氣)와 겸하기 때문에 선악이 있다." 이처럼 하면 괜찮을지 모르겠습니다. 〈중략〉

처음 만나면서부터 ㉠견문이 좁은 제가 박식한 그대에게서 도움받은 것이 많았습니다. 하물며 서로 친하게 지낸다면 도움됨이 어찌 이루 말할 수 있겠습니까? 헤아리기 어려운 것은 한 사람은 남쪽에 있고 한 사람은 북쪽에 있어, 이것이 더러는 ㉡제비와 기러기가 오고가는 것처럼 어긋날 수도 있다는 것입니다.

달력 한 부를 보내 드립니다. 이웃들의 요구에 따를 수 있을 것입니다. 드리고 싶은 말씀이 참 많습니다만 멀리 보낼 글이니 줄이겠습니다. 오직 이 시대를 위해 더욱 자신을 소중히 여기십시오.

삼가 안부를 묻습니다. 기미년(1559) 정월 5일, 황은 머리를 숙입니다.

글쓰기 전략 이해

11 빈출 유형 **이와 같은 글을 쓰는 방법으로 적절하지 않은 것은?**

① 독자를 명확하게 정한 후 내용을 생성한다.
② 독자가 처한 상황을 고려하여 내용을 생성한다.
③ 거짓을 쓰지 말고 진솔하게 자신의 마음을 표현한다.
④ 편한 말투와 감성적인 표현으로 독자에게 친밀감을 준다.
⑤ 요청, 사과, 소개 등의 다양한 목적 중 글을 쓰는 목적을 명확하게 정한 후 내용을 생성한다.

글쓰기 전략 파악

12 빈출 유형 **〈보기〉를 고려할 때, ㉠에 대한 설명으로 적절하지 않은 것은?**

보기

1558년 명종 13년 10월, 퇴계 이황은 성균관 대사성이었다. 그리고 고봉 기대승은 이제 막 과거에 급제한 청년이었다.

① 자신을 낮추고 상대방을 높이고 있다.
② 겸손한 표현으로 상대방의 학식을 인정하고 있다.
③ 자신보다 어린 독자에게 예의를 갖추어 표현하고 있다.
④ 독자와 원만한 관계를 유지하고자 하는 목적이 담겨 있다.
⑤ 자신이 학식이 짧아 지식이 부족하다는 것을 독자에게 알리는 말이다.

세부 내용 파악

13 **㉡의 의미로 적절한 것은?**

① 필자와 독자는 제비와 기러기처럼 좀처럼 친해지기 어려울 것이다.
② 필자와 독자는 제비와 기러기가 오고가는 계절에 만나게 될 것이다.
③ 필자와 독자가 서로 만나기 위해 움직여도 길이 엇갈려 만나지 못할 수 있다.
④ 필자와 독자가 지금은 서로 뜻이 어긋나지만 의견 차이를 좁히기 위해 노력하자.
⑤ 제비와 기러기가 서로 뜻이 어긋나듯이 독자와 필자도 뜻을 함께하기 어려울 것이다.

4 일

대단원 3. 작문의 원리와 실제

4-(1) 정서를 표현하는 글 쓰기
4-(2) 자기를 성찰하는 글 쓰기

생각 열기 나의 생각과 느낌을 글로 진솔하게 표현해 볼까?

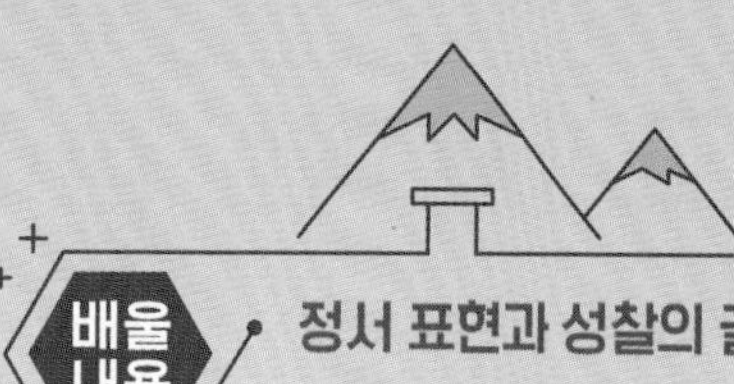

배울 내용

정서 표현과 성찰의 글

❶ 정서 표현과 성찰의 글의 유형
❷ 진정성과 개성
❸ 일상의 체험을 기록하는 습관

교과서 199~205쪽

핵심 1 정서를 표현하는 글

1 개념 글쓴이의 경험에서 얻은 ❶ [ ] 이나 어떤 대상을 살펴보고 나서의 느낌을 드러내는 글

❶ 감정

2 정서를 표현하는 글의 유형

유형	내용
수필	• 글쓴이 자신이 보고, 듣고, 느낀 바를 ❷ [ ] 롭게 표현한 글 • 일상 속에서 의미 있는 체험을 하거나 사물의 특별한 의미를 발견하고 그것에 대한 ❸ [ ] 를 진솔하게 표현한 글
기행문	• 여행을 하면서 보고 들은 것과 느낀 것을 자유롭게 쓴 글 • 독자는 기행문을 통해 ❹ [ ] 경험을 하고 유용한 정보를 얻을 수 있음.
감상문	• 문학, 연극, 영화, 미술, 음악 등에 대한 글쓴이의 생각이나 느낌을 표현한 글 • 글쓴이는 감상문을 쓰는 과정에서 자신의 생각을 구체화하고 대상을 새롭게 인식할 수 있음.

❷ 자유
❸ 정서
❹ 간접

핵심 2 정서를 표현하는 글의 특성

특성	내용
진정성이 드러나는 글	• 글쓴이 자신이 겪은 일을 쓰므로 주인공은 대체로 '나'임. • 글쓴이가 보거나 느낀 것을 ❺ [ ] 이나 왜곡 없이 그대로 드러냄.
개성이 느껴지는 글	• 개성은 ❻ [ ] 또는 표현에서, 사물을 바라보는 글쓴이의 독특한 시각에서 드러남. • 글쓴이의 행동이나 태도를 통해 개성이 드러나기도 함.

❺ 과장
❻ 문체

핵심 3 정서를 표현하는 글 쓰기 과정

과정	내용
일상 속 대상이나 사건 관찰하기	일상 속에서 대상이나 사건을 면밀히 관찰하기
↓	
대상이나 사건에 ❼ [ ] 부여하기	관찰한 대상이나 사건이 우리의 삶과 어떤 관련이 있는지 발견하기
↓	
표현하기	대상에서 발견한 의미나 가치를 ❽ [ ] 하게 표현하기

❼ 의미
❽ 진솔

기초 확인 문제

정답과 해설 40쪽

1 정서를 표현하는 글에 대한 설명으로 적절한 것에는 ○표, 적절하지 않은 것에는 ×표를 하시오.

(1) 정서를 표현하는 글은 주인공이 대체로 '나'이다. ( )

(2) 정서를 표현하는 글은 글쓴이가 보거나 느낀 것을 바탕으로 이야기를 창작하여 쓴다. ( )

(3) 예상 독자에 대한 인식이 적은 글이므로 지나치게 주관적인 견해나 난해한 사상을 전달하는 것이 좋다. ( )

2 정서를 표현하는 글을 쓰는 과정의 순서에 알맞게 〈보기〉의 기호를 나열하시오.

보기

㉠ 일상 속에서 대상을 면밀히 관찰한다.

㉡ 대상에서 발견한 의미나 가치를 진솔하게 표현한다.

㉢ 대상이 우리의 삶과 어떤 관련이 있는지 생각해 보고 의미를 부여한다.

3 다음 중 〈보기〉의 ㉠의 측면에서 글의 종류가 가장 다른 하나는?

보기

정서를 표현하는 글은 필자 중심의 글이기 때문에 ㉠예상 독자에 대한 인식이 다른 글에 비해 잘 드러나지 않는다.

① 일상 속의 체험을 쓴 수필

② 미술 작품을 보고 느낌을 표현한 감상문

③ 여행을 하며 보고 듣고 느낀 바를 쓴 기행문

④ 문학 작품을 읽고 자신의 생각과 느낌을 쓴 감상문

⑤ 일상 속의 체험에서 발견한 특별한 의미를 친구에게 알리는 편지글

4 다음은 한 학생이 정서를 표현하는 글을 쓰는 과정이다. ㉠과 관련 깊은 글쓰기 단계를 〈보기〉에서 골라 쓰시오.

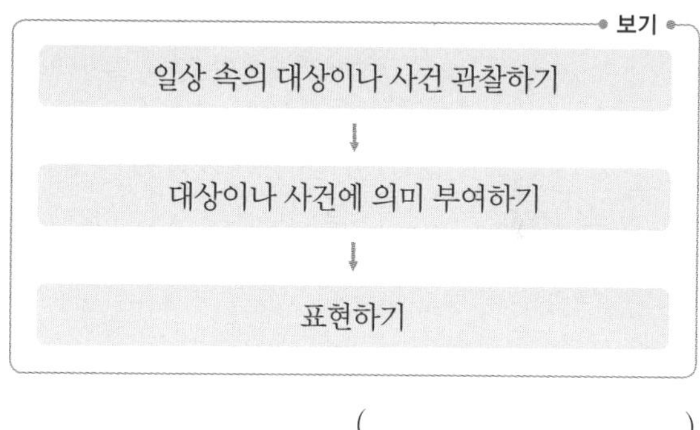

( )

5 기행문에 대한 설명으로 적절하지 않은 것은?

① '여정-견문-감상'의 순서로 형식을 갖추어 써야 한다.

② 글쓴이에게는 기념문, 독자에게는 여행지에 대한 안내문 역할을 할 수 있다.

③ 여행지에 대한 새로운 사실이나 경험을 소개한다는 점에서 정보 전달의 성격을 띤다.

④ 이와 같은 글을 잘 쓰기 위해서는 여행을 가기 전 여행지의 정보를 미리 조사해 보는 것이 좋다.

⑤ 일반적으로 여행을 하는 동안 일어난 일이나 보고 듣고 느낀 것을 시간 순서나 여정에 따라 쓴다.

4일 교과서 핵심 정리

교과서 206~213쪽

핵심 1 자기를 성찰하는 글

1 개념 자신의 ❶ [ ]을 되돌아보는 내용을 담은 글

❶ 삶

2 자기를 성찰하는 글의 유형

유형	내용
일기	• 자신의 삶의 체험을 기억하고 간직하기 위한 개인적인 기록 • 자신의 생각, 느낌을 쓰는 것이 중요하기 때문에 사건만 나열하기보다는 당시 느꼈던 ❷ [ ], 깨달음 등을 써야 함.
자서전	• 글쓴이 자신의 삶에 대한 ❸ [ ] • 시간 순서로 서술하는 것이 일반적이며, 시기별 혹은 주제별로 나누어 쓰기도 함.
회고문	• 글쓴이가 자신의 삶 가운데 독자에게 전할 만한 가치가 있다고 생각되는 내용을 기록한 글 • 글쓴이가 자신의 삶을 성찰하게 되므로 ❹ [ ]적 성격이 강함.

❷ 감회
❸ 전기
❹ 반성

핵심 2 자기를 성찰하는 글 쓰기 과정

단계	내용
자신의 삶 되돌아보기	자신의 삶에 큰 ❺ [ ]을 미친 경험들을 떠올리며 자신의 삶을 되짚어 봄.
↓	
가치 있는 경험 정하기	• 떠올린 경험들 중에서 글로 쓸 만큼 자신에게 의미 있는 경험을 선택함. • 평소 ❻ [ ]의 체험에 대한 자기의 생각이나 감정을 기록해 둔 일기장, 블로그, 메모장 등의 자료를 활용하면 도움이 됨. • 이러한 내용을 기록할 때는 경험을 했을 때의 느낌과 생각, 그 경험과 관련된 인물, 배경, 시대적 상황 등을 자세히 적어두는 것이 좋음.
↓	
경험에 의미 부여하기	가치 있는 경험을 했을 때의 ❼ [ ]이나 갈등 등을 진솔하게 표현하여 경험에 의미를 부여함.
↓	
표현하기	지나치게 자신의 ❽ [ ]에 치우쳐서 쓰지 말고 진솔하고 담담하게 표현함.

❺ 영향
❻ 일상
❼ 고민
❽ 감정

기초 확인 문제

정답과 해설 40쪽

4일

1 다음 제시된 설명에 알맞은 글의 유형을 〈보기〉에서 찾아 쓰시오.

보기

일기　　자서전　　회고문

(1) 글쓴이가 자신의 삶에 대하여 직접 쓴 전기 (　　　)

(2) 글쓴이가 자신의 생애 중 특별한 시기나 활동, 업적을 기억하며 쓴 글 (　　　)

(3) 글쓴이가 삶의 체험을 기억하고 간직하기 위해 남기는 개인적인 기록 (　　　)

2 다음 ㉠, ㉡에 들어갈 알맞은 말을 각각 쓰시오.

- 일기를 쓸 때는 자기의 생각이나 느낌을 쓰는 것이 중요하므로, [㉠]만 나열하는 것은 적절하지 않다.
- 또한 일기를 쓸 때는 당시 느꼈던 감회나 [㉡]을/를 쓰는 것이 좋다.

㉠: (　　　　　), ㉡: (　　　　　)

3 자기를 성찰하는 글 쓰기 과정의 순서에 알맞게 〈보기〉의 기호를 나열하시오.

보기

㉠ 표현하기
㉡ 자신의 삶 되돌아보기
㉢ 경험에 의미 부여하기
㉣ 가치 있는 경험 정하기

4 다음 상황에서 자서전을 읽은 친구가 글쓴이에게 할 수 있는 충고로 가장 적절한 것은?

① 자서전을 쓸 때에는 이것보다는 더 길게 써야 해.
② 자서전을 쓸 때에는 이것보다는 더 과장해서 써야 해.
③ 자서전을 쓸 때에는 네 자신에 대해 솔직하게 써야 해.
④ 자서전을 쓸 때에는 예상 독자를 더 구체적으로 분석해서 써야 해.
⑤ 자서전을 쓸 때에는 너의 삶 전반이 아니라 독자에게 전할 만한 가치가 있는 특정한 사건만을 기록해야 해.

5 회고문 쓰기에 대한 설명으로 적절하지 않은 것은?

① 글을 쓰기 전에 삶의 전 과정 중에서 변화를 가져온 중대한 사건이 있었던 시기를 되돌아본다.
② 글감으로 정한 시기에 했던 고민이나 갈등, 이룩한 일, 당대의 상황 등을 정리하여 내용을 생성한다.
③ 생성한 내용에 알맞게 순행적 또는 역순행적 구성 방식을 사용하여 내용을 조직한다.
④ 글을 쓸 때에는 독자에게 감동을 줄 수 있는 화려하고 수식이 많은 문체로 표현한다.
⑤ 글을 쓴 후에는 과장이나 왜곡 없이 솔직하게 서술하였는지 살펴보면서 부족한 부분을 고쳐 쓴다.

4일 교과서 기출 베스트

[1~3] 다음 글을 읽고 물음에 답하시오.

그러는 걸 나는 그저 그러는가 보다 하고, 내가 걸어야 할 길만 그대로 걷고 있었더니, 얼만큼 가다가 이 여자는 또 뒤를 한 번 힐끗 돌아다본다. 그리고 자기와 나와의 거리가 불과 지척 사이임을 알고는 빨라지는 걸음이 보통이 아니었다. 뛰다 싶은 걸음으로 치맛귀가 옹이하게 내닫는다. 나의 그 또그닥거리는 구두 소리는 분명 자기를 위협하느라고 일부러 그렇게 따악딱 땅바닥을 걷는 줄로만 아는 모양이다.

그러나 이 여자더러 내 구두 소리는 그건 자연이요, 고의가 아니니 안심하라고 일러드릴 수도 없는 일이고, 그렇다고 어서 가야 할 길을 아니 갈 수도 없는 일이고 해서, 나는 그 순간 좀 더 걸음을 빨리 하여 이 여자를 뒤로 떨어뜨림으로써 공포에의 안심을 주려고 한층 더 걸음에 박차를 가했더니 그럴 게 아니었다. 도리어 이것이 이 여자로 하여금 위협이 되는 것이었다. 내 구두 소리가 또그닥또그닥 좀 더 재어지자 이에 호응하여 또각또각 굽 높는 뒤축이 어쩔 바를 모르고 걸음과 싸우며 유난히도 몸을 일어내는 그 분주함이란 있는 마력(馬力)은 다 내보는 동작임에 틀림없었다. 그리하여, 또그닥또그닥 또각또각 한참 석양 노을이 내려 비치기 시작하는 인적 드문 보도 위에서 이 ㉠<u>두 음향의 속 모르는 싸움</u>은 자못 절정에 달하고 있었다. 나는 이 여자의 뒤를 거의 다 따랐던 것이다.

– 계용묵, 〈구두〉

정서를 표현하는 글의 특징 이해

1 빈출 유형 **이와 같은 글의 특징으로 적절하지 <u>않은</u> 것은?**

① 글의 주인공은 대체로 '나'이다.
② 문체 또는 표현 등을 통해 필자의 개성이 분명하게 드러난다.
③ 필자 중심의 글이기 때문에 예상 독자에 대한 인식이 다른 글에 비해 잘 드러난다.
④ 내용은 주로 글쓴이가 보거나 느낀 것을 과장이나 왜곡 없이 그대로 드러내는 것이다.
⑤ 이와 같은 글을 쓰면서 일상 속 경험에 의미를 부여하고 표현하는 과정을 통해 긍정적인 정서를 기를 수 있다.

표현상 특징 파악

2 **이 글의 표현상 특징으로 적절한 것은?**

① 글쓴이의 정서와 배경의 대비를 통해 정서를 강조하였다.
② 의인법을 사용하여 인물의 심리 상태를 구체적으로 드러내었다.
③ 의성어를 사용하여 긴장감이 느껴지는 상황을 실감나게 표현하였다.
④ 한자어를 사용하여 깊이 있는 철학적 주제를 담담한 어조로 서술하였다.
⑤ 공간적 배경을 그림 그리듯이 묘사함으로써 서정적인 분위기를 연출하였다.

표현상 특징 파악

3 서술 유형 **㉠이 의미하는 바를 〈조건〉에 맞게 쓰시오.**

조건
이 글에 쓰인 의성어 2가지를 포함하여 쓸 것

[4 ~ 5] 다음은 어느 학생이 라디오 프로그램에 보낸 사연이다. 읽고 물음에 답하시오.

안녕하세요? 저는 제주도에 사는 한 여고생입니다. 최근에 제가 겪었던 일에 대해 사연을 보냅니다. 그날은 날씨도 기분도 매우 흐린 날이었습니다. 수행 평가를 위해 준비할 것도 많은데 기말고사가 다가온다는 것이 짜증이 많이 났습니다. 좋은 성적은 얻고 싶지만 그걸 위해서는 열심히 노력하는 것이 너무나 귀찮고 싫었거든요. 그런 상태에서 저는 수행 평가 자료를 찾으러 도서관에 갔습니다. 관련 책을 찾아 읽었지만 눈에 들어오지 않았고, 공부라도 해 보려고 교과서를 읽었지만 그것도 머릿속에 들어오지 않았습니다. 그렇게 멍하니 시간만 보내다가 해가 다 지고서야 도서관을 나섰습니다.

짜증이 가득한 상태로 집으로 오던 저는 발에 걸리는 작은 돌멩이에게까지 화가 났습니다. 그런데 그날따라 제 눈길을 사로잡는 것이 있었습니다. 그것은 바로 ㉠<u>은근한 빛으로 길을 비추고 있는 낡은 가로등</u>이었습니다. 늘 그 자리에 있었을 텐데 그날따라 새롭게 보였습니다. 오래되어 낡은 모습이지만 누가 알아주든 말든 불빛을 내며 묵묵히 사람들을 위해 길을 비추어 주는 가로등. 그 가로등을 보며 저는 순간 저의 모습이 너무나 부끄러워졌습니다. 성실하게 주어진 일을 하고 있는 그 가로등과 달리, 저는 노력은 게을리하면서 멋진 성과만을 기대하고 있었으니까요. 그리고 그러한 욕심이 저를 더 지치고 힘들게 만들고 있었던 거죠.

문득 괴테의 소설 속 한 구절이 떠올랐습니다. "노력은 적게 하면서 많은 것을 얻으려는 곳에 한숨이 숨어 있다."라는 구절인데, 꼭 저에게 하는 말 같죠? 저는 이제 성과만 바라고 노력은 하지 않던 저의 모습은 버리고, 화려하지는 않지만 은근한 빛을 내며 자신의 역할을 다하던 낡은 가로등처럼 살려고 합니다. 청취자 여러분들도 저의 이러한 결심을 응원해 주실 거죠?

반응의 적절성 파악

4 이 글에 대한 반응으로 적절하지 <u>않은</u> 것은?

① 
도윤: 경험으로부터 깨달음을 얻게 된 과정을 서술하고 있어.

② 서아: 문학 작품의 한 구절을 인용하여 말하고자 하는 바를 강조하고 있어.

③ 
서준: 비유법을 사용하여 경험을 통해 다짐한 바를 구체적으로 드러내고 있어.

④ 
하연: 작문 맥락상 불특정 다수의 독자를 대상으로 하여 말하는 듯이 표현하고 있어.

⑤ 
은우: 글쓴이는 대상과 자신의 모습을 동일시하면서 대상으로부터 삶의 의미를 얻고 있어.

세부 내용 파악

5 문맥상 ㉠의 의미로 적절한 것은?

① 화려한 성과를 바라지만 정작 노력은 하지 않는 존재
② 사람들의 인정을 받기 위해 열정적으로 노력하는 존재
③ 성실한 자세로 주어진 일을 묵묵히 해내려 노력하는 존재
④ 새로운 도전을 두려워하며 늘 같은 자리에서 안주하는 존재
⑤ 아름다운 외모보다는 은근히 빛나는 내면을 더 중시하는 존재

4일 교과서 기출 베스트

[6 ~ 8] 다음 (나)는 (가)의 상황을 계기로 쓴 글이다. 읽고 물음에 답하시오.

가

나 〈전략〉 어느 날 체육 시간 내내 움직임이 시원찮았던 인하에게 난 "너 운동 정말 못하는구나."라고 말을 했다. 그러자 인하가 나에게 "너는 다른 사람의 마음은 신경 안 쓰냐? 무슨 말을 그렇게 심하게 해?"라고 말했다. 인하가 운동을 못해서 못한다고 말한 건데 뭐가 그렇게 기분이 상한 건지 이해할 수 없었다. 화가 난 나는 그런 말을 한 인하를 용서하지 않았고 나에게 말을 걸어도 받아 주지 않았다. 우리는 결국 그렇게 멀어졌고, 지금은 복도에서 우연히 마주쳐도 아는 체하지 않는 사이가 되었다. 그런데 오늘 나는 친구 호연에게 과거에 인하에게 들었던 것과 똑같은 말을 들은 것이다. 내가 다른 사람의 마음을 배려하지 않고 상처 주는 말을 거침없이 한다는 것.

집에 오는 길에 인하 생각이 났다. 그래서 집에 오자마자 예전의 ㉠일기를 들춰보니 인하와 함께했던 추억이 떠올라 마음이 아팠다. 그리고 인하가 얼마나 나를 다독여 주었는지 새삼 깨달을 수 있었다. 그런 인하에게 나는 너무 심한 말로 상처를 주었고, 오늘도 호연이에게 똑같은 실수를 한 것이다. 다른 사람이 어떤 감정을 느낄지는 상관하지 않고, 그냥 내가 생각한 것을 마음대로 말해 버리는 그 실수를, 나는 오늘도 반복한 것이다. 〈중략〉

나는 친구라면 모두 내 마음을 알아줄 거라 생각했다. 내가 심하게 말해도 친구니까 이해하고 받아 줄 줄 알았다. 하지만 그건 잘못된 생각이었다. 가까운 사람일수록 더욱 상대방의 마음을 헤아리며 따뜻하게 말해야 하는 것이었다. 비록 늦긴 했지만 오늘이라도 이 사실을 깨달아서 다행이다. 물론 오랫동안의 습관이라 쉽게 고치기는 어렵겠지만, 내일부터는 내 말이 상대방에게 어떤 영향을 줄지 생각하며 말해야겠다. 그리고 인하와 호연이에게 진심으로 사과하며 화해의 손을 내밀어야겠다. 아마도 두 친구들은 내 손을 잡아 줄 것이다, 좋은 녀석들이니까.

글의 유형 파악

6 (나)에 대한 설명으로 적절한 것은?

① 글쓴이가 자신의 과거 경험을 떠올리며 자신의 삶을 성찰하는 글이다.
② 글쓴이가 독자와의 관계를 개선하기 위해 사과하는 말을 전하는 글이다.
③ 글쓴이가 독자에게 갈등이 벌어진 상황을 해결해달라고 요청하는 글이다.
④ 글쓴이가 독자에게 타인을 배려하는 언어생활이 중요함을 주장하는 글이다.
⑤ 글쓴이가 독자에게 원만한 인간관계를 형성하는 말하기 방법을 설명하는 글이다.

세부 내용 파악

7 서술 유형 (나)에 드러난 글쓴이의 깨달음을 〈조건〉에 맞게 서술하시오.

조건
- 30자 내외의 완결된 한 문장으로 쓸 것

자기를 성찰하는 글 쓰기 방법 이해

8 **(나)와 같은 글을 쓸 때 ㉠과 같은 기록이 필요한 이유로 가장 적절한 것은?**

① 과거의 잘못이나 부끄러운 기억을 숨기기 위해서
② 평범한 자신의 경험을 화려하게 포장하기 위해서
③ 남들과 차별화되는 자신의 개성을 발견하기 위해서
④ 글감이 되는 과거의 경험을 생생하게 떠올리기 위해서
⑤ 주장하는 바에 대한 객관적이고 타당한 근거를 마련하기 위해서

자기를 성찰하는 글 쓰기 과정 이해

9 **다음 자기를 성찰하는 글을 쓰는 과정에 대한 설명으로 적절하지 않은 것은?**

㉠ 자신의 삶 되돌아보기
↓
㉡ 가치 있는 경험 정하기
↓
㉢ 경험에 의미 부여하기
↓
㉣ 표현하기

① ㉠: 자신의 삶에 큰 영향을 미친 경험들을 떠올리며 자신의 삶을 되짚어 본다.
② ㉡: 떠올린 여러 경험 중에서 글로 쓸 만큼 자신에게 의미 있는 경험을 선택한다.
③ ㉡: 평소 일상의 체험에 대한 자신의 생각이나 감정을 기록해 둔 일기장, 블로그, 메모장 등의 자료를 활용할 수 있다.
④ ㉢: 갈등한 경험, 부끄러운 경험보다는 자랑할 만한 긍정적인 경험만을 소재로 하여 의미를 부여한다.
⑤ ㉣: 지나치게 감정에 치우쳐서 쓰면 독자의 공감을 얻기 어려우므로 진솔하고 담담하게 표현한다.

자기 표현적 글 쓰기의 이해

10 **〈보기〉의 ㉠, ㉡과 같은 글들을 평가하는 기준으로 적절하지 않은 것은?**

보기

㉠: 수필, 기행문, 감상문
㉡: 일기, 자서전, 회고문

① ㉠: 경험에서 얻은 정서를 진정성 있게 글로 표현했는가?
② ㉠: 자신의 정서를 진솔하게 표현하여 독자에게 감동을 주고 있는가?
③ ㉡: 일상의 체험을 기록하는 습관을 바탕으로 성찰하는 글을 썼는가?
④ ㉡: 성찰하는 글 쓰기를 통해 자신의 삶에 긍정적인 의미를 부여했는가?
⑤ ㉡: 많은 사람들이 흔히 겪어 봤을 법한 경험을 소재로 하여 독자의 공감을 불러일으켰는가?

자기를 성찰하는 글의 유형 이해

11 **자기를 성찰하는 글을 쓸 때 유의할 점으로 적절하지 않은 것은?**

① 자서전은 시간 순서대로 서술하는 것이 일반적이다.
② 자서전은 분량의 제약을 어기지 않도록 자신의 삶을 압축적으로 표현한다.
③ 일기를 쓸 때에는 경험을 하면서 얻은 생각이나 느낌을 함께 적는 것이 좋다.
④ 일기를 쓸 때에는 사건만 나열하지 말고 당시 느꼈던 감회나 깨달음을 포함하는 것이 좋다.
⑤ 회고문을 쓸 때에는 화려하게 꾸밈이 많은 문체보다는 담백하고 진솔한 문체로 쓰는 것이 효과적이다.

4일

(1) 화법과 작문의 윤리
(2) 진심을 담은 의사소통
(3) 화법과 작문의 관습과 바람직한 언어문화

생각 열기 화법과 작문 활동을 할 때 갖추어야 할 태도에는 무엇이 있을까?

배울 내용

화법과 작문의 태도

❶ 저작권 침해와 표절

❷ 담화 관습과 작문 관습

❸ 진실성과 공손성

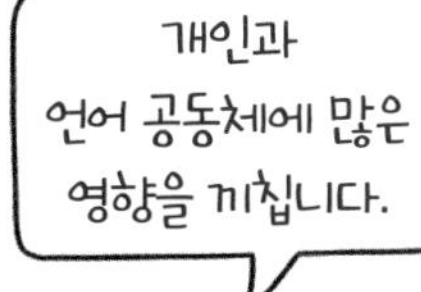

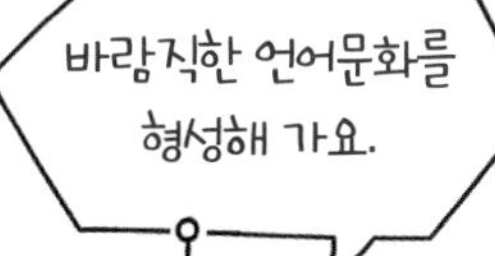

5일 교과서 핵심 정리

교과서 223~231쪽

핵심 1 화법과 작문의 사회적 책임

1 화법과 작문의 사회적 영향력

화법과 작문은 사회적 의사소통 행위임. ➔ 말과 글이 지니는 사회적 ❶ [   ]을 인식하고 타인을 배려하여 윤리적인 언어 활동을 하는 태도를 지녀야 함.

❶ 영향력

2 화법과 작문의 윤리를 지키기 위해 필요한 태도

- 의사소통을 할 때 신중한 태도로 정확한 내용과 표현을 활용해야 함.
- 자신이 알지 못하는 부분을 성급하게 ❷ [   ]하거나 판단하여 표현하지 않아야 함.
- 사실이나 정보를 과장하거나 왜곡하여 전달하지 않아야 함.
- 다른 사람의 오해를 불러일으키거나 마음을 상하게 할 수 있는 내용이나 표현을 삼가야 함.

❷ 추측

핵심 2 저작권의 개념과 저작물의 이용 방법

1 저작권의 개념

사람의 정신적 노력에 따른 결과물에 대해 그것을 ❸ [   ]한 사람에게 주는 권리

❸ 창작

2 타인의 저작물을 이용할 때 지켜야 할 사항

- 자신이 이용할 자료를 정하고 원칙적으로 그 자료를 만든 사람인 저작자에게 자료의 제목과 이용 방식 등을 자세히 알려 이용에 대한 ❹ [   ]을 받아야 함.
- 저작자가 자료의 이용을 허락하였다고 하더라도, 허락을 받은 범위 내에서, 그리고 ❺ [   ]에서 허용되는 방식으로 자료를 이용해야 함.
- 자료의 ❻ [   ]를 반드시 밝혀야 함.

❹ 허락
❺ 저작권법
❻ 출처

핵심 3 인용과 표절

인용		표절
• 개념: 공표된 저작물에 한해 정당한 범위 내에서 저작자의 ❼ [ ]를 구하여 사용하는 것 • 인용을 할 때 지켜야 할 사항 – 인용한 부분이 원문보다 길어서는 안 됨. – 인용하는 부분이 글과 연관이 있어야 함. – 출처를 밝혀야 함.	⬄	• 개념: 저작권을 지키지 않고 다른 사람의 글이나 자료, 아이디어의 일부 또는 전체를 그대로 베끼는 행위 → 다른 이의 재산을 훔치는 것과 같은 ❽ [ ] 행위이며, 저작권법에 따라 처벌을 받음.

❼ 동의
❽ 범죄

기초 확인 문제

정답과 해설 41쪽

1 다음 설명이 맞으면 ○표, 틀리면 ×표를 하시오.

(1) 화법과 작문은 사회적 영향력을 지닌 의사소통 행위이다. ( )

(2) 화법과 작문의 윤리를 지키지 않으면 타인에게 상처를 줄 수 있다. ( )

(3) 매체의 활용이 활발해지면서 화법과 작문의 사회적 책임이 줄어들었다. ( )

2 다음 중 화법과 작문의 윤리를 지키기 위해 필요한 태도로 적절한 것을 모두 골라 그 기호를 쓰시오.

> ㄱ. 신중한 태도로 정확한 내용을 전달한다.
> ㄴ. 자신이 알지 못하는 부분은 추측하여 표현한다.
> ㄷ. 사실이나 정보를 과장하거나 왜곡하여 전달하지 않도록 유의한다.
> ㄹ. 상대의 오해를 불러일으키거나 마음을 상하게 할 수 있는 표현을 사용하지 않는다.

3 인용에 대한 설명에는 '인', 표절에 대한 설명에는 '표'를 쓰시오.

(1) 공표된 저작물에 한해 정당한 범위 내에서 다른 이의 저작물을 사용하는 것이다. ( )

(2) 저작권을 지키지 않고 다른 사람의 글이나 자료의 일부 또는 전체를 베끼는 것이다. ( )

(3) 타인의 지적 재산권을 침해하는 행위이므로 저작권법에 따라 처벌을 받을 수 있다. ( )

(4) 보고서를 작성할 때 자신이 직접 생각하여 쓰지 않고 인터넷에서 찾은 글을 붙여 넣는 것을 예로 들 수 있다. ( )

4 다음 광고에 대한 반응으로 가장 적절한 것은?

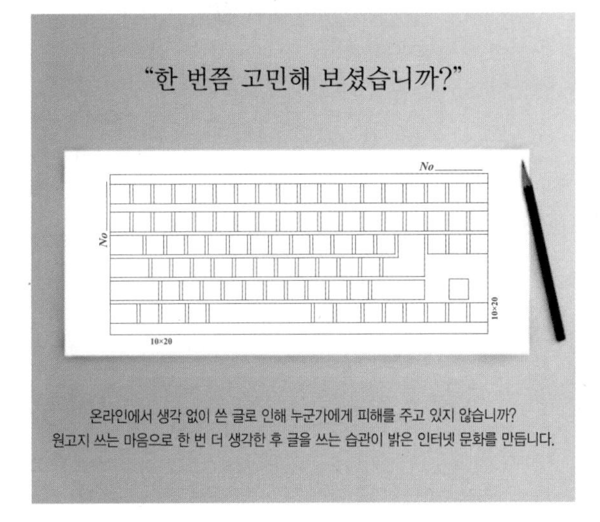

① 의사소통 윤리를 지키기 위해 원고지를 쓰는 방식을 익혀야 함을 강조하고 있군.
② 타인에게 피해를 주는 일이 없도록 온라인에 글을 올리지 말아야 함을 나타내고 있군.
③ 온라인에 글을 올리는 것은 개인적 수준에서만 이루어지는 의사소통이라는 점을 드러내고 있군.
④ 온라인에서 글을 쓸 때 사회적 영향력을 인식하고 의사소통 윤리를 잘 지키자는 점을 강조하고 있군.
⑤ 컴퓨터 자판을 원고지처럼 나타내어 온라인에 글을 올리기 전에 작문 연습을 해야 함을 나타내고 있군.

5 타인의 저작물을 이용할 때 지켜야 할 사항으로 적절하지 <u>않은</u> 것은?

① 저작자에게 자료의 이용에 대한 허락을 받는다.
② 저작권법에서 허용하는 방식으로 자료를 이용한다.
③ 저작자의 허락을 받은 범위 내에서 자료를 이용한다.
④ 저작자가 이용을 허락한 자료일 경우에는 출처를 밝히지 않는다.
⑤ 저작자에게 자료 이용에 대한 허락을 받을 때에는 제목과 이용 방식을 자세히 알린다.

핵심 1 진심을 담은 의사소통

1 화법과 작문의 가치

화법과 작문은 일상생활 속에서 가장 기본적인 ❶ [ ] 행위임.

➔

- 정서를 함양하는 역할을 함.
- 문제 해결 능력, 의미 구성 능력, ❷ [ ]의 향상에 도움을 줌.
- 원활하고 친밀한 대인 관계를 형성하게 함.
- 문화의 성장과 공동체의 발전에 기여함.

❶ 의사소통
❷ 사고력

2 진심을 담아 의사소통하는 태도

- 자신의 마음을 진솔하게 표현하되 상대방의 처지를 깊이 있게 헤아려 봐야 함.
- 말을 할 때에는 상대와 눈을 맞추고 ❸ [ ]을 담아 ❹ [ ]적인 태도를 보여야 함.
- 상대방에 대한 존중과 배려의 태도를 갖추며 말을 하거나 글을 써야 함.

❸ 진심
❹ 공감

핵심 2 화법과 작문의 관습

1 언어 공동체의 담화 관습과 작문 관습

- 화자와 필자가 말을 하거나 글을 쓰는 데 영향을 미침.
- 청자와 독자가 말과 글이 전달하는 의미를 이해하는 데 영향을 미침.
- 사회적 요인에 따라 ❺ [ ]가 변화를 겪으면 그것이 말과 글에 반영되어 새로운 담화 관습과 작문 관습이 형성되기도 함.

❺ 언어 공동체

2 담화 관습과 작문 관습의 내용, 형식, 표현 방식

내용	말을 하거나 글을 쓸 때는 ❻ [ ]의 규범과 가치를 고려하여 내용을 구성해야 함.
형식	담화 관습과 작문 관습의 ❼ [ ]을 지키면 의사소통의 목적을 원활하게 달성하는 데 도움을 줌. 예 경조사에서 예를 갖추어 말하기, 일정한 양식에 맞추어 편지 쓰기
표현 방식	내용이나 형식을 갖추더라도 표현이 적절하지 않으면 의사소통에 문제가 생길 수 있으므로 담화 관습과 작문 관습을 고려한 표현 방식을 사용해야 함.

❻ 언어 공동체
❼ 형식

핵심 3 바람직한 언어문화 형성을 위해 갖추어야 할 점

진실성	의사소통 과정에서 자신의 생각과 감정을 ❽ [ ]하게 드러내야 함.
공손성	상대방과 관계를 좋게 하기 위한 행위로서 사회적 의사소통 상황에서 개인이 조화롭게 상호 교류를 유지할 수 있는 특성 ➔ 상대방을 존중하는 표현과 태도를 유지해야 함.

❽ 진실

개념 Catch

- **언어 공동체**: 같은 언어를 사용하는 사회 집단
- **담화 관습과 작문 관습**: 언어 공동체들이 지닌 언어 사용의 형식, 내용, 소통 방식 등의 고유한 규범과 가치

기초 확인 문제

정답과 해설 41쪽

1 다음 설명이 맞으면 ○표, 틀리면 ×표를 하시오.

(1) 화법과 작문은 의사소통에 참여하는 사람들 사이의 상호 작용으로 이루어진다. (　　)

(2) 화법과 작문은 일상생활의 많은 부분을 차지하는 기본적인 의사소통 행위이다. (　　)

(3) 의사소통 시 자신의 진심을 감추어야 의사소통 참여자 간의 상호 작용이 원활하게 일어날 수 있다. (　　)

2 진심을 담아 의사소통하는 태도로 적절한 것을 모두 골라 그 기호를 쓰시오.

ㄱ. 글을 쓸 때 독자의 수준과 상황을 고려하여 표현한다.
ㄴ. 상대방보다는 나에 대한 존중과 배려를 우선시하여 의사소통한다.
ㄷ. 대화할 때 적절한 정도로 상대방과 눈을 맞추며 공감적인 태도를 보인다.
ㄹ. 대화할 때 진심을 담은 말투와 목소리로 상대방의 말에 집중하고 있음을 표현한다.

3 화법과 작문의 가치로 적절하지 않은 것은?

① 정서를 함양하는 역할을 한다.
② 사고력을 쌓는 데 도움을 준다.
③ 문화의 성장과 공동체 발전에 기여한다.
④ 문제 해결 능력과 의미 구성 능력 향상에 도움을 준다.
⑤ 상대방의 진심을 파악하는 능력을 향상하는 데 도움을 준다.

4 다음 상황에서 학생의 의사소통 방식에 대한 평가로 가장 적절한 것은?

① 예상 독자를 명확하게 설정하지 않았다.
② 의사소통의 목적을 잘 고려하여 표현하였다.
③ 공손한 표현으로 전후 맥락을 충분히 설명하였다.
④ 소속과 이름을 밝히지 않아 의사소통에 혼선을 주었다.
⑤ 독자가 궁금해 할 정보를 충분히 전달하여 의사소통의 목적을 달성하였다.

5 담화 관습과 작문 관습에 대한 설명으로 적절하지 않은 것은?

① 화자와 필자가 말과 글의 내용을 구성할 때 영향을 미친다.
② 청자와 독자는 말과 글이 전달하는 의미를 담화 관습과 작문 관습에 따라 이해하게 된다.
③ 언어 공동체가 지닌 언어 사용의 형식, 내용, 소통 방식 등의 고유한 규범과 가치를 뜻한다.
④ 언어 공동체의 담화 관습과 작문 관습은 한 번 형성되면 변하지 않고 유지되는 속성을 지닌다.
⑤ 담화 관습과 작문 관습의 형식을 고려해 표현하면 의사소통의 목적을 좀 더 수월하게 달성할 수 있다.

교과서 기출 베스트

[1 ~ 2] 다음 상황을 보고 물음에 답하시오.

세부 내용 파악

1 빈출 유형

이 상황을 이해한 내용으로 적절한 것은?

① 민재는 자신이 직접 확인한 사실을 의도적으로 숨겼다.

② 민재는 자신이 정확하게 알지 못하는 내용에 대해 언급하지 않았다.

③ 승지는 사실인지 확인하지 않은 내용을 전달하였다.

④ 승지는 자신이 들은 내용 중 객관적인 정보를 선별하였다.

⑤ 철수는 급식 당번을 하기 싫어서 발목을 다친 척했다.

의사소통 윤리의 이해

2 서술 유형

이 상황에서 민재에게 해줄 수 있는 조언을 〈조건〉에 맞게 서술하시오.

> 조건
>
> '추측'이라는 단어를 포함하여 쓸 것

인용의 개념과 방법 이해

3 빈출 유형

'인용'에 대한 설명으로 적절하지 않은 것은?

① 인용하는 부분은 글과 연관이 있어야 한다.

② 인용을 할 때에는 반드시 출처를 밝혀야 한다.

③ 공표된 저작물을 정당한 범위 내에서 사용하는 것을 말한다.

④ 인용 부호를 사용하거나 문단을 바꾸는 방식으로 인용문임을 밝힌다.

⑤ 독자가 쉽게 이해하기 어려운 내용을 인용할 때에는 본래의 내용보다 자세하고 길게 풀어 쓴다.

저작권 침해 사례 파악

4 빈출 유형

〈보기〉의 기사에서 지적하고 있는 문제 상황과 유사한 사례로 적절하지 않은 것은?

> 보기
>
> 2014학년도부터 2016학년도까지 3년간 대입에서 자기소개서를 표절했다고 의심되는 학생이 약 4,000명에 이르는 것으로 밝혀졌다. 그중 90퍼센트가 넘는 3,580명은 결국 불합격해 자기소개서 표절에 경종을 울리고 있다. 〈중략〉
>
> 학생들이 표절의 유혹에 빠지는 이유는 자기소개서가 합격에 큰 영향을 미친다고 생각하기 때문이다. 한 고등학교 3학년생은 "대부분 학생은 자기소개서를 잘 써야만 수시 전형에 합격할 수 있다고 생각한다."라며 "이 때문에 이전 합격생들이 쓴 자기소개서를 참고하고 일부 베끼기도 한다."라고 했다.
>
> -《조선에듀》(2016. 12. 22.)

① 다른 사람의 보고서를 자신의 것이라고 발표함.

② 인터넷에서 찾은 글을 그대로 복사해 과제를 제출함.

③ 다른 사람의 아이디어를 허락 없이 가져다 자신의 글에 활용함.

④ 예상과 다르게 나온 실험 결과를 처음 의도대로 바꾸어 보고서를 작성함.

⑤ 다른 사람이 쓴 소설과 같은 줄거리로 작품을 써서 자신의 이름으로 발표함.

의사소통 윤리를 어긴 사례 파악

5 빈출 유형 **다음 상황에 대한 반응으로 적절하지 않은 것은?**

① 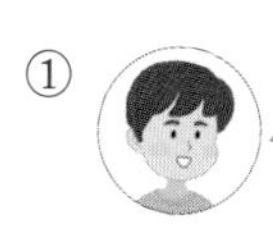 정윤: 신뢰할 수 없는 정보가 뉴스 보도를 통해 확산되었군.

②  소현: 타인에게 피해를 입힐 수 있는 내용을 블로그에서 공유하였군.

③  수원: 잘못된 정보가 인터넷 매체를 통해 많은 사람들에게 전파되었군.

④ 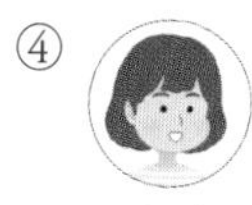 유나: 친구와의 대화에서 사실 여부가 확인되지 않은 정보를 전달하였군.

⑤ 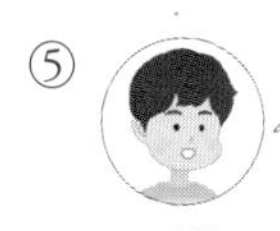 지원: 의사소통 윤리를 지키지 않으면 타인에게 악영향을 끼치게 되는군.

의사소통 윤리의 이해

6 빈출 유형 **의사소통 윤리를 지키기 위해 지녀야 할 바람직한 태도로 적절하지 않은 것은?**

① 사실을 과장하거나 왜곡하여 전달하지 않도록 유의한다.

② 사실이 확인되지 않은 내용은 사실을 확인한 후 전달한다.

③ 상대의 오해를 불러일으키거나 마음을 상하게 할 수 있는 내용이나 표현을 삼간다.

④ 자신이 전하고자 하는 내용이 타인에게 해를 주지 않는 것인지 신중히 판단한다.

⑤ 말을 하거나 글을 쓸 때에는 최대한 신속하게 표현하여 여론을 즉각적으로 형성한다.

의사소통 윤리의 이해

7 서술 유형 **다음 상황에서 부반장이 동희에게 해야 할 사과의 말을 〈조건〉에 맞게 서술하시오.**

조건

부반장이 잘못한 행동의 내용과 앞으로의 다짐을 포함하여 쓸 것

5일 교과서 기출 베스트

[8~9] 다음 글을 읽고 물음에 답하시오.

2016년 8월 10일 아침, 리우 올림픽 펜싱 남자 에페 결승전에서 온 국민을 흥분시킨 역전극을 쓰며 '깜짝 금메달'을 선사한 박상영의 뒤에는 부진한 성적으로 힘들어하는 아들 곁을 든든히 지킨 아버지의 사랑이 있었다.

박상영은 지난 3월 본인의 누리 소통망에 "아버지, 선물 감사합니다. 자주 전화도 못 드리는데 아빠는 제 생각뿐이셨네요. 잘 읽고 힘낼게요. 사랑합니다."라는 글과 함께 부친의 ㉠손 편지를 게재했다.

> 사랑하는 아들에게
>
> 오늘 저녁에 운동을 나가니 그동안 보지 못했던 벚꽃에 새순이 돋아 봄의 향기가 진동하는 것 같아 큰 숨을 들이마셔 본다. 봄의 향기가 가슴에 가득 차는 것 같아 기분이 상쾌하구나. 참 세월이 빠르네. 며칠 전 앙상했던 나뭇가지가 이렇게 봄기운을 풍기니, ⓐ거대한 비바람과 추위를 이겨 낸 너 또한 위대하구나.
>
> ⓑ영아, 많이 힘들지? 아무것도 할 수 없는 아빠는 너무 마음이 아프네.
>
> 영아!
>
> ⓒ하늘이 우리 영이에게 시련과 아픔을 내리니 그것은 우리 영이를 더 큰 사람으로 만들게 하기 위한 것이라 믿는다. ⓓ하늘이 우리 영이에게 비바람과 추위를 내리는 것은 거대한 고목이 되게 하기 위함이라 믿는다. 그리하여 이겨 내고 또 이겨 내면 아무도 넘볼 수 없는 강인한 영이로 태어날 것이라 아빠는 믿는다. ⓔ우리 아들이 작은 패배에 위축되지 않고 꿈을 향해 한 걸음, 한 걸음 나아갈 것을 아빠는 믿는다.
>
> 그리하여 그 꿈은 위대하리라는 것을 아빠는 믿는다.
>
> 사랑하는 상영에게, 아빠가.

- 《세계일보》(2016.8.10)

반응의 적절성 파악

8 (빈출 유형) **㉠에 대한 반응으로 적절하지 않은 것은?**

① 
진목: 이 편지는 아버지로서 아들에게 위로와 용기를 주기 위해 쓰였어.

② 
나래: 이 편지를 받은 아들은 아버지의 응원에 힘입어 슬럼프를 극복할 수 있었어.

③ 
진구: 이 편지처럼 진심을 담아 의사소통을 하면 인간관계가 더욱 돈독해질 수 있어.

④ 
민정: 이 편지처럼 진심을 담은 글은 상대에게 공감을 불러일으키고 감동을 줄 수 있어.

⑤ 
하균: 이 편지에서 아버지는 아들을 훈계하면서 문제를 해결할 수 있는 구체적인 방법들을 나열하고 있어.

세부 내용 파악

9 **ⓐ~ⓔ에 대한 이해로 적절하지 않은 것은?**

① ⓐ: 아들을 자랑스럽게 여기는 마음을 드러내고 있다.
② ⓑ: 아들의 상황을 이해하고 위로해 주고자 하는 마음을 드러내고 있다.
③ ⓒ: 아들이 겪는 시련은 성장을 위한 과정임을 드러내어 아들을 격려하고 있다.
④ ⓓ: 아들이 자연 속에서 여유 있는 삶을 살기를 바라는 마음을 드러내고 있다.
⑤ ⓔ: 아들이 꿈을 향해 나아갈 수 있기를 응원하는 마음을 드러내고 있다.

[10~12] 다음은 교내 모의 유엔 총회의 준비 과정과 실시 장면이다. 읽고 물음에 답하시오.

가 준비 과정

현수 교내 모의 유엔 총회에 참가하는 친구들은 모두 왔지? 오늘 각본을 준비해 오기로 했잖아. 근데 중간에 시험 기간까지 겹쳐서 다들 여유가 없었겠다.

민서 맞아. 나는 얼마 전 학생회 모임에도 참석하느라 시간이 더 부족했어. 그래서 사실 각본이 덜 완성된 상태야.

준석 이젠 다들 서둘러야겠어. 게다가 곧 동아리 축제까지 열리잖아. 참, 너희들 시험은 잘 보았니? 나는 실력을 제대로 발휘하지 못한 것 같아.

규진 나도 마찬가지야. 평소에 미리 대비해 두어야 했는데. 그건 그렇고, 오늘은 의제에 대한 각자의 입장만 확실히 정하고 다음 모임까지 각본을 완성해 오기로 하자.

나 실시 장면

현수(의장) 의장단 여러분, 대표단 여러분 그리고 이 자리를 빛내러 오신 귀빈 여러분, 안녕하십니까. 은빛고등학교 제3회 모의 유엔 총회에 오신 것을 환영합니다. 이번 총회는 '전 세계적 탄소 배출 감소를 위한 국제 협약'을 의제로 채택하였습니다. 〈중략〉 먼저 브라질 대표단의 기조 연설문 발표가 있겠습니다.

민서(브라질 대표단) ㉠존경하는 의장님 그리고 대표단 여러분. 지구 온난화에 따른 이상 기후 때문에 브라질은 폭우, 가뭄 등의 재해를 겪고 있습니다. 그래서 브라질의 콩과 커피 생산량은 지속해서 감소하고 있습니다. 〈중략〉 존경하는 의장님, 브라질 당국은 앞으로도 신재생 에너지에 더욱 많은 자본을 투자하여 지속 가능한 개발에 힘쓰겠습니다.

현수(의장) 총회를 대표하여 브라질 대표단의 연설에 감사를 표합니다. 이어서 중국 대표단의 기조 연설문 발표가 있겠습니다.

말하기 방식 파악

10 빈출 유형 **(가), (나)에 나타나는 말하기 방식에 대한 설명으로 적절한 것은?**

① (가): 예의를 갖춘 경어체를 사용하여 말하고 있다.
② (가): 해당 담화의 정해진 규칙에 따라 말하고 있다.
③ (나): 친분을 기반으로 하여 사적이고 개인적인 내용을 자유롭게 말하고 있다.
④ (나): 청자의 연령을 고려하여 반말체를 사용하여 말하고 있다.
⑤ (나): 주제에 부합하는 내용만을 언급하며 주제를 벗어나는 사적인 말은 하지 않고 있다.

담화 관습의 이해

11 빈출 유형 **다음 빈칸에 들어갈 말로 적절한 것은?**

선생님, (나)의 민서는 왜 친구인 현수에게 ㉠과 같은 표현을 사용하는 것인가요?

그건, (   ) 위해서야.

① 평소 갖고 있던 민수에 대한 존경심을 표현하기
② 실제로는 민서보다 나이가 많은 현수를 존중하기
③ 현수에게 호감을 얻어 총회에서 좋은 결과를 얻기
④ 현수가 의장을 할 만한 능력이 충분하다고 인정하고 있음을 표현하기
⑤ 관습적 표현을 활용하여 상대와 담화 상황을 존중하는 태도를 드러내기

작문 관습의 이해

12 서술 유형 **(나)의 행사에 부모님을 초청하는 초대장을 작성한다고 할 때, 고려해야 할 작문 관습을 〈조건〉에 맞게 서술하시오.**

조건
- 초대장이 갖추어야 할 작문 관습의 형식을 한 가지 쓸 것
- 예상 독자를 고려한 작문 관습의 표현 방식을 한 가지 쓸 것

5일

누구나 100점 테스트 1회

1 다음 (가)~(다)의 내용을 바탕으로 하여 글을 쓸 때 적절한 내용 조직 방법을 〈보기〉에서 골라 그 기호를 쓰시오.

가

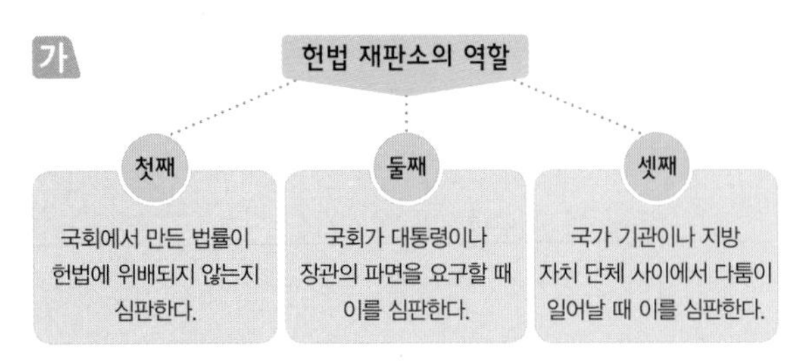

나

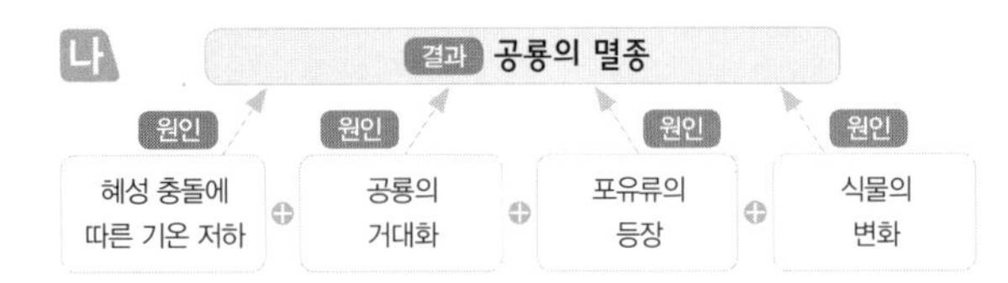

다

문제	해결 방안
• 공기 오염이 심해지고 있다.	• 청정 연료를 보급한다. • 대기 정화 처리 시설을 설치한다. • 자전거 이용을 장려하는 정책을 펼친다.

조건

㉠ 나열 구조　㉡ 순서 구조　㉢ 인과 구조
㉣ 비교·대조 구조　㉤ 문제 해결 구조

(가):

(나):

(다):

2 다음은 연제가 정보를 전달하는 글을 블로그에 게시하면서 벌어진 상황이다. 이를 통해 알 수 있는, 정보 전달을 위한 글을 쓸 때 주의할 점으로 가장 적절한 것은?

① 독자의 배경지식에 부합하는 정보를 선택해야 한다.
② 독자의 이해를 돕기 위해 명확한 표현을 사용해야 한다.
③ 지나치게 오래된 자료는 효용이 떨어지는 것이 아닌지 판단해 보아야 한다.
④ 자료를 수집한 후에는 신뢰할 만한 정보를 선별해야 한다.
⑤ 인터넷 매체에서 자료를 수집하지 말고, 전문가 면담과 같이 직접적인 방법으로 자료를 수집해야 한다.

[3 ~ 4] 다음 글을 읽고 물음에 답하시오.

가 연구 방법

(1) 연구 대상과 기간
- **대상:** △△고등학교 전교생 1,045명
- **기간:** 2013년 3월 2일~2014년 12월 31일

(2) 연구 설계와 절차

1) 우선 '그린 존 / 레드 존 제도'를 실행하기 위해 학교 급식실에 '그린 존'과 '레드 존'이라는 별도의 잔반 처리 구역을 설치한다. 이후 학생들이 급식 잔반 유무에 따라 '그린 존', '레드 존'을 달리 이용하게 한다. 급식을 남기지 않은 학생은 '그린 존'을 이용하게 하고, 학생이 직접 아프리카 기아 아동을 형상화한 '카미시와 쿰바'에게 가상의 음식물 모형(스티커 형태)을 주게 함으로써 자신이 급식을 남기지 않은 것이 아프리카 기아 아동에게 도움이 되었음을 인식하게 한다.

2) 이러한 과정을 통해 매일 발생하는 급식 잔반의 양을 킬로그램(kg) 단위로 기록하고, 이를 합산하여 월별 총량을 기록한다. 이 제도를 1년간 시행한 후, 제도를 실시하기 전인 2013년도와 제도 실시 1년 후인 2014년도의 학생 개인별 잔반량, 학교 전체의 월별 급식 잔반량 및 잔반 처리 비용을 비교함으로써 학생 개개인과 학교 전체의 급식 잔반량이 감소되었는지 확인한다.

나 연구 결과와 해석

〈중략〉 다음 그래프는 '그린 존/레드 존 제도' 시행 후, 학교 전체의 급식 잔반량이 시행하기 전보다 큰 폭 감소하였음을 보여 준다.

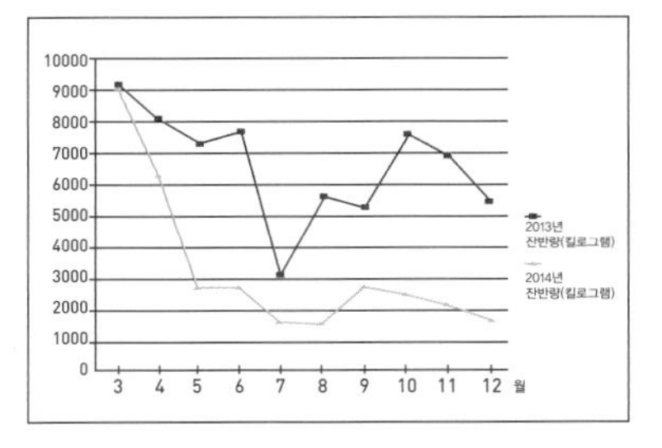

2013년과 2014년 잔반량 비교 그래프

3 이와 같은 글을 쓸 때 유의할 점으로 적절하지 <u>않은</u> 것은?

① 간결하고 명확한 표현을 사용한다.
② 보고문이 포함해야 할 형식적 요소를 갖추어 쓴다.
③ 연구의 필요성, 목적, 방법 등의 요소를 포함하여 쓴다.
④ 다른 사람의 자료를 인용할 때에는 출처를 정확히 밝힌다.
⑤ 연구 결과에서 처음 의도와 다르게 도출된 부분은 삭제하여 글의 신뢰도를 높인다.

4 다음은 이 글에 나타난 연구의 절차를 정리한 것이다. 적절하지 <u>않은</u> 것은?

1. △△고등학교의 전체 학생을 대상으로 연구를 진행한다. ········ ①
2. 2013년도의 잔반량과 잔반 처리 비용의 월별 총량을 측정한다. ········ ②
3. 2014년부터 '그린 존 / 레드 존 제도'를 실시한다. ········ ③
4. 2014년도의 잔반량과 잔반 처리 비용의 월별 총량을 측정한다. ········ ④
5. 측정한 2014년도의 월 단위 잔반량과 잔반 처리 비용을 직전 월과 비교하여 감소되었는지 확인한다. ········ ⑤

5 다음 예문에 활용된 표현 방법을 〈보기〉에서 찾아 쓰시오.

보기: 비유법　　설의법　　이중 부정

(1) 이런 이유로 청소년 게임 중독 현상을 걱정하지 않을 수 없다. (　　　)
(2) 기부는 꼭 돈이 많은 사람, 유명한 사람만이 할 수 있는 것일까? (　　　)
(3) 힘든 상황에 처했을 때 무조건 맞서는 것만이 능사는 아니다. 비가 많이 올 때는 우산을 이용할 줄도 알아야 하는 것이다. (　　　)

6 설득하는 글을 쓸 때 수집한 논거를 선별하는 기준으로 적절하지 않은 것은?

① 자료의 출처가 명확하고 믿을 만한가?
② 의견을 낸 화자나 필자가 전문성을 갖추었는가?
③ 필자의 선입견이나 편견이 들어가지는 않았는가?
④ 기존에 사용되지 않은 독창적이고 창의적인 논거인가?
⑤ 누구에게나 통용될 수 있을 만한 객관성을 갖추고 있는가?

7 다음은 진영이 비평하는 글을 쓰는 과정의 일부이다. ㉠에 해당하는 과정을 〈보기〉에서 찾아 그 기호를 쓰시오.

다양한 관점들을 검토해 보니 나의 관점을 세울 수 있겠어. ㉠나는 확인되지 않은 정보를 퍼뜨리는 누리 소통망 사용자들의 의식에 문제가 있다고 생각해.
앞에서 비평의 대상을 이해하면서 찾은 다양한 관점들과 그 관점의 근거들을 내가 쓸 글의 근거를 생성하는 데에 자료로 활용해야지. 특히 언론의 문제로 이 사건을 바라보는 관점은, 정확한 정보를 신중하게 전달해야 할 개인의 책임을 간과하는 것이 아니냐는 점을 근거로 들면서 내 관점을 강화해야겠어.

보기

ⓐ 비평의 대상 선정하기
↓
ⓑ 비평의 대상 이해하기
↓
ⓒ 자신의 관점 수립하기
↓
ⓓ 비평의 근거 마련하기
↓
ⓔ 표현하기

8 다음 글에 대한 설명으로 적절하지 않은 것은?

교장 선생님, 안녕하세요? 저는 2학년 ○○반 김재희입니다. 항상 저희들을 위해 애써 주시는 교장 선생님께 감사한 마음을 전하며, 한 가지 사항을 건의드립니다.

교실에 탈의 공간을 만들어 주시기 바랍니다. 학교에 별도로 탈의 공간이 없어서 매우 불편합니다. 체육 수업을 하려면 체육복으로 갈아입어야 하는데, 탈의 공간이 없다보니 화장실에서 갈아입을 수밖에 없습니다. 한데 10분이라는 짧은 시간 안에 옷을 갈아입어야 하는 친구들도 화장실을 이용해야 하고, 급한 용무를 봐야 하는 친구들도 화장실을 이용해야 하니 줄이 항상 깁니다. 이 때문에 체육 수업에 늦는 학생들이 많고, 심지어는 급한 용무를 보러 왔다가 종이 쳐서 용무를 보지 못하는 친구도 있습니다.

교실에 간이 탈의 공간이 마련된다면 옷을 빨리 갈아입을 수 있기 때문에 체육 수업에 늦지 않게 참여할 수 있을 것입니다. 화장실 이용도 더 편해질 것입니다. 또한 간이 탈의실이기 때문에 비용도 많이 들지 않을 것입니다.

저희를 위해 이 문제를 꼭 살펴봐 주시기를 다시 한 번 부탁드립니다. 교실에 탈의 공간을 마련해 주신다면 저희의 학교생활이 한결 편안해질 것입니다. 감사합니다.

20△△년 4월 20일 / 김재희 올림

① 공동체의 현안을 해결하려는 목적으로 쓴 글이다.
② 문제 상황을 구체적으로 제시하여 독자의 공감을 유도하고 있다.
③ 독자의 호감을 얻기 위해 예의 바르고 공손한 표현을 사용하고 있다.
④ 건의가 받아들여졌을 때 나타날 수 있는 긍정적인 효과를 제시하고 있다.
⑤ 독자의 사회적 지위를 고려하여 비유를 통해 요구 사항을 에둘러 표현하고 있다.

[9~10] 다음을 읽고 물음에 답하시오.

가 저는 디자인에 관심이 많아 어려서부터 디자인 분야의 책을 많이 읽었습니다. 또한 저는 미술에 소질이 있습니다. 다양한 교내·외 미술 대회에 참가하여 여러 차례 수상한 경력이 있습니다. 저의 디자인에 대한 풍부한 지식을 바탕으로 하여 광고를 만드는 ○○ 회사에서 활약하고 싶습니다.

나 "누군가에게는 이 계단이 에베레스트 산입니다."
이 광고 문구를 처음 보았을 때 저는 가슴 깊은 울림을 느꼈습니다. 단 한 번도 저는 지하철 계단을 '다른 누군가'의 관점에서 바라본 적이 없었기 때문입니다. 좋은 광고는 한 줄의 문장으로도 사람의 마음을 움직이는 힘이 있음을 그때 처음 알았고, 그때부터 저는 광고의 매력에 흠뻑 빠졌습니다.

찰나의 감동을 줄 수 있는 광고를 만들고 싶어 저는 다양한 교내·외 미술 대회에 참가하였습니다. 미술 대회에 작품을 내면 심사 위원을 비롯한 많은 사람들의 평가를 받을 수 있기 때문에, 제 작품에 대한 여러 사람들의 평가를 듣고 사람들이 지닌 다양한 관점을 이해하고 싶었기 때문입니다.

다 저는 부모님의 관심과 사랑을 한 몸에 받으며 행복하게 자라 왔습니다. 어머니는 항상 따뜻하고 자상하셨고, 아버지는 늘 무뚝뚝하지만 때때로 정이 많으셨습니다. 그런 부모님 밑에서 저는 밝고 건강하게 잘 자라왔습니다.

라 저는 ㉠'뜨거운 사막의 오아시스에 놓인 물바가지들'처럼, 아무리 어려운 상황에서도 당신이 지니신 것을 가족과 이웃들에게 아낌없이 나누시는 어머니를 지켜보며, 넓은 아량과 인내를 배웠습니다. "하늘은 스스로 돕는 자를 돕는다."라는 말을 몸소 자신의 삶 속에서 실천하시는 아버지의 모습을 보며 성실하게 노력하는 법을 배웠습니다.

마 저는 찢어지게 가난한 집에서 태어났습니다. 그래서 어려서부터 여러 가지 아르바이트를 많이 했습니다. 지금까지 했던 아르바이트의 경험을 통해 이 회사의 어느 누구보다도 일을 잘할 자신이 있습니다. 이것은 근자감이 결코 아닙니다. 레알입니다.

9 (가)~(마)에 대한 반응으로 적절하지 <u>않은</u> 것은?

① 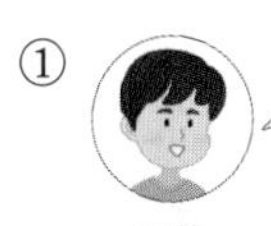
도윤
(가)는 여러 가지 경험을 잡다하게 나열해서 산만한 느낌이 들어.

② 하연
(나)는 경험에서 깨달은 점과 경험 이후 노력한 점을 서술하여 자신을 효과적으로 드러내고 있어.

③ 
은우
(다)와 같이 상투적인 내용과 표현으로 성장 과정을 서술하면 독자의 관심을 끌기 어려울 것 같아.

④ 
서아
(라)는 부모님에게서 배운 점을 중심으로 성장 과정을 서술함으로써 자신의 가치관을 드러내고 있어.

⑤ 
우현
(마)와 같이 자기소개서에 유행어를 사용하면 예상 독자에게 친근감을 줄 수 있어.

10 ㉠의 표현 방법과 효과에 대한 설명으로 적절한 것은?

① 비유법을 사용하여 성장 과정을 창의적으로 표현하고 있다.
② 유명한 사람의 말을 인용하여 지원 목적을 구체적으로 보여주고 있다.
③ 과장법을 사용하여 평범한 성장 과정을 특별한 것처럼 돋보이게 표현하고 있다.
④ 관용 표현을 인용하여 자신이 다른 사람들과 유사한 특성을 갖고 있음을 드러내고 있다.
⑤ 사람들이 자주 사용하는 말을 인용하여 자신이 하고자 하는 말을 압축적으로 표현하고 있다.

누구나 100점 테스트 2회

[1 ~ 2] 다음 글을 읽고 물음에 답하시오.

가 도서관에서 어떤 책을 찾던 때의 일이다. 이미 비슷한 종류의 책을 여러 번 읽었던 터라 익숙하게 서가를 비집고 들어갔는데 웬걸, 그 책은 거기에 없었다. 다른 책장을 기웃거려 보아도, 그 책은 보이지 않았다. 결국 평소처럼 도서 검색기에서 그 책의 위치를 찾아보았다.

'830-리87ㄷㄱ'

검색기의 친절한 답변에, 알았어, 하고 혼잣말을 하면서 나는 '830-리87ㄷㄱ'이라는 책을 찾으러 나섰다. 이제 나는 그 번호만 찾으면 된다. 더 이상 다른 것들엔 눈길조차 주지 않고, 책의 꽁무니에 달린 번호들만 바라보게 되었다. 그렇게 하자 금방 그 책을 찾을 수 있었다.

나 돌아보면 주위에 이런 번호들이 얼마나 많은지, 그 사실은 이따금 내게 두려움을 불러일으킨다. 이름이라는 번호, 지위라는 번호, 소통할 수 있는 수단으로서 제공되는 연락처라는 번호……. 누군가 나에게 "당신은 누구입니까?"라고 묻는다면, 나는 이렇게 대답하리라. "나는 △△여자고등학교 2학년 7반 27번 이윤정입니다." 또는 "지구 대한민국 경상북도 경주시에 살고 있는 시민"이라고 답할 수도 있겠다.

다 그러나 '나'라는 존재는 단순히 이름만으로, 어디어디에 속해 있다는 그 자체만으로도 설명할 수 없다. 뭔가 나에 대해 더 말할 수 있을 것 같은데 자꾸만 이렇게 손쉽게 대답하려고만 한다. 어느 날 사람들에게서 이러한 번호표가 떼어진다면, 나는 그들을 찾을 수 있을까? 여태껏 사람들을 겉모습과 목소리로 구분하고, 그러한 것들로 사람을 단정 짓고, 그 사람을 자세히 들여다볼 노력조차 하지 않은 것 같아 부끄럽다.

라 지금까지 해 왔던 식으로 사람을 판단한다면, 나는 '너'에 대해 알지 못할 것이다. 그래, 인정한다. 나는 아직 '너'를 잘 알지 못한다. 내게 있어 '너'라는 사람의 의미를 얻어, 너를 새로이 사랑할 수 있는 시간을 가지고 싶다.

마 나는 지금 도서관이라는 숲에 서 있다. 이 숲속을 걷는 것은 나의 취미지만, 때로는 이 빽빽한 서가에서 길을 잃기도 한다. 그때마다 나는 '번호표'의 의미를 생각했던 그날을 떠올려 본다. 그리고는 번호표를 보지 않고, 마음이 가는 책을 서가에서 꺼내어 펼쳐 한 줄 한 줄의 의미를 느껴 본다. 왠지 모를 안도감에 나는 미소 짓는다. 나는 이렇게, 너를 찾고 싶다.

1 이와 같은 유형의 글 쓰기에 대한 설명으로 적절하지 않은 것은?

① 필자 자신이 겪은 일을 쓰는 것이기 때문에 주인공은 대체로 '나'이다.
② 독자가 흥미를 가질 수 있도록 자기가 보거나 느낀 것을 과장하여 표현한다.
③ 필자의 경험에서 얻은 감정이나 어떤 대상을 살펴보고 나서의 느낌을 드러낸다.
④ 자신만의 방식으로 사물을 해석하고 의미를 부여하는 태도에서 필자의 개성이 드러난다.
⑤ 일상 속 대상이나 사건을 관찰한 뒤 그것과 우리 삶과의 관련성을 발견해 삶의 의미나 가치를 표현한다.

2 (가)~(마)에 대한 설명으로 적절하지 않은 것은?

① (가): 도서관에서 번호표로 책을 찾은 경험을 제시하고 있다.
② (나): 도서 기호를 자신의 일상과 연결 지어 독특하게 해석하고 있다.
③ (다): 자신의 삶에 대해 반성하고 있다.
④ (라): 특정인을 '너'로 대상화하고 자신의 잘못을 인정하고 있다.
⑤ (마): 비유적인 표현을 통해 글쓴이의 개성을 나타내고 있다.

정답과 해설 44쪽

[3~4] (나)는 글쓴이가 (가)의 상황을 계기로 쓴 글이다. 읽고 물음에 답하시오.

가

나 집에 오는 길에 인하 생각이 났다. 그래서 집에 오자마자 예전의 ㉠일기를 들춰 보니 인하와 함께했던 추억이 떠올라 마음이 아팠다. 그리고 인하가 얼마나 나를 다독여 주었는지 새삼 깨달을 수 있었다. 그런 인하에게 나는 너무 심한 말로 상처를 주었고, 오늘도 호연이에게 똑같은 실수를 한 것이다. 다른 사람이 어떤 감정을 느낄지는 상관하지 않고, 그냥 내가 생각한 것을 마음대로 말해 버리는 그 실수를, 나는 오늘도 반복한 것이다. 〈중략〉

나는 친구라면 모두 내 마음을 알아줄 거라 생각했다. 내가 심하게 말해도 친구니까 이해하고 받아 줄 줄 알았다. 하지만 그건 잘못된 생각이었다. 가까운 사람일수록 더욱 상대방의 마음을 헤아리며 따뜻하게 말해야 하는 것이었다. 비록 늦긴 했지만 오늘이라도 이 사실을 깨달아서 다행이다. 물론 오랫동안의 습관이라 쉽게 고치기는 어렵겠지만, 내일부터는 내 말이 상대방에게 어떤 영향을 줄지 생각하며 말해야겠다. 그리고 인하와 호연이에게 진심으로 사과하며 화해의 손을 내밀어야겠다. 아마도 두 친구들은 내 손을 잡아 줄 것이다, 좋은 녀석들이니까.

3 (나)의 글쓴이가 얻은 깨달음으로 적절한 것은?

① 오랜 습관은 고치기가 어렵다.
② 친구끼리는 심한 말도 이해하고 받아 주어야 한다.
③ 친구라면 말로 표현하지 않아도 마음을 알아주어야 한다.
④ 친구가 진심으로 사과할 때에는 손을 내밀어 받아 주어야 한다.
⑤ 가까운 사람일수록 대화할 때 상대방의 심정을 헤아리며 표현해야 한다.

4 (가)의 상황으로 볼 때 ㉠의 역할로 적절하지 <u>않은</u> 것은?

① 자신의 삶을 다시 확인해 볼 수 있다.
② 필요한 시기에 자신의 삶을 되돌아볼 수 있다.
③ 과거의 경험을 구체적이고 생생하게 떠올릴 수 있다.
④ 나의 생각에 대해 다른 사람들이 어떻게 평가하는지 파악할 수 있다.
⑤ 대상이나 사건에 대한 자신의 생각이 어떻게 변화했는지 파악할 수 있다.

5 〈보기〉에서 설명하는 내용을 지칭하는 단어를 쓰시오.

보기

저작권을 지키지 않고 다른 사람의 글이나 자료, 아이디어의 일부 또는 전체를 그대로 베끼는 행위로, 과제물이나 보고서를 작성할 때 자신이 직접 생각하여 쓰지 않고 인터넷 등에서 검색하여 그대로 베껴 쓰는 것을 예로 들 수 있다.

(　　　　　　　　　　　　)

6 다음 상황을 보고, ㉠을 〈조건〉에 맞게 고쳐 쓰시오.

조건

정확하지 않은 추측을 삭제하고, 민재가 알 수 있는 객관적 정보만을 쓸 것

7 다음과 같은 상황과 거리가 먼 것은?

① 문제집, 참고서 등 학습 자료를 스캔해서 학교 누리집에 올리는 것
② 영상 취재를 하는 중에 의도치 않게 길거리에서 틀어 놓은 음악이 삽입된 것
③ 인터넷에서 다른 사람의 글, 그림, 사진을 캡처하여 자기 누리 소통망(SNS)에 올리는 것
④ 대학에 합격한 친한 선배가 작성한 자기소개서를 자신이 작성한 것처럼 꾸며 제출한 것
⑤ 구입한 시디(CD)에 담긴 음악을 디지털 파일로 변환하여 누리 소통망(SNS)에 올리는 것

8 〈보기〉의 상황에서 다음 편지를 받은 아들이 느꼈을 감정으로 적절한 것은?

사랑하는 아들에게

〈중략〉 영아, 많이 힘들지? 아무것도 할 수 없는 아빠는 너무 마음이 아프네.

영아!

하늘이 우리 영이에게 시련과 아픔을 내리니 그것은 울 영이를 더 큰 사람으로 만들게 하기 위한 것이라 믿는다. 하늘이 우리 영이에게 비바람과 추위를 내리는 것은 거대한 고목이 되게 하기 위함이라 믿는다. 그리하여 이겨 내고 또 이겨 내면 아무도 넘볼 수 없는 강인한 영이로 태어날 것이라 아빠는 믿는다. 우리 아들이 작은 패배에 위축되지 않고 꿈을 향해 한 걸음, 한 걸음 나아갈 것을 아빠는 믿는다.

그리하여 그 꿈은 위대하리라는 것을 아빠는 믿는다.

사랑하는 상영에게, 아빠가.

보기

지난해 3월 박상영은 십자 인대 수술을 받으면서 국가 대표팀을 나왔다가 재활 기간을 거쳐 다시 대표팀에 들어갔다. 그해 12월부터 다시 훈련을 시작한 그는 부상 후 줄곧 성적 부진을 겪었다.

① 자신이 처한 상황을 몰라 주는 아버지에게 서운함을 느꼈을 것이다.
② 아버지의 기대에 부응하는 성적을 내지 못한 자신에 대해 부끄러움을 느꼈을 것이다.
③ 자신의 꿈을 아들이 대신 이루어 주기를 바라는 아버지의 소망을 알게 되었을 것이다.
④ 성적이 부진한 상황임에도 좋은 결과만을 바라는 아버지 때문에 부담감을 느꼈을 것이다.
⑤ 자신이 힘들 때에도 항상 곁에서 지켜봐 주고 믿어 주는 존재가 있다는 사실을 깨닫고 힘을 얻었을 것이다.

9 다음 (가), (나)에서 여학생의 담화 형태가 다른 이유로 적절한 것은?

(가)

(나)

① 담화가 이루어지는 공간이 다르기 때문이다.
② (나)는 (가)보다 담화 참여자의 숫자가 많기 때문이다.
③ (나)는 (가)보다 청자가 귀담아 들었으면 하는 내용을 말하는 상황이기 때문이다.
④ (가)는 일상적 대화를 하는 상황이고 (나)는 공식적으로 의견을 표하는 상황이기 때문이다.
⑤ (가)는 청자의 잘못을 지적하는 자리이고 (나)는 청자에게 바라는 점을 말하는 자리이기 때문이다.

10 다음 ㉠이 공동체에 미친 영향으로 적절하지 않은 것은?

○○ 병원에서 ㉠'감사 열풍'이 불고 있다. 이곳 간호사들은 동료에게 감사한 점 다섯 가지씩을 찾아 쪽지를 전해 주거나, 환자나 보호자에게 감사 카드를 적어 보내고 있다. 병동 곳곳엔 '감사 나무'가 있어 환자와 보호자, 의료진이 서로에게 감사한 점을 종이에 적어 붙일 수 있다. "통증 때문에 힘드셨을 텐데 빨리 회복해 주셔서 감사합니다.", "아빠, 우리 옆에 살아 계셔서 고마워요.", "선생님, 동맥이 파열되었을 때 응급 조치해 주셔서 감사합니다." …….〈중략〉

장은경 간호사는 "일이 서툴러 자신감이 떨어져 있을 때, 선배가 '차분히 자기 일을 잘해 줘서 고맙다.' 라고 남긴 메시지가 큰 힘이 됐다. 일이 즐거워지자 환자에게도 친절하게 대하게 되는 선순환이 일어났다." 라고 했다.

교육 행정을 담당하는 진화영 차장은 "감사 캠페인을 시작하고 지난 2년간 환자들의 간호 만족도, 간호사들의 직무 열의와 조직 몰입도가 꾸준히 올랐다."라고 전했다.

– 《조선일보》 (2017.2.18)

① 구성원들이 생활에 활력을 느끼게 해 주었다.
② 구성원들의 인간관계에 긍정적인 영향을 미쳤다.
③ 구성원들의 조직에 대한 만족도가 높아지게 되었다.
④ 구성원들이 새로운 언어 공동체를 형성하게 되었다.
⑤ 공동체의 분위기가 바람직한 방향으로 변화하게 되었다.

6일 창의·융합·코딩 서술형 테스트

1 창의 융합

〈보기〉의 (가), (나)를 활용하여 다음의 계획에 따라 글을 쓸 때, ㉠, ㉡에 들어갈 알맞은 내용을 〈조건〉에 맞게 서술하시오.

- **글의 목적:** 정보 전달
- **글의 주제:** 한옥의 외풍 방지 방안
- **예상 독자:** 학교 친구들
- **내용 조직 방법:** 문제 해결 구조

문제	㉠
↓	
해결 방안	㉡

보기

(가)

(나) 한옥이 외풍이 세다는 인식은 대체로 창과 관련되어 있다. 그러나 최근의 실험에 의하면 한옥의 창에 사용되는 창호지는 유리보다 단열 효과가 우수한 것으로 나타나고 있다. 아울러 여닫이문과 미닫이문을 겹쳐서 이중창으로 하면 창 사이에 공기층이 생기기 때문에 외풍을 막을 수 있다. 잘 지은 전통 한옥은 의외로 외풍이 없다.

–임석재, 《지혜롭고 행복한 집 한옥》

조건

㉠, ㉡에 들어갈 내용을 각각 완결된 한 문장으로 쓸 것

2 코딩

〈보기〉의 '연구 절차'를 참고하여, 다음의 지연이 ㉠을 주제로 연구 보고서를 쓰고자 할 때 계획할 수 있는 연구 방법을 서술하시오.

보기

- **연구 목적:** '그린 존 / 레드 존 제도'의 시행이 학교 전체의 음식물 쓰레기양을 줄이는 결과를 낳을 수 있는지 확인하고자 함.
- **연구 절차**

급식을 남기지 않은 학생	급식을 남긴 학생
↓	↓
'그린 존'을 이용하게 함.	'레드 존'을 이용하게 함.

↓

급식 잔반량 비교

이 제도를 실시하기 전과 실시 1년 후의 학생 개인별 잔반량, 학교 전체의 월별 급식 잔반량 및 잔반 처리 비용을 비교함으로써 학생 개개인과 학교 전체의 급식 잔반량이 감소하게 되었는지 확인한다.

3 창의 융합 〈보기〉의 작문 맥락으로 글을 쓸 때 다음 (가), (나) 중 사용하기 적절한 논거의 기호를 쓰고, 그렇게 생각한 이유를 〈조건〉에 맞게 서술하시오.

보기
- **주제:** 노키즈존이 확산되어서는 안 된다.
- **목적:** 설득
- **예상 독자:** 노키즈존에 대해 잘 모르는 학교 친구들

(가)

육아에는 부모의 역할이 물론 중요하나 '아이를 키우는 데에는 온 마을이 필요하다'는 옛말도 있듯이 사회 구성원이 함께해야 할 몫도 분명히 있습니다. 노키즈존이 확산되는 것은 부모만이 육아를 책임져야 한다는 사회적 분위기를 자연스럽게 조성하는 것으로 이는 육아의 사회적 책임을 흐리는 문제를 낳을 수 있습니다.
– ○○대학교 사회복지학과 박○○ 교수

(나)

여성은 낮은 경제 활동 및 취업률, 그리고 결혼과 출산, 양육이라는 큰 부담을 져야 합니다. 이러한 상황은 '직장맘'들이 아이를 키우기 어렵게 하지요. 그렇다고 해서 남성들의 대대적인 변화를 당장에 기대하기는 어렵습니다. 그렇다면 육아는 사회가 책임져야 할 부분인 것입니다. 따라서 '노키즈존'과 같이 육아의 사회적 책임을 여성에게만 미루는 시설이 확산되는 것을 정책적으로 막아야 합니다.
– △△대학교 사회학과 김△△ 교수

조건
선택하지 않은 논거가 충족하지 못하는 논거의 선별 기준을 포함하여 쓸 것

4 창의 다음에서 알 수 있는 건의하는 글의 특징을 〈조건〉에 맞게 서술하시오.

	설득하는 글	건의하는 글
주제 예	안전하게 운전하자.	밭을 도로로 만들어 우리 동네로 진입하는 도로를 넓혀 주세요.
독자 예	일반적인 운전자	도시 계획을 담당하는 지방 정부 관계자

조건
예상 독자의 범위를 중심으로 쓸 것

5 창의 〈보기〉를 참고하여, 글쓰기의 목적 면에서 서평이 독서 감상문과 다른 점을 〈조건〉에 맞게 서술하시오.

보기
비평하는 글은 특정한 문제에 대해 객관적이고 타당한 논거를 들어 필자의 의견이나 관점을 드러내는 글이다. 어떤 대상에 대한 옳고 그름, 아름다움과 추함 등의 가치를 논하는 글은 모두 비평하는 글이라 할 수 있다.

조건
'정서, 표현, 설득'이라는 말을 포함하여 쓸 것

6일 창의·융합·코딩 서술형 테스트

[6~7] 다음은 태은이 자기소개서를 작성하기 위해 선생님과 나눈 대화이다. 읽고 물음에 답하시오.

태은 선생님, 이번 주말까지 연극부 가입을 위한 자기소개서를 작성해서 연극부 누리집 게시판에 올려야 하는데 어떻게 써야 할지 막막해요.

선생님 그래? 그럼 일단 네가 글을 쓰는 상황을 분석해 보렴. 네가 자기소개서를 쓰는 목적이 무엇이지?

태은 연극부에 꼭 들어가고 싶어요. 그래서 연극부 선배들 및 부원들에게 저를 알리고, 연극부 선배들이 저를 부원으로 뽑도록 하고 싶어요.

선생님 그럼, ㉠연극부 선배들은 연극부원으로 어떤 사람을 원할까?

태은 대본을 이해하는 능력과 연기력을 갖춘 사람을 원할 것 같아요. 어렸을 때부터 책을 읽고 책 속 인물을 따라 연기하는 것이 취미였다는 점을 적으면 어떨까요? 그리고 여러 사람이 함께 하는 활동이니까 협동심이 있다는 것, 또 책임감이 강하다는 것도 강조하고 싶어요.

6 창의 태은이 ㉠을 고려하여 자기소개서에 포함하려는 내용을 서술하시오.

7 창의 융합 태은이 자기소개서를 올릴 매체의 특성과, 이를 고려하여 활용할 수 있을 만한 자료의 예를 〈조건〉에 맞게 서술하시오.

조건

'자료의 예'는 태은이 자기소개서에 포함하려는 내용과 관련이 있는 것을 쓸 것

8 창의 〈보기〉를 고려하여, 친교의 내용을 표현하는 글을 쓸 때 표현상 유의할 점을 서술하시오.

보기

직접 대면해서 대화를 주고받을 때에는 말뿐만 아니라 비언어적·준언어적 표현도 의미 전달 수단이 되지만, 글로써 마음을 전할 때에는 오로지 글만이 의미 전달 수단이 된다.

9 창의 자기를 성찰하는 글을 쓸 때, 다음과 같은 자료가 도움이 되는 이유를 서술하시오.

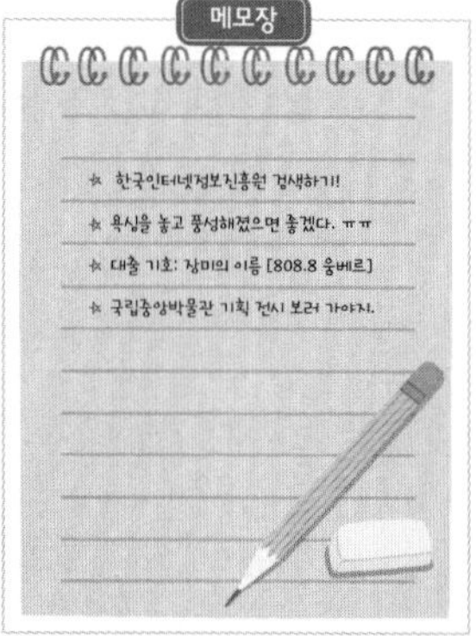

10 코딩

〈보기〉를 바탕으로 하여 다음의 ㉠을 올바르게 이용하는 방법을 서술하시오.

저는 고등학교 방송반에서 활동하는 기자입니다. 저희가 제작한 영상에 ㉠가수 ㄱ 씨가 저작권을 가지고 있는 노래 한 곡을 배경 음악으로 사용하고 싶습니다.

보기

올바른 저작물 이용 단계

단계	내용
1단계	어떤 저작물을 이용할 것인지 결정한다.
2단계	그 저작물이 보호 받는 것인지 확인한다. – 보호 기간이 지났는지, 저작권법에서 정하고 있는 보호를 받지 못하는 저작물인지(이 경우 이용 가능) 확인하기
3단계	저작물 이용 방식이 저작권법상 허용되는 방식인지 확인한다. – 저작권법에서 정하고 있는, 저작권자의 허락이 없어도 이용할 수 있는 경우의 조건에 맞는지(허용이 된다면 이용 가능) 확인하기
4단계	저작권자에게 저작물 제목과 이용하려는 방법 등을 자세히 알리고 허락을 받는다. – 허락을 도와주는 단체의 허락을 받기: 저작권신탁관리단체, 저작권대리중개업체
5단계	허락을 받은 범위 내에서만 이용한다. – 저작자 표시, 출처 표시를 명확히 하고 사용하기

– 〈한국 저작권 위원회〉 누리집

11 창의 융합

다음 상황에서 소연이 누구에게 더 위로를 받았을지 쓰고, 그 이유를 〈조건〉에 맞게 서술하시오.

보기

이유는 '진심'이라는 단어를 포함하여 쓸 것

12 융합

〈보기〉의 작문 맥락으로 초대장을 쓸 때 고려해야 할 작문 관습을 〈조건〉에 맞게 서술하시오.

보기

- **목적:** 동아리 창단 기념일 행사에 졸업한 선배들을 초청하고자 함.
- **독자:** 졸업한 동아리 선배들
- **매체:** 종이 편지

조건

형식과 표현 방식 면에서 고려할 작문 관습을 각각 한 가지씩 쓸 것

6일

7일 기말고사 기본 테스트 1회

1 다음의 주제들로 글을 쓸 때, 〈보기〉에 나타난 내용 조직 방법을 사용하는 것이 효과적인 것은?

> 보기
>
> **몽골의 슈바이처, 이태준**
>
> 국내에서의 삶: 1907년 세브란스 의학교에 입학, 재학 시절 안창호와 친분을 쌓아 독립운동에 투신함. ▶ 중국으로의 망명: '105인 사건'을 계기로 중국 망명을 결심, 1912년에 중국으로 망명함. ▶ 몽골에서의 활동: 1914년 몽골로 가서 의료 활동과 독립운동을 병행, 1919년에는 몽골 최고의 훈장을 받음. ▶ 비극적 최후: 1921년 2월 러시아군에 의해 사망함.

- 우리나라의 대학 입시 제도 변천사 소개 ………… ①
- 봄철에 황사가 많이 발생하는 원인 소개 ………… ②
- 현재 우리나라 대학 입시 제도의 유형 소개……… ③
- 우리나라와 일본의 정부 조직의 차이점 소개 …… ④
- 자동차 매연으로 인한 공기 오염 해결 방안 소개 · ⑤

2 〈보기〉의 내용을 모두 활용하여 정보를 전달하는 글을 쓰려고 한다. 적절한 내용 조직 방법과 그 이유를 〈조건〉에 맞게 서술하시오.

> 보기
>
> - 죽은 거북이의 배 속에서 수많은 비닐 조각들이 나와서 충격을 주고 있다.
> - 거북이는 비닐 조각을 먹이로 착각하고 있다.
> - 바닷가에 비닐 쓰레기들이 쌓이고 있다.

> 조건
>
> - 선택한 내용 조직 방법이 적절한 이유를 포함하여 쓸 것
> - '~므로 ~ 구조가 적절하다.'의 형식으로 쓸 것

3 보고하는 글을 쓰는 목적으로 가장 적절한 것은?

① 어떤 대상에 대한 새로운 정보를 알리기 위해
② 어떤 현안을 분석하여 쟁점을 파악하고 그 현안을 해결하기 위해
③ 특정한 사안이나 현상에 대한 연구의 과정과 결과를 전달하기 위해
④ 필자를 잘 모르는 독자에게 필자의 이력, 경험, 장점 등을 알려 특정한 목적을 달성하기 위해
⑤ 필자의 주장과 이를 뒷받침하는 근거를 제시하여 다른 사람들의 생각, 태도, 행동 등을 변화시키기 위해

[4 ~ 7] 다음을 읽고 물음에 답하시오.

가

나 요즘 아이들의 출입을 금지하는 상점들이 크게 늘어나고 있다. 어린이 제한 구역, 일명 '노키즈존(No kids zone)'이 확산되고 있다.

노키즈존은 어린이의 출입을 금지하는 업소를 가리키는 신조어이다. 성인 손님에 대한 배려와 영유아 및 어린이의 안전사고를 방지하기 위해 아동의 출입을 제한하는 것을 말한다. 노키즈존은 지난 2011년, 한 어린이가 뜨거운 물을 운반하던 종업원과 부딪쳐 화상을 입은 사건이 계기가 되었다. 법원은 식당 주인과 종업원에게 치료비와 위자료 등 4,100여만 원을 배상하라고 판결했다. 이후 유사한 판결이 잇따르면서 노키즈존을 선택하는 업주들이 늘고 있는 추세인데, 정부에서 따로 여기에 대한 통계를 내지는 않기 때문에 정확한 규모를 파악하는 것은 쉽지 않다. 하지만 온·오프라인에서 노키즈존을 시행하는 매장의 사례는 쉽게 접할 수 있다.

나는 이러한 추세가 옳지 않다고 생각하며, 노키즈존으로 변환하는 상점들의 태도, 그리고 이를 긍정적으로 여기는 사람들의 생각에 반대한다.

㉠ 먼저 대다수의 사람들이 노키즈존의 확산을 비판적으로 보고 있다. 필자의 주변 어른들께 여쭤 본 결과, 열에 아홉은 노키즈존에 비판적인 시각을 갖고 있었다. 이렇게 많은 사람들이 안 된다고 하는데 노키즈존을 줄이려 노력하기는커녕 늘어나도록 놔 두어서는 될 일인가?

노키즈존은 육아를 사회적 책임으로 보지 않고, 단지 부모에게만 전가하는 문제를 낳을 수 있다. 육아는 개인만의 문제가 아니며 공동체가 함께해야 할 일이다. 더욱이 개인화되는 현대 사회에서는 육아를 공동 분담하는 사회적 장치가 절실하다. ㉡『△△대학교 사회학과 김△△ 교수는 "여성은 낮은 경제 활동 및 취업률, 그리고 결혼과 출산, 양육이라는 큰 부담을 져야 한다. 이러한 상황은 일명 '직장맘'들이 아이를 키우기 어렵게 한다. 그렇다고 해서 남성들의 대대적인 변화를 당장에 기대하기는 어렵다. 그렇다면 육아는 사회가 책임져야 할 부분인 것이다. 따라서 '노키즈존'과 같이 육아의 사회적 책임을 여성에게만 미루는 시설이 확산되는 것을 정책적으로 막는 것이 필요하다."라고 말했다.』

마지막으로, 노키즈존은 아동과 부모의 기본권을 침해한다. 대한민국 헌법 제11조 1항은 "모든 국민은 법 앞에 평등하다. 성별, 종교 또는 사회적 신분에 의하여 정치적, 경제적, 사회적, 문화적 생활의 모든 영역에 있어 차별을 받지 아니한다."라고 명시하고 있다. 잘못을 저지른 한 개인이 아닌 어린이라는 특정 집단을 잠재적 위협 집단으로 간주하여 사전 차단하는 것은 이를 위배하는 것이다. 나아가, 노키즈존이 이대로 더 확산된다면 우리 사회가 이런 차별에 대해 점점 더 무감각해지는 무서운 결과를 낳을 수 있다.

아이들을 특정 장소에 출입하지 못하게 하면 다른 손님들과 종업원, 업주는 당장은 편할지 모른다. ㉢하지만 노키즈존이 생긴 것은 아이들이 원인이 아니라 소란을 피우는 일부 아이들을 관리하지 못한 어른들의 책임인 점을 생각한다면 이는 언 발에 오줌 누기이고 눈 가리고 아웅이 아닐 수 없다. 이제는 근본적인 해결책이 필요하다. 개인적 차원에서는 부모들이 자녀에게 공공 예절을 잘 가르치고, 자녀를 두지 않은 사람들도 부모와 아이들을 이해하려는 태도를 지녀야 한다. 사회적 차원에서는 오히려 '키즈존(Kids zone)' 설치와 같이 차별과 갈등을 줄여 나가는 해결책을 모색하는 것이 필요하다. 육아는 부모만이 아니라 사회의 책임이기도 하기 때문이다.

우리 모두가 서로 조금씩만 배려해 주고 이해해 준다면, 노키즈존은 필요하지 않다.

---

4 글쓴이가 (가)의 과정을 거쳐 (나)를 썼다고 할 때, (나)에 대한 반응으로 적절하지 <u>않은</u> 것은?

① 바름: 노키즈존의 확산에 반대하는 목적으로 쓴 글이야.

② 
시현: 노키즈존을 잘 모르는 사람들을 위해 노키즈존의 개념을 잘 설명해 주고 있어.

③ 
아람: 노키즈존이 생기게 된 계기를 제시해 노키즈존이 확산되는 이유를 잘 설명해 주고 있어.

④ 아영: 학교 누리집에 게시한다고 했으니 김△△ 교수의 말이 담긴 동영상을 인용하는 것도 좋겠어.

⑤ 찬우: 독자들이 글의 목적을 직접 파악할 수 있도록 자신의 주장을 직접적으로 드러내지 않고 있어.

5 ㉠이 논거로서 타당성이 떨어지는 이유를 서술하시오.

6 ⓒ을 〈보기〉로 바꾸었을 때 얻을 수 있는 효과로 적절한 것은?

보기

OO대학교 사회복지학과 박OO 교수는 "육아에는 부모의 역할이 물론 중요하나 '아이를 키우는 데에는 온 마을이 필요하다'는 옛말도 있듯이 사회 구성원이 함께해야 할 몫도 분명히 있다. 노키즈존이 확산되는 것은 부모만이 육아를 책임져야 한다는 사회적 분위기를 자연스럽게 조성하는 것으로 이는 육아의 사회적 책임을 흐리는 문제를 낳는다."라고 한 바 있다.

① 자료의 출처가 분명해져 신뢰성을 확보할 수 있다.
② 전문가의 말을 인용하여 신뢰성을 확보할 수 있다.
③ 어느 한쪽에 치우치지 않아 공정성을 확보할 수 있다.
④ 여성들의 입장에만 집중하여 타당성을 확보할 수 있다.
⑤ 의견 논거가 아닌 사실 논거로 바꾸어 신뢰성을 확보할 수 있다.

7 〈보기〉와 ⓒ에 대한 설명으로 적절한 것은?

보기

하지만 '노키즈존'이 생긴 것은 아이들이 원인이 아니라 소란을 피우는 일부 아이들을 관리하지 못한 어른들의 문제이므로 '노키즈존'은 근본적인 해결책이 아니다.

① 〈보기〉는 주장을 우회적으로 표현하였으나 ⓒ은 직설적으로 표현하여 설득력을 높이고 있다.
② 〈보기〉는 별다른 표현 방법을 사용하지 않았으나 ⓒ은 속담을 인용하여 설득력을 높이고 있다.
③ 〈보기〉는 주장을 직설적으로 표현하였으나 ⓒ은 비유적 표현으로 독자의 이해를 방해하고 있다.
④ 〈보기〉는 이중 부정을 사용하여 설득력을 높였으나, ⓒ은 속담을 인용하여 설득력이 떨어진다.
⑤ 〈보기〉는 노키즈존의 발생 원인을 어른들의 책임으로 돌리고 있고, ⓒ은 아이들의 책임으로 돌리고 있다.

8 다음은 비평하는 글을 쓰는 과정이다. ㉠~㉤의 단계에서 유의할 점으로 적절한 것은?

㉠ 비평의 대상 선정하기
↓
㉡ 비평의 대상 이해하기
↓
㉢ 자신의 관점 수립하기
↓
㉣ 비평의 근거 마련하기
↓
㉤ 표현하기

① ㉠: 비평 대상은 세분화하여 명확하게 정한다.
② ㉡: 나와 비슷한 관점을 지닌 글들만 읽으며 대상을 이해하는 것이 효율적이다.
③ ㉢: 수립한 관점을 일관되게 유지하기보다는 글의 전개에 따라 유연성 있게 변화를 준다.
④ ㉣: 나와 다른 관점을 지닌 글의 내용은 나의 주장을 뒷받침하는 근거로 활용하지 않는다.
⑤ ㉤: 긍정적 평가를 내릴 때에는 미사여구를 사용해 화려한 문장으로 표현한다.

9 〈보기〉의 ⓐ에 공통으로 들어갈 글의 종류를 쓰고, ㉡을 바탕으로 하여 ⓐ와 같은 글을 쓸 때 유의할 점을 서술하시오.

보기

㉠ (ⓐ)은/는 필자 자신의 생에 대한 전기로, 시간 순서로 서술하는 것이 일반적이나 이야기 방식에 특별한 제약은 없다.
㉡ "(ⓐ)은/는 수치스러운 점을 밝힐 때만이 신뢰를 얻을 수 있다. 스스로 칭찬하는 사람은 십중팔구 거짓말을 하고 있다." - 조지 오웰

[10~12] 다음 글을 읽고 물음에 답하시오.

교실에 탈의 공간을 만들어 주세요

교장 선생님, 안녕하세요? 저는 2학년 ○○반 김재희입니다. 항상 저희들을 위해 애써 주시는 교장 선생님께 감사한 마음을 전하며, 한 가지 사항을 건의드립니다.

교실에 탈의 공간을 만들어 주시기 바랍니다. 학교에 별도로 탈의 공간이 없어서 매우 불편합니다. ㉠『체육 수업을 하려면 체육복으로 갈아입어야 하는데, 탈의 공간이 없다보니 화장실에서 갈아입을 수밖에 없습니다. 한데 10분이라는 짧은 시간 안에 옷을 갈아입어야 하는 친구들도 화장실을 이용해야 하고, 급한 용무를 봐야 하는 친구들도 화장실을 이용해야 하니 줄이 항상 깁니다. 이 때문에 체육 수업에 늦는 학생들이 많고, 심지어는 급한 용무를 보러 왔다가 종이 쳐서 용무를 보지 못하는 친구도 있습니다.』

교실에 간이 탈의 공간이 마련된다면 옷을 빨리 갈아입을 수 있기 때문에 체육 수업에 늦지 않게 참여할 수 있을 것입니다. 화장실 이용도 더 편해질 것입니다. 또한 간이 탈의실이기 때문에 비용도 많이 들지 않을 것입니다.

저희를 위해 이 문제를 꼭 살펴봐 주시기를 다시 한번 부탁드립니다. 교실에 탈의 공간을 마련해 주신다면 저희의 학교생활이 한결 편안해질 것입니다. 감사합니다.

20△△년 4월 20일

김재희 올림

10 이와 같은 글을 쓰는 방법으로 적절하지 <u>않은</u> 것은?

① 대체로 편지 형식으로 쓴다.
② 제목에 건의 내용을 밝힌다.
③ 자신이 누구인지 구체적으로 밝힌다.
④ 독자에게 예의 바르고 공손한 표현을 사용한다.
⑤ 요구 사항은 우회적으로 제시해 독자의 부담감을 덜어 준다.

11 이 글에 대한 반응으로 적절하지 <u>않은</u> 것은?

① 
우빈: 간이 탈의 공간의 마련을 해결 방안으로 제시하고 있어.

② 
정아: '다시 한 번 부탁드립니다.'라는 표현으로 건의 내용을 강조하고 있어.

③ 
현빈: 예의 바르고 공손한 표현을 사용해 독자가 자신의 요구 사항을 받아들이도록 설득하고 있어.

④ 
해영: 건의 내용을 말하기 전에 독자에게 감사 인사를 전함으로써 독자의 호감을 얻으려 하고 있어.

⑤ 수찬: 독자가 건의 내용을 긍정적으로 받아들이도록 요구 사항이 실현되었을 때의 기대 효과를 추가하면 좋을 것 같아.

12 이 글의 글쓴이가 고쳐쓰기 단계에서 초고에는 없던 ㉠을 추가하였다고 할 때, 그 이유를 〈조건〉에 맞게 서술하시오.

조건
- '심각성', '공감', '해결'이라는 단어를 활용하여 쓸 것
- '~하여 ~하기 위해서이다.'의 문장 형식으로 쓸 것

7일

[13~14] 다음 글을 읽고 물음에 답하시오.

> 학교 생활 중 배려, 나눔, 협력, 갈등 관리 등을 실천한 사례를 들고 그 과정을 통해 배우고 느낀 점을 기술해 주시기 바랍니다.

저는 고등학교 3년 내내 학급 반장을 했습니다. 반장을 하면서 저는 함께 살아가는 사회에서 갈등을 조정하고 협력을 이끌어 내는 것이 무엇보다 중요하다는 점을 배웠습니다. 2학년 때 교내 반별 합창 대회에 참가하면서 있었던 일입니다. 다른 반 친구들은 벌써 곡을 정해 연습하는데, 우리 반은 서로 자기 의견만 내세우느라 뜻을 하나로 모으지 못하고 있었습니다. 저는 고심 끝에 두 곡을 정해 율동 동영상을 만든 후 반 아이들에게 보여 주며 한 곡을 선택하게 했습니다. 곡을 선택한 후에는 점심시간과 쉬는 시간에 친구들을 찾아가 함께 노래를 부르고 춤도 추며 힘을 북돋워 주었습니다. 그 결과, 저희 반은 합창 대회에서 1등을 하였습니다. 이를 통해 저는 사람들이 저마다 다른 생각을 갖고 있더라도 단합을 위해 노력한다면 공동의 목표를 이룰 수 있다는 것을 알게 되었습니다. 또한 사람들에게 제 의견을 강요하기보다는 공동의 목표를 향해 먼저 노력하고 애쓴다면 다른 사람들도 함께 참여하게 된다는 것을 깨달았습니다.

13 이와 같은 글을 작성하는 방법으로 적절하지 않은 것은?

① 글을 쓰는 목적과 독자를 고려한다.
② 경험을 하는 과정에서 보였던 자신의 태도를 기술한다.
③ 분량이 허락하는 한에서 경험을 최대한 다양하게 제시한다.
④ 질문이 있는 경우, 질문의 요구를 중심으로 내용을 구성한다.
⑤ 매체의 종류를 고려하여 내용을 좀 더 부각할 수 있는 적절한 자료를 첨부한다.

14 이 글의 표현 방법에 대한 설명으로 적절한 것은?

① 친구들과 대화를 나누는 듯한 가벼운 어조로 편안하게 서술하였다.
② 명언을 인용하여 자신의 인성과 인간관계 대처 능력을 부각하였다.
③ 비유적인 표현을 활용하여 자신의 개성을 독창적으로 나타내고 있다.
④ 현재형 문장을 사용하여 마치 지금 경험하고 있는 듯한 생동감과 현장감을 연출하였다.
⑤ 어법에 맞는 말과 격식체를 사용하여 자신이 품성과 인성을 갖춘 사람임을 간접적으로 드러내고 있다.

15 다음의 맥락으로 글을 쓸 때 고려할 작문 관습으로 적절하지 않은 것은?

> • **주제**: 도서관 이용 시간을 늘려 주시기 바랍니다.
> • **독자**: 교감 선생님
> • **목적**: 도서관 운영에 대한 의견을 건의하고자 함.
> • **매체**: 전자 우편

① 학년, 이름, 반을 정확하게 밝힌다.
② 문제 상황과 해결 방안을 구체적으로 제시한다.
③ 글의 마지막 부분에는 글을 작성한 날짜를 적는다.
④ 선생님의 노고에 대한 감사 인사로 글을 시작한다.
⑤ '귀하', '드림', '올림'과 같은 상투적인 표현은 삼간다.

16 〈보기〉의 저작권에 대한 설명 중 잘못된 내용의 기호를 쓰고 바르게 고쳐 쓰시오.

> 보기
> ㉠ 저작권은 사람의 정신적 노력에 따른 결과물에 대한 권리를 말한다. ㉡ 타인의 저작물을 활용할 때에는 저작자에게 이용에 대한 허락을 받아야 한다. ㉢ 이용 허락을 받은 저작물은 저작자의 창작성을 침해하지 않는 범위 내에서 다양한 방식으로 이용할 수 있다.

[17~19] 다음 글을 읽고, 물음에 답하시오.

㉠기정자의 안부를 묻습니다.

헤어진 뒤로 한동안 소식을 듣지 못했는데 어느덧 해가 바뀌었습니다. 어제 박화숙을 만나 다행히 그대가 부탁한 편지를 받았습니다. 애타게 기다리던 마음에 매우 위안이 되었습니다. 영예롭게 돌아온 뒤로 몸가짐과 마음가짐이 나날이 더욱 귀하고 풍성해졌을 것으로 생각합니다. 겉으로 처지가 바뀔수록 안으로 더욱 반성하고 보존함은 모두가 덕에 다가가고 어짊[仁]을 익히는 경지이니, 그 즐거움에 끝이 있겠습니까? 〈중략〉

지난번에 비록 만나고 싶었던 바람을 이루기는 했어도, 한순간의 꿈과 같이 짧아서 의견을 깊이 물을 겨를이 없었습니다. 그런데도 오히려 기쁘게 들어맞는 곳이 있었습니다. 또 선비들 사이에서 그대가 논한 사단칠정(四端七情)의 설을 전해 들었습니다. 저는 이에 대해 스스로 전에 말한 것이 온당하지 못함을 근심했습니다만, 그대의 논박을 듣고 나서 더욱 잘못되었음을 알았습니다. 그래서 그것을 다음과 같이 고쳐 보았습니다. "사단의 발현은 순수한 이(理)인 까닭에 선하지 않음이 없고, 칠정의 발현은 기(氣)와 겸하기 때문에 선악이 있다." 이처럼 하면 괜찮을지 모르겠습니다. 〈중략〉

달력 한 부를 보내 드립니다. 이웃들의 요구에 따를 수 있을 것입니다. 드리고 싶은 말씀이 참 많습니다만 멀리 보낼 글이니 줄이겠습니다. 오직 이 시대를 위해 더욱 자신을 소중히 여기십시오.

삼가 안부를 묻습니다. 기미년(1559) 정월 5일, ㉡황은 머리를 숙입니다.

17 이 편지에 나타나지 않은 내용으로 알맞은 것은?

① 자신의 이론 수정
② 기정자에 대한 안부
③ 지난 만남에 대한 기쁨
④ 자신의 실수에 대한 변명
⑤ 스스로를 소중히 여기라는 당부

18 이와 같은 글을 쓸 때 고려할 사항으로 적절하지 않은 것은?

① 글을 쓰는 목적을 확실히 정하고 글을 쓴다.
② 자신의 마음이 전달될 수 있도록 진솔하게 표현한다.
③ 오로지 글로만 의미를 전달하므로 예의 바른 표현을 사용한다.
④ 글을 읽는 사람이 정해져 있으므로 글을 읽는 사람을 고려하여 내용을 생성한다.
⑤ 필자와 독자의 관계가 긴밀하다는 점을 과장하여 표현함으로써 관계를 유지·발전시킨다.

19 〈보기〉를 고려하여 글쓴이가 ㉠, ㉡과 같은 표현을 사용한 이유를 서술하시오.

> 보기
>
> 이 글은 퇴계 이황이 1559년 1월 5일에 고봉 기대승에게 쓴 편지이다. 퇴계는 성균관 대사성이었고 기대승은 이제 막 과거에 급제한 청년이었다.

20 다음 (가), (나)에 나타난 담화 관습의 공통점과, 이와 같은 공통점이 나타나는 이유를 서술하시오.

7일 기말고사 기본 테스트 2회

[1~3] 다음 (가)~(라)는 승준이 정보를 전달하는 글을 쓰기 위해 수집한 자료이다. 읽고 물음에 답하시오.

학교 신문에 '태양계 행성의 특징'에 대한 정보를 전달하는 글을 올리고 싶어. 주제를 쉽게 설명해서, 과학에 관심이 없는 친구들도 내용을 잘 이해했으면 좋겠어.

승준

가 태양계의 행성에는 수성, 금성, 지구, 화성, 목성, 토성, 천왕성, 해왕성, 명왕성이 있다.

– 《○○ 백과사전》, 1998

명왕성은 태양계 행성에서 예전에 빠지지 않았나? 왜 들어가 있지? 최신 자료를 찾아야겠군.

나 목성은 태양으로부터 평균 5.2 천문단위(AU) 떨어져 있는 행성으로, 자전축이 3도 기울어져 있다. 목성의 자전 주기는 지구보다 거의 3배나 빠른데 적도에서 9시간 50분, 극 부근에서는 9시간 55분이며 태양 주위를 한 번 공전하는 데는 약 12년이 걸린다.

– 국내 과학기술학 학술지, 2009

일부 학교 친구들에게는 내용이 조금 어렵게 느껴질 수 있겠어.

다 토성은 목성 다음으로 큰 행성이며, 얼음 알갱이와 암석 조각으로 이루어진 뚜렷한 고리가 발달해 있다. 행성 중 밀도가 가장 작고, 가장 납작한 타원 모양이다. 많은 위성을 가지고 있으며, 그중 가장 큰 위성인 타이탄에는 대기가 존재한다.

– 중학교 과학 교과서, 2017

라 금성은 우리가 흔히 '샛별'이라고 부르는 행성입니다. 태양계 내에서 태양으로부터 두 번째에 위치한 행성이지요. 표면에는 충돌로 생긴 크레이터들이 있는데, 간혹 물이 고여 있기도 합니다.

– 한 고등학생의 블로그

1 다음은 승준이 쓰려는 글의 작문 맥락을 분석한 내용이다. 적절하지 않은 것은?

주제	태양계 행성의 특징 ························ ①
목적	태양계 행성에 대한 독자의 이해를 돕는 정보를 전달하고자 함 ························ ②
독자	• 학교 친구들 ························ ③ • 태양계 행성에 대한 관심과 지식이 있는 친구들 ························ ④
매체	학교 신문 ························ ⑤

2 승준에게 해 줄 수 있는 조언으로 적절하지 않은 것은?

① (가)는 너무 오래된 자료이니 좀 더 최신의 자료를 찾아보는 것이 좋겠어.

② (나)는 쓰고자 하는 글의 주제와 부합하지 않으므로 활용하지 않는 것이 좋겠어.

④ (다)는 공신력 있는 매체에 수록된 글이므로 믿을 만할 것 같아.

③ (다)는 과학에 관심 없는 친구들도 이해하는 데 무리가 없을 듯하니 독자의 수준에 맞는 것 같아.

⑤ (라)는 출처가 신뢰할 만하지 못하므로, 해당 분야의 전문가가 쓴 자료나 공신력 있는 매체에 실린 자료를 좀 더 찾아보는 것이 좋겠어.

3 〈보기〉의 상황을 바탕으로 하여, 정보를 전달하는 글을 쓸 때 자료의 선별이 중요한 이유를 〈조건〉에 맞게 서술하시오.

보기

다음은 (라)의 자료를 활용하여 쓴 글에 달린 댓글이다.

댓글 2 내 댓글 〉

꼬물장군(dea**): 제가 알기로는 금성의 표면은 온도가 매우 높고 건조하기 때문에 금성에는 액체 상태의 물은 없습니다. 제가 잘못 알고 있나요?

소라게(bkp***): 글쓴이가 잘못된 정보를 올려서 혼란을 주네요.

조건

• (라)의 문제점을 제시할 것

• (라)를 활용한 글이 독자에게 미친 영향을 제시할 것

정답과 해설 49쪽

4 〈보기〉의 맥락에서 다음 개요를 바탕으로 글을 쓰고자 한다. 활용할 설득 전략으로 적절하지 않은 것은?

보기
- **예상 독자**: 우리 학교 학생들
- **주제**: 교내 스마트폰 사용 규제에 반대한다.
- **목적**: 설득

서론	교내에서 스마트폰을 사용하지 못해 발생하는 문제점
본론	교내에서 자유롭게 스마트폰을 사용해야 하는 이유 가. 스마트폰 사용 규제는 인권 침해임. 나. 스마트폰은 청소년들의 일상적인 의사소통 수단임. 다. 스마트폰을 규제하기보다는 수업에 적극적으로 활용하는 것이 효과적임.
결론	학생들에게 규율과 통제를 강요하기보다 학생이 자율권을 신장할 수 있도록 지도해야 함.

① '서론'에서 고등학생이 교내에서 흔히 겪을 수 있는 구체적인 문제 사례를 제시한다.
② '본론-가'에서 스마트폰 사용 규제는 헌법에서 보장하는 통신의 자유를 침해한다는 학생의 의견을 제시한다.
③ '본론-나'에서 스마트폰이 청소년의 일상적인 의사소통 수단임을 뒷받침하는 통계 자료를 제시한다.
④ '본론-다'에서 스마트폰을 수업에 활용한 구체적인 성공 사례를 제시한다.
⑤ '결론'에서 속담과 설의법을 활용하여 통제보다 자율성 신장이 중요하다는 점을 강조한다.

5 〈보기〉를 바탕으로 하여, 설득하는 글 쓰기 과정에서 ㉠과 같은 표현을 적절히 활용했을 때 얻을 수 있는 효과를 〈조건〉에 맞게 서술하시오.

보기

힘든 상황에 처했을 때 무조건 맞서는 것보다는 요령 있게 대처하는 것이 좋다.
→ 힘든 상황에 처했을 때 무조건 맞서는 것만이 능사는 아니다. ㉠비가 많이 올 때는 우산을 이용할 줄도 알아야 한다.

조건

㉠에 사용된 표현 방법의 이름을 제시할 것

6 다음의 맥락으로 보고서를 쓰기 위한 토론 내용으로 적절하지 않은 것은?

- **탐구 주제**: 고등학생들의 스마트폰 이용 실태
- **탐구 목적**: 고등학생들의 생활 속에 깊숙이 자리 잡은 스마트폰의 이용 실태를 조사함으로써 학생들에게 자신의 스마트폰 이용 자세를 돌아보게 하고 스마트폰에 대한 올바른 인식을 심어주기 위함
- **예상 독자**: 또래 고등학생들

① 가은: 우리 학교 학생들을 대상으로 스마트폰 이용 실태 설문 조사를 실시하자.
② 나현: 설문 문항은 일일 스마트폰 평균 사용량, 스마트폰 활용 분야 등으로 구성하면 좋을 것 같아.
③ 다솜: 조사 결과를 신속하게 통계 내기 위하여 설문 인원은 가급적 적게 하는 것이 좋겠어.
④ 라희: 보고서를 쓸 때에는 설문 조사 결과만 제시하는 데에서 그칠 것이 아니라, 결과를 분석한 내용을 함께 기술하는 것이 좋겠어.
⑤ 마현: 설문 조사 결과를 제시하기에 앞서 스마트폰의 개념 및 특징을 기술하여 연구 대상을 명확히 정의하는 것이 좋을 것 같아.

7 〈보기〉의 관점을 담은 시사 비평문을 쓰고자 할 때, 다음 개요의 ㉠에 들어갈 내용으로 적절하지 않은 것은?

보기

만 18세부터 선거권을 부여하는 것은 시기상조가 아니다.

서론	• 선거권 연령에 대한 안내 • 선거권 연령을 만 18세로 낮추어야 한다는 관점 제시
본론	㉠
결론	선거권 연령을 만 18세로 낮추어야 한다.

① 선거권 연령 제한은 헌법에서 보장하는 평등권을 위배하는 것이다.
② 선거권 연령도 다른 권리, 의무와 동일하게 만 18세로 조정되어야 한다.
③ 현재 청소년들의 의식 수준은 정치적인 판단을 내릴 수 있을 만한 수준이다.
④ 수많은 고등학생들이 시국 선언, 투표 독려 캠페인 등과 같은 적극적인 정치 참여 활동을 하고 있다.
⑤ 법은 각 분야별 상황에 따라 다르게 적용하는 것이기에 다른 권리와 선거의 연령 제한에 차이가 있는 것은 문제가 되지 않는다.

[8~9] 다음 글을 읽고 물음에 답하시오.

2014학년도부터 2016학년도까지 3년간 대입에서 자기소개서를 표절했다고 의심되는 학생이 약 4,000명에 이르는 것으로 밝혀졌다. 그중 90퍼센트가 넘는 3,580명은 결국 불합격해 자기소개서 표절에 경종을 울리고 있다. 〈중략〉

대학교육협의회는 '자기소개서 유사도 검증 시스템'을 통해 학생이 제출한 자기소개서가 이전에 제출한 다른 학생의 것과 비슷한지 검증한다. 여기서 5퍼센트 이상 비슷하다고 판명되면 학생과 교사에게 재검증을 한다. 전화를 걸거나 현장 실사, 심층 면접 등에서 표절 여부를 판가름하는 식이다.

학생들이 표절의 유혹에 빠지는 이유는 자기소개서가 합격에 큰 영향을 미친다고 생각하기 때문이다. 한 고등학교 3학년생은 "대부분 학생은 자기소개서를 잘 써야만 수시 전형에 합격할 수 있다고 생각한다."라며 "이 때문에 이전 합격생들이 쓴 자기소개서를 참고하고 일부 베끼기도 한다."라고 했다.

－《조선에듀》(2016. 12. 22.)

8 이 기사를 통해 알 수 있는 내용으로 적절하지 않은 것은?

① 대입 자기소개서를 표절하는 문제가 심각하다.
② 자기소개서 표절 여부는 복수의 단계를 거쳐 판가름한다.
③ 자기소개서를 표절하여 불합격하는 사례가 많이 발생하였다.
④ 자기소개서 표절이 일어나는 이유는 일부 학생들이 자기소개서가 중요하다고 생각하기 때문이다.
⑤ 자기소개서 표절 여부는 이전에 다른 학생이 쓴 자기소개서와 얼마나 비슷한가를 기준으로 판단한다.

9 대입 자기소개서의 표절이 문제가 되는 이유를 〈조건〉에 맞게 서술하시오.

조건

• '공정성'이라는 단어를 포함하여 쓸 것
• '~하는 행위이기 때문이다.'의 문장 형식으로 쓸 것

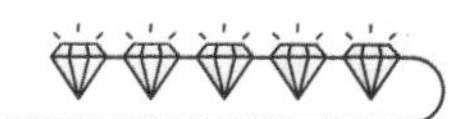

[10~11] 다음 글을 읽고, 물음에 답하시오.

멸종 위기 2급 식물인 "깽깽이풀"을 지켜 주세요

안녕하세요?

저희는 20○○년 ○월 ○○일 환경부와 환경보전협회가 주관하는 제6기 생물자원보전 청소년 리더로 선발되어, 우리나라 생물 자원의 소중함과 중요성을 알리고 있는 '정다운옹기종기팀'입니다. 저희들은 인천의 5개 고등학교에 재학 중인 학생들이 모인 연합팀으로서, 현재 우리나라 멸종위기 2급 식물인 '깽깽이풀'의 보호를 위해 노력하고 있습니다.

'깽깽이풀'은 4~5월에 꽃이 피는 식물로, 꽃 자체도 너무 예쁘지만 뿌리가 해열과 해독 작용에 좋아 약재로 쓰이다 보니 사람들이 무분별하게 채취하였고, 그러다 보니 지금은 멸종 위기 2급 식물이 되었습니다. 그런데 저희가 알아낸 바에 의하면, 인천 계양산 서북쪽 사면에서 이번에 깽깽이풀이 새롭게 발견되었는데, 이 풀들이 잡풀로 덮여져 있었고, 주변에는 소나무 묘목이 마구 심어져 있었습니다. 저희는 이러한 상황이 큰 문제 상황이라고 인식했고, 이를 해결하기 위해 건의문을 쓰고자 결심했습니다.

저희는 인천시와 서구에서 깽깽이풀의 서식지를 보호할 수 있도록 철조망으로 경계를 나누어 주실 것을 부탁드립니다. 또한 경고판이나 안내판 등을 설치하여 사람들에게 알리고, 깽깽이풀 전담 관리 기관이나 단체를 정하여 지속적으로 관리해 주실 것을 부탁드립니다. 또한 행정기관, 의회, 시민단체가 참여하는 의제에서도 인천의 멸종 위기 식물인 깽깽이풀 보호에 대해 관심을 가질 수 있도록 홍보해 주셨으면 합니다. (㉠)

시정 활동으로 바쁘고 힘드실 텐데도 시간을 내어 저희의 글을 끝까지 읽어 주셔서 감사합니다. 저희는 간절한 마음으로 답장을 기다리도록 하겠습니다. 그럼, 이만 줄입니다.

20○○년 ○월 ○○일

정다운옹기종기팀 일동 드림

10 다음에서 이 글에 대한 다음 학생들의 반응으로 적절하지 않은 것은?

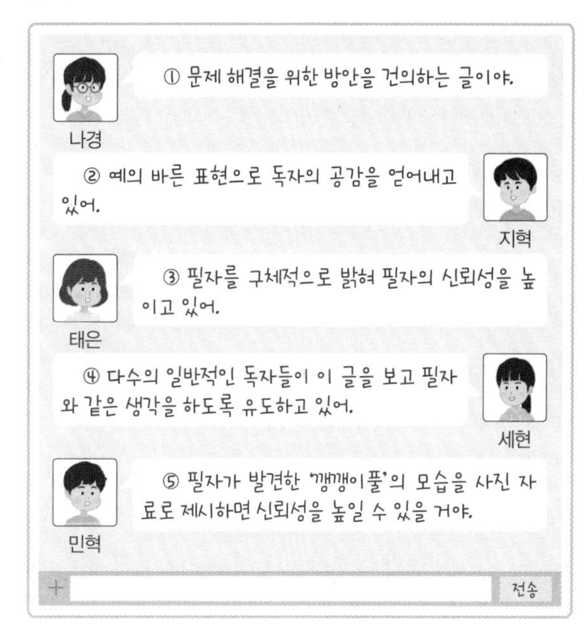

11 이 글의 글쓴이가 고쳐쓰기 단계에서 ㉠에 <보기>의 내용을 추가했다고 할 때, 그 이유를 서술하시오.

보기

그렇게 해 주신다면 분명 멸종 위기 식물인 '깽깽이풀'이 보호될 수 있을 것이고, 우리 인천은 생물 자원 보호에 앞장서는 모범적인 도시로 재탄생할 수 있을 것입니다. 또한 이러한 사실이 널리 알려진다면 인천의 생물 자원을 관람하기 위한 관광객도 늘어날 수 있을 것이라 생각합니다.

12 화법과 작문의 윤리로 적절하지 않은 것은?

① 과장하거나 왜곡하여 전달하지 않는다.
② 자신의 추측을 사실처럼 말하지 않는다.
③ 상대의 오해를 불러일으키거나 마음을 상하게 할 수 있는 내용이나 표현을 삼간다.
④ 사실인지 확인하기 어려운 정보는 일단 판단을 보류하고 신속하게 정보를 전달한다.
⑤ 전하고자 하는 내용이 타인에게 피해를 주지 않는 것인지 신중하게 판단하여 표현한다.

7일

[13~15] 다음 글을 읽고, 물음에 답하시오.

도서관에서 어떤 책을 찾던 때의 일이다. 〈중략〉 검색기의 친절한 답변에, 알았어, 하고 혼잣말을 하면서 나는 '830-리87ㄷㄱ'이라는 책을 찾으러 나섰다. 이제 나는 그 번호만 찾으면 된다. 더 이상 다른 것들엔 눈길조차 주지 않고, 책의 꽁무니에 달린 번호들만 바라보게 되었다. 그렇게 하자 금방 그 책을 찾을 수 있었다. 〈중략〉 돌아보면 주위에 이런 번호들이 얼마나 많은지, 그 사실은 이따금 내게 두려움을 불러일으킨다. 이름이라는 번호, 지위라는 번호, 소통할 수 있는 수단으로서 제공되는 연락처라는 번호……. 누군가 나에게 "당신은 누구입니까?"라고 묻는다면, 나는 이렇게 대답하리라. "나는 △△여자고등학교 2학년 7반 27번 이윤정입니다." 또는 "지구 대한민국 경상북도 경주시에 살고 있는 시민"이라고 답할 수도 있겠다.

그러나 '나'라는 존재는 단순히 이름만으로, 어디어디에 속해 있다는 그 자체만으로도 설명할 수 없다. 뭔가 나에 대해 더 말할 수 있을 것 같은데 자꾸만 이렇게 손쉽게 대답하려고만 한다. 어느 날 사람들에게서 이러한 번호표가 떼어진다면, 나는 그들을 찾을 수 있을까? 여태껏 사람들을 겉모습과 목소리로 구분하고, 그러한 것들로 사람을 단정 짓고, 그 사람을 자세히 들여다볼 노력조차 하지 않은 것 같아 부끄럽다.

지금까지 해 왔던 식으로 사람을 판단한다면, 나는 '너'에 대해 알지 못할 것이다. 그래, 인정한다. 나는 아직 '너'를 잘 알지 못한다. 내게 있어 '너'라는 사람의 의미를 얻어, 너를 새로이 사랑할 수 있는 시간을 가지고 싶다.

나는 지금 도서관이라는 숲에 서 있다. 이 숲속을 걷는 것은 나의 취미지만, 때로는 이 빽빽한 서가에서 길을 잃기도 한다. 그때마다 나는 '번호표'의 의미를 생각했던 그날을 떠올려 본다. 그리고는 번호표를 보지 않고, 마음이 가는 책을 서가에서 꺼내어 펼쳐 한 줄 한 줄의 의미를 느껴 본다. 왠지 모를 안도감에 나는 미소 짓는다. 나는 이렇게, 너를 찾고 싶다.

13 이 글에 대한 설명으로 적절한 것은?

① 평소에 책을 많이 읽어야 한다는 자신의 의견을 전달하고 있다.
② 지위나 신분으로 사람을 판단하는 현대인들의 인식 변화를 촉구하고 있다.
③ 사람에게도 책과 같은 분류 체계를 부여하는 것이 효율적임을 주장하고 있다.
④ 도서관 서가에서 번호표를 활용해 책을 쉽게 찾는 방법에 대한 정보를 전달하고 있다.
⑤ 사람을 자세히 들여다볼 노력조차 하지 않은 데에서 느끼는 부끄러움을 표현하고 있다.

14 글쓴이가 이 글을 쓰는 데 바탕이 된 경험을 제시하고, 그 경험을 통해 얻은 삶의 의미를 〈조건〉에 맞게 서술하시오.

조건
- 글쓴이의 경험을 구체적으로 제시할 것
- 글쓴이가 반성한 내용을 제시할 것
- 글쓴이가 희망하는 앞으로의 삶의 방향을 제시할 것

15 이 글을 통해 알 수 있는, 정서를 표현하는 글을 쓸 때 고려할 점으로 가장 적절하지 않은 것은?

① 예상 독자를 구체적으로 분석하고 고려하여 글을 쓴다.
② 과장이나 왜곡 없이 자신의 정서를 진정성 있게 드러낸다.
③ 사물에 대한 독특한 시각을 개성 있는 표현으로 드러냄으로써 자신을 드러낸다.
④ 자신만의 방식으로 사물을 해석하고 의미를 부여함으로써 자신의 개성을 드러낸다.
⑤ 일상의 경험을 소홀히 여기지 말고 그 속에서 자신이 느낀 생각과 감정에 관심을 기울인다.

16 자기를 성찰하는 글 쓰기의 효과로 가장 적절한 것은?

① 독자에게 필자에 대한 정보를 알릴 수 있다.
② 독자에게 대상에 대한 새로운 정보를 알릴 수 있다.
③ 필자와 독자가 친밀한 관계를 유지·발전시킬 수 있다.
④ 필자가 자기와 자신의 삶에 대한 긍정적인 의미를 부여할 수 있다.
⑤ 독자의 생각, 태도, 행동을 변화시켜 공동체의 발전을 이룰 수 있다.

17 〈보기〉의 ㉠~㉢에 대한 설명으로 적절하지 않은 것은?

보기
㉠ 일기 ㉡ 자서전 ㉢ 회고문

① ㉠은 필자가 자신의 삶의 체험을 기억하기 위한 개인적인 기록이다.
② ㉡은 필자가 자신의 생에 대해 쓴 전기이다.
③ ㉡은 일정한 형식과 분량에 맞추어 필자의 삶을 시기별, 주제별로 서술한 글이다.
④ ㉢은 필자의 삶에 변화를 가져온 중대한 사건에 대해 기술한 글이다.
⑤ ㉢은 필자의 삶 중에서 독자에게 전할 만한 가치가 있다고 생각되는 내용을 쓴 글이다.

18 진심을 담아 의사소통하는 태도로 적절하지 않은 것은?

① 상대방에 대한 존중과 배려의 태도를 갖춘다.
② 글을 쓸 때 독자의 수준과 상황을 고려하여 표현한다.
③ 대화할 때 상대방과 눈을 맞추고 공감적인 태도를 보이려 노력한다.
④ 대화할 때 상대방이 마음을 열고 말할 수 있도록 편안한 자세를 취한다.
⑤ 대화할 때 상대방의 말에 큰 목소리로 대답하여 집중하고 있음을 드러낸다.

19 다음 상황의 ㉠에서 문제가 발생한 원인으로 알맞은 것은?

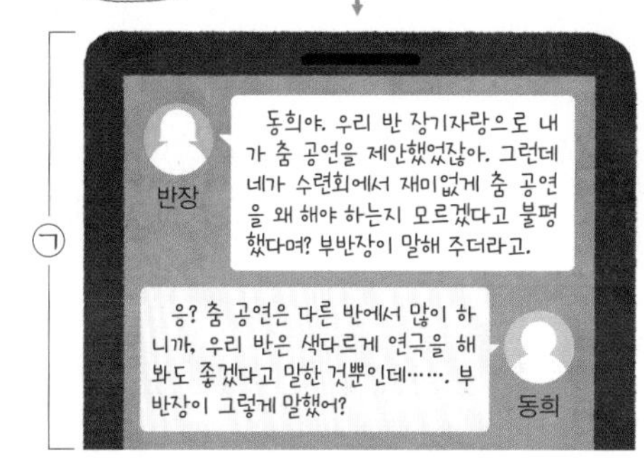

① 동희가 사실을 왜곡하여 말했기 때문이다.
② 반장이 자신의 의견만 옳다고 주장했기 때문이다.
③ 반장이 부반장의 말에 공감해 주지 않았기 때문이다.
④ 동희가 반장의 말에서 맥락을 파악하지 못하였기 때문이다.
⑤ 부반장이 동희가 한 말을 왜곡하여 반장에게 전달했기 때문이다.

20 화법과 작문의 관습에 대한 설명으로 적절하지 않은 것은?

① 말과 글로 표현하고 이해하는 과정에 영향을 미친다.
② 경조사에 참석하여 예를 갖추어 말하는 것은 담화 관습의 예에 해당한다.
③ 과학 보고서를 쓸 때 보고서의 형식에 맞추어 쓰는 것은 작문 관습의 예에 해당한다.
④ 언어 공동체들이 지닌 언어 사용의 형식, 내용, 소통 방식 등의 고유한 규범과 가치를 말한다.
⑤ 말과 글의 내용만 잘 갖추면 화법과 작문의 관습을 고려하지 않아도 의사소통을 원활하게 할 수 있다.

Memo

핵심 정리 01 정보를 전달하는 글 쓰기 ①

[관련 단원] 3단원 1-(1) 정보를 전달하는 글 쓰기

정보 전달을 위한 글

개념	어떤 대상, 사실, 현상 등에 대한 새로운 정보를 알리고 설명하는 글
종류	설명문, 기사문, 안내문, 공고문 등

정보 전달을 위한 글 쓰기 과정

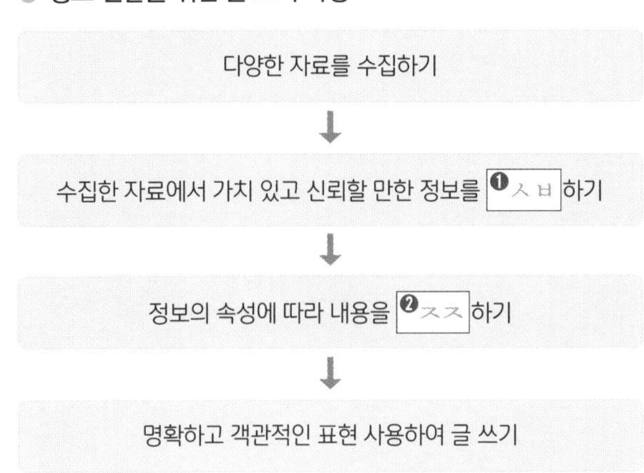

답 ❶ 선별 ❷ 조직

핵심 정리 02 정보를 전달하는 글 쓰기 ②

[관련 단원] 3단원 1-(1) 정보를 전달하는 글 쓰기

정보 전달을 위한 글의 내용 조직 방법

나열(병렬) 구조	서로 대등한 관계에 있는 정보를 늘어놓아 내용을 조직하는 방법
순서 구조	시간 순서나 공간의 이동에 따라 내용을 조직하는 방법
❶ㅇㄱ 구조	일이 일어난 원인과 결과에 따라 내용을 조직하는 방법
비교·대조 구조	설명하려는 대상들 사이의 공통점이나 ❷ㅊㅇㅈ을 중심으로 하여 내용을 조직하는 방법
문제 해결 구조	발생한 문제와 그 해결 방안을 중심으로 하여 내용을 조직하는 방법

답 ❶ 인과 ❷ 차이점

핵심 정리 03 보고하는 글 쓰기

[관련 단원] 3단원 1-(2) 보고하는 글 쓰기

보고하는 글

개념	특정한 사안이나 현상에 대한 연구의 ❶ㄱㅈ과 결과를 독자에게 전달하기 위한 글
종류	실험 보고서, 관찰 보고서, 조사 보고서, 연구 보고서

보고하는 글을 쓰는 방법

- 연구의 목적과 필요성, 연구의 기간, 연구 대상과 연구 방법, 연구의 결과 등의 요소를 글에 꼭 포함해야 함.
- 실험, 관찰, 조사, 연구 등의 과정과 결과를 객관적이고 구체적으로 전달해야 함.
- 연구의 기간을 표현할 때에는 날짜를 정확하게 기입해야 함.
- 연구의 대상이 사람일 경우에는 연구 대상자의 특성(연령, 성별 등)을 구체적이고 정확하게 기입해야 함.
- 독자가 글에 담긴 내용을 잘 이해할 수 있게 여러 가지 ❷ㅅㄱ ㅈㄹ를 제시하는 것이 좋음.

답 ❶ 과정 ❷ 시각 자료

핵심 정리 04 설득하는 글 쓰기 ①

[관련 단원] 3단원 2-(1) 설득하는 글 쓰기

설득하는 글

개념	필자의 주장과 주장에 따른 근거를 제시하여 다른 사람들의 생각, 태도, 행동 등을 ❶ㅂㅎ시키려는 의도를 가진 글
종류	논설문, 비평문, 건의문, 광고문 등

논거의 개념과 종류

- 개념: 독자가 필자의 주장을 납득하고 수용할 수 있게 주장을 뒷받침하는 타당하고 믿을 만한 근거
- 종류

사실 논거	구체적이고 객관적인 사례로서의 실제적인 근거
❷ㅇㄱ 논거	권위 있는 사람이나 전문가의 의견

답 ❶ 변화 ❷ 의견

자르는 선

01 [관련 단원] 3단원 1-(1) 정보를 전달하는 글 쓰기

○ 정보 전달을 위한 글의 내용 생성

다양한 자료 수집하기

- 책, 사전, 신문, 방송이나 인터넷 등의 매체 활용
- 면담, 견학, 관찰, 실험, 설문 조사 등의 방법 사용

→ 필요한 정보의 내용에 따라 자료 수집 방법을 달리함.

↓

가치 있고 신뢰할 만한 정보 선별하기

- 글의 목적에 맞고 ❶ ㄷㅈ 의 이해를 도울 수 있는 정보 선별
- 독자의 요구, 기대, 배경지식에 부합하는 정보 선별
- ❷ ㅅㄹ 할 만한 정보 선별

답 ❶ 독자 ❷ 신뢰

02 [관련 단원] 3단원 1-(1) 정보를 전달하는 글 쓰기

○ 정보의 속성에 따른 내용 조직 방법 선정의 예

정보		조직 방법
헌법 재판소의 여러 가지 역할	→	나열(병렬) 구조
몽골의 슈바이처, 이태준의 삶	→	순서 구조
공룡이 멸종한 원인	→	인과 구조
문어와 오징어의 유사점과 차이점	→	비교·대조 구조
공기 오염을 해결하는 방안	→	문제 해결 구조

○ 정보 전달의 효과를 높이기 위한 표현

- 명확하고 ❶ ㄱㄱㅈ 인 표현 사용하기
- 모호한 표현, ❷ ㅎㅊㅈ 인 표현 사용하지 않기

답 ❶ 객관적 ❷ 함축적

03 [관련 단원] 3단원 1-(2) 보고하는 글 쓰기

○ 보고하는 글을 쓸 때 지켜야 할 사항

- 모든 과정이나 결과를 ❶ ㅅㅅ 대로 기술해야 함.
- 과정이나 결과를 자신이 의도하는 대로 바꾸어 쓰거나 거짓으로 꾸며서는 안 되며, 결과가 처음 의도와 다르게 도출되었다고 하더라도 그것을 있는 ❷ ㄱㄷㄹ 제시해야 함.

○ 보고하는 글의 구조

첫 번째 부분 (서론)	연구의 필요성과 목적, 이론적 배경, 연구 방법 등 제시
↓	
가운데 부분	연구 결과와 해석 제시
↓	
세 번째 부분 (결론)	연구 내용의 요약, 결론, 제언 등 제시

답 ❶ 사실 ❷ 그대로

04 [관련 단원] 3단원 2-(1) 설득하는 글 쓰기

○ 수집한 논거의 선별 기준

기준	내용
타당성	• 주장과 관련이 있는가? • 주장을 뒷받침할 수 있는 합리성과 객관성을 갖추었는가?
 ❶ ㄱㅈㅅ	• 어느 한쪽의 입장에 치우치지는 않았는가? • 필자의 선입견이나 편견이 들어가지는 않았는가?
신뢰성	• 인용한 자료의 ❷ ㅊㅊ 가 권위 있는 것인가? • 의견을 낸 화자나 필자가 전문성이 있는가?

답 ❶ 공정성 ❷ 출처

자르는 선

핵심 정리 05 설득하는 글 쓰기 ②

[관련 단원] 3단원 2-(1) 설득하는 글 쓰기

맥락을 고려한 설득 전략

맥락	설득 전략의 예
❶ㄷㅈ	• 어린이를 대상으로 글을 쓸 경우 → 쉽고 재미있는 어휘와 문장을 사용함. • 노부모를 모시는 사람에게 효도 상품을 판매하는 광고문을 쓸 경우 → 효심을 자극하는 어휘나 문구를 사용함.
주제	'과식을 하지 말자.'라는 ❷ㅈㅈ로 글을 쓸 경우 → 과식과 질병의 상관관계를 보여 주는 그래프를 제시함.
글의 유형	• 긴 글을 인쇄 매체에 싣는 경우 → 문자나 사진을 활용하여 일정한 형식을 갖춘 내용을 전개함. • 광고문을 인터넷 매체에 싣는 경우 → 문자, 사진, 소리, 영상 등을 활용하여 간결한 문구를 제시함.

답 ❶ 독자 ❷ 주제

핵심 정리 06 비평하는 글 쓰기

[관련 단원] 3단원 2-(2) 비평하는 글 쓰기

비평하는 글

개념	어떤 사물이나 현상에 대한 옳고 그름, 아름다움과 추함 등의 ❶ㄱㅊ를 논하며 필자의 의견이나 관점을 드러내는 글
종류	• 문학 작품에 대한 비평문 • 책에 대한 평가를 담은 서평 • 특정한 사람이 쓴 글에 대한 비평 글 • 특정한 인물에 대한 비평 글

비평하는 글의 특징

• 특정한 대상에 대한 ❷ㅍㄱ를 주장으로 내세우며 근거를 제시해 이를 뒷받침함.
• 설득하는 글보다 필자의 주관이 더 뚜렷하게 드러남.

답 ❶ 가치 ❷ 평가

핵심 정리 07 건의하는 글 쓰기 ①

[관련 단원] 3단원 2-(3) 건의하는 글 쓰기

건의하는 글

어떤 ❶ㅎㅇ을 분석하여 쟁점을 파악하고 그 현안을 해결할 방안을 담은 글

건의하는 글의 특징

설득하는 글이나 비평하는 글과 달리 글을 읽는 대상이 ❷ㄱㅊㅈ임.

예

	설득하는 글	건의하는 글
주제	안전하게 운전하자.	우리 동네로 진입하는 도로를 넓혀 주세요.
독자	일반 운전자들 → 독자의 범위가 비교적 넓음.	도시 계획을 담당하는 지방 정부 관계자 → 독자의 범위가 좁음.

답 ❶ 현안 ❷ 구체적

핵심 정리 08 건의하는 글 쓰기 ②

[관련 단원] 3단원 2-(3) 건의하는 글 쓰기

건의하는 글을 쓰는 방법

독자의 공감 이끌어 내기

• 문제 상황의 심각성에 대한 독자의 ❶ㄱㄱ을 이끌어 내어, 독자가 문제를 해결하겠다는 의지를 갖게 해야 함.
• 이를 위해 동정에 호소하는 방법도 사용할 수 있음.

요구 사항은 구체적으로 표현하기

• 필자가 원하는 방향으로 문제를 해결하기 위함
예 "길을 넓혀 주세요."라고 요구하기보다는 "밭을 도로로 만들어 우리 동네로 진입하는 도로를 넓혀 주세요."와 같이 표현

요구 사항이 실현되었을 때의 ❷ㄱㅈ적 효과 제시하기

• 글의 설득력을 좀 더 높이기 위함
• 이때 요구 사항은 물론 합리성, 실현 가능성, 타당성을 갖춘 것이어야 함.

답 ❶ 공감 ❷ 긍정

자르는 선

06 [관련 단원] 3단원 2-(2) 비평하는 글 쓰기

○ 비평하는 글 쓰기의 과정

단계	내용
비평의 대상 선정하기	비평의 대상을 명확하게 정해야 함.
비평의 대상 이해하기	비평의 대상을 이해하기 위해서는 대상을 바라보는 다양한 관점의 글들을 많이 읽어 보는 것이 좋음.
자신의 관점 수립하기	• 수립한 관점은 글 안에서 [❶ㅇㄱㅅ] 있게 유지함. • 관점은 [❷ㅅㅈ]하게 정해야 함. → 필자의 주장이 오해나 논쟁을 불러일으킬 수도 있기 때문
비평의 근거 마련하기	필자가 선택하지 않은 다른 관점들의 단점이나 약점, 문제점 등을 [❸ㄱㄱ]로 활용할 수 있음.
표현하기	미사여구를 지나치게 사용하는 것은 좋지 않고, 가급적 간결한 표현을 사용해야 함.

답 ❶ 일관성 ❷ 신중 ❸ 근거

05 [관련 단원] 3단원 2-(2) 설득하는 글 쓰기

○ 글의 설득력을 높여 주는 표현 방법

방법	내용
[❶ㅂㅇㅂ]	어떤 현상을 다른 비슷한 현상에 표현하는 것으로, 독자의 배경지식을 이용하여 필자의 주장을 더 쉽고 빠르게 전달할 수 있음. 예 힘든 상황에 처했을 때 무조건 맞서는 것만이 능사는 아니다. 비가 많이 올 때는 우산을 이용할 줄도 알아야 하는 것이다.
설의법	누구나 알고 있는 사실을 [❷ㅇㅁ]의 형태로 제시하는 것으로, 평서문으로 표현할 때보다 의미를 강조하여 독자의 마음을 효과적으로 표현할 수 있음. 예 기부는 꼭 돈이 많은 사람, 유명한 사람만이 할 수 있는 것일까?
이중 부정	한 번 부정한 것을 다시 부정하여 긍정의 의미를 강조할 수 있음. 예 이런 이유로 청소년 게임 중독 현상을 걱정하지 않을 수 없다.

답 ❶ 비유법 ❷ 의문

08 [관련 단원] 3단원 2-(3) 건의하는 글 쓰기

○ 건의하는 글의 표현

예의 바르고 공손한 표현	독자의 [❶ㅎㄱ]을 높여 독자가 필자의 요구 사항을 긍정적으로 생각할 수 있게 함.

○ 건의하는 글을 쓸 때 유의할 점

자신의 글이 지닌 [❷ㅅㅎ]적 영향력을 인식하고 실현 가능한 해결 방안을 제시하는 것이 중요함.

답 ❶ 호감 ❷ 사회

07 [관련 단원] 3단원 2-(3) 건의하는 글 쓰기

○ 건의하는 글의 형식

건의 내용이 담긴 제목	예 교실에 탈의 공간을 만들어 주세요
인사, 자기소개	예 교장 선생님, 안녕하세요? 저는 2학년 OO반 김재희입니다.
[❶ㅁㅈ ㅅㅎ]	예 학교에 탈의 공간이 없어서 매우 불편합니다.
요구 사항	예 교실에 탈의 공간을 만들어 주시기 바랍니다.
건의 내용 강조	예 이 문제를 꼭 살펴봐 주시기를 부탁드립니다.
[❷ㄱㄷ ㅎㄱ]	예 교실에 탈의 공간을 마련해 주신다면 저희의 학교 생활이 한결 편안해질 것입니다.
쓴 날짜, 쓴 사람	예 20△△년 4월 20일 / 김재희 올림

답 ❶ 문제 상황 ❷ 기대 효과

자르는 선

핵심 정리 09 자기를 소개하는 글 쓰기

[관련 단원] 3단원 3-(1) 자기를 소개하는 글 쓰기

○ 자기를 소개하는 글

자신의 이력이나 경험, 장점 등을 담아, 자기를 모르는 독자에게 자기에 대해 알려 진학이나 ❶ㅊㅇ, 동아리 가입 등과 같은 특정한 목적을 달성하기 위한 글

○ 자기를 소개하는 글을 쓸 때 고려할 작문 맥락

구분	내용
목적과 독자	자기소개서를 쓰는 ❷ㅁㅈ에 따라 독자가 달라짐. 예 진학이 목적일 때의 독자는 입학 사정관이며, 취업이 목적일 때의 독자는 기업의 인사 담당자임.
매체	인쇄 매체인지 인터넷 매체인지 등에 따라 활용할 수 있는 자료가 달라짐.

답 ❶ 취업 ❷ 목적

핵심 정리 10 친교의 내용을 표현하는 글 쓰기

[관련 단원] 3단원 3-(2) 친교의 내용을 표현하는 글 쓰기

○ 친교의 내용을 표현하는 글

초대, 부탁, 감사 등 다양한 목적으로 다른 사람과 친밀한 ❶ㄱㄱ를 맺기 위해 쓰는 글

○ 친교의 내용을 표현하는 글을 쓸 때 고려할 작문 맥락

구분	내용
독자	받을 사람이 정해져 있는 글이므로 독자와 필자와의 관계, ❷ㄷㅈ의 나이와 관심사 등을 고려하여 글을 써야 함.
목적	초대, 위로, 축하, 사과, 요청 등의 다양한 목적 중 자신이 글을 쓰는 목적을 확실히 정하고 글을 써야 글의 목적을 달성할 수 있음.

답 ❶ 관계 ❷ 독자

핵심 정리 11 정서를 표현하는 글 쓰기

[관련 단원] 3단원 4-(1) 정서를 표현하는 글 쓰기

○ 정서를 표현하는 글

필자의 경험에서 얻은 감정이나 필자가 어떤 대상을 살펴보고 나서의 느낌을 드러내는 글

○ 정서를 표현하는 글의 유형

유형	내용
❶ㅅㅍ	• 자신이 보고, 듣고, 느낀 바를 자유롭게 표현한 글 • 일상 속에서 의미 있는 체험을 하거나 사물의 특별한 의미를 발견하고 그것에 대한 정서를 진솔하게 표현함.
❷ㄱㅎㅁ	• 여행을 하면서 보고, 듣고, 느끼고 생각한 바를 자유롭게 쓴 글 • 기행문을 통해 필자는 여행의 기억을 간직할 수 있으며 독자는 간접 경험과 유용한 정보를 얻을 수 있음.
감상문	• 문학, 연극, 영화, 미술, 음악 등의 대상에 대한 필자의 주관적인 생각이나 느낌을 표현한 글 • 필자는 감상문을 쓰면서 자신의 생각을 구체화하고 대상을 새롭게 인식할 수 있음.

답 ❶ 수필 ❷ 기행문

핵심 정리 12 자기를 성찰하는 글 쓰기

[관련 단원] 3단원 4-(2) 자기를 성찰하는 글 쓰기

○ 자기를 성찰하는 글

자신의 ❶ㅅ을 되돌아보는 내용을 담은 글

○ 자기를 성찰하는 글의 유형

유형	내용
일기	• 자신의 삶을 기억하고 간직하기 위한 개인적인 기록 • 사건만 나열하기보다는 감회나 깨달음을 포함하는 것이 좋음.
❷ㅈㅅㅈ	• 필자 자신의 생에 대한 전기 • 시간 순서로 쓰는 것이 일반적이며, 자신의 삶을 시기별 혹은 주제별로 나누어 쓰기도 함.
회고록	• 필자가 자신의 지난 삶 가운데 독자에게 전할 만한 가치가 있다고 생각되는 내용을 기록한 글 • 반성적 성격이 강함.

답 ❶ 삶 ❷ 자서전

자르는 선

○ 친교의 내용을 표현하는 글 쓰기 과정

독자와 목적 정하기	누구에게 어떤 목적으로 쓸 것인지를 명확하게 정해야 함.

↓

내용 생성하기	글을 쓰는 목적과 ❶ ㄷㅈ 가 처한 상황을 고려하여 적절한 내용을 생성해야 함.

↓

표현하기	• 예의 바른 표현을 사용해야 함. • 자신의 마음을 ❷ ㅈㅅ 하게 표현해야 함.

답 ❶ 독자 ❷ 진솔

○ 작문 맥락을 고려한 자기소개서 작성 방법

목적	목적과 독자를 고려한 작성 방법
입학	독자(입학 사정관)는 필자의 학업 능력, 학교생활, 인성 등을 파악하고자 함. → ❶ ㅎㅇ 에 기울인 노력, 학습 경험, 학교생활, 학업 계획이나 진로 계획 등을 중심으로 내용 구성
취업	독자(인사 담당자)는 필자의 업무 수행 능력을 파악하고자 함. → 자신의 학업과 해당 직무와의 연관성, 경력 사항, 지원 동기, 입사 후 포부 등을 중심으로 내용 구성
동아리 가입	독자(동아리 부원)는 필자의 ❷ ㄷㅇㄹ 에 대한 관심과 열정을 파악하고자 함. → 취미, 특기, 동아리 지원 동기를 중심으로 내용 구성

○ 자기소개서 작성 방법

• 내용을 구체적이고 깊이 있게 쓰고, 진솔하게 쓰기
• 창의적으로 내용을 구성하고, ❸ ㅍㄱ 있는 표현 사용하기

답 ❶ 학업 ❷ 동아리 ❸ 품격

○ 자기를 성찰하는 글 쓰기 과정

자신의 삶 되돌아보기	자신의 삶에 큰 ❶ ㅇㅎ 을 미친 경험 떠올려 보기

↓

가치 있는 경험 정하기	글로 쓸 만큼 의미와 가치 있는 경험 선택하기

↓

경험에 의미 부여하기	당시의 고민이나 갈등을 ❷ ㅈㅅ 하게 표현하여 경험에 의미 부여하기

↓

표현하기	감정에 치우쳐서 쓰지 말고 차분한 어조로 담담하게 표현하기

답 ❶ 영향 ❷ 진솔

○ 정서를 표현하는 글의 특성

필자가 주인공이 되어 자신을 있는 그대로 드러내는 글	• 필자의 진정성이 드러남. • 필자의 ❶ ㄱㅅ 이 분명하게 드러남.

○ 정서를 표현하는 글 쓰기의 과정

일상 속에서 대상이나 사건 관찰하기

↓

대상이나 사건에 ❷ ㅇㅁ 를 부여하기

↓

꾸밈없이 ❸ ㅈㅅ 하게 표현하기

답 ❶ 개성 ❷ 의미 ❸ 진솔

자르는 선 ✂

핵심 정리 13 화법과 작문의 윤리 ①

[관련 단원] 4단원 (1) 화법과 작문의 윤리

◎ 화법과 작문의 사회적 영향력

말과 글의 사회적 영향력이 커짐에 따라 의사소통의 사회적 책임이 더욱 중요해짐.

말과 글이 지니는 [❶ ㅅㅎ]적 책임을 인식하고 윤리적인 언어활동을 해야 함.

◎ 화법과 작문의 윤리를 지키기 위해 필요한 태도

- 신중한 태도로 정확한 내용과 표현을 전해야 함.
- 알지 못하는 부분을 성급하게 [❷ ㅊㅊ]하거나 판단하여 표현하지 않아야 함.
- 과장하거나 왜곡하여 전달하지 않도록 유의해야 함.
- 상대의 오해를 불러일으키거나 마음을 상하게 할 수 있는 내용과 표현을 삼가야 함.

답 ❶ 사회 ❷ 추측

핵심 정리 14 화법과 작문의 윤리 ②

[관련 단원] 4단원 (1) 화법과 작문의 윤리

◎ 타인의 저작물을 이용할 때 지켜야 할 사항

- 자신이 이용할 자료를 정하고 원칙적으로 그 자료를 만든 사람인 [❶ ㅈㅈㅈ]에게 자료의 제목과 이용 방식 등을 자세히 알려 이용에 대한 [❷ ㅎㄹ]을 받아야 함.
- 저작자가 자료의 이용을 허락하였다고 하더라도, 허락을 받은 범위 내에서, 그리고 [❸ ㅈㅈㄱㅂ]에서 허용되는 방식으로 자료를 이용해야 함.
- 자료의 출처를 밝혀야 함.

답 ❶ 저작자 ❷ 허락 ❸ 저작권법

핵심 정리 15 진심을 담은 의사소통

[관련 단원] 4단원 (2) 진심을 담은 의사소통

◎ 화법과 작문의 가치

- 정서를 함양하는 역할을 함.
- 문제 해결 능력과 의미 구성 능력, 사고력을 쌓는 데에 도움을 줌.
- 원활하고 친밀한 대인 관계를 형성하게 함.
- 문화의 성장과 [❶ ㄱㄷㅊ]의 발전에 기여함.

◎ 진심을 담은 의사소통의 중요성

- 진정한 의사소통의 시작은 상대방과의 교감을 통해 이루어짐.
- 교감의 가장 기본적인 전제 → '[❷ ㅈㅅ]'

↓

진심을 담은 의사소통

- 의사소통 참여자 간의 상호 작용을 원활하게 함.
- 인간관계의 유지 및 발전에 도움을 줌.

답 ❶ 공동체 ❷ 진심

핵심 정리 16 화법과 작문의 관습과 바람직한 언어문화

[관련 단원] 4단원 (3) 화법과 작문의 관습과 바람직한 언어문화

◎ 담화 관습과 작문 관습

개념	언어 공동체들이 지닌 언어 사용의 형식, 내용, 소통 방식 등의 고유한 [❶ ㄱㅂ]과 가치
특징	• 말을 하고 글을 쓰는 데 영향을 미침. • 말과 글의 의미를 이해하는 데에 영향을 미침. • 언어 공동체가 변화를 겪으면 그것이 반영된 새로운 담화 관습과 작문 관습이 형성되기도 함.

◎ 담화 관습과 작문 관습의 내용·형식·표현 방식 고려하기

내용 고려	예 말을 하거나 글을 쓸 때 언어 공동체의 규범과 가치에 어긋나는 내용을 피하여 독자의 공감 얻기
형식 고려	예 경조사에 참석하여 예를 갖추어 말하기, 실험 보고서를 쓸 때 정해진 [❷ ㅎㅅ]에 맞추어 쓰기
표현 방식 고려	예 우리나라는 예의를 중시하는 가치를 공유하므로, 이를 고려하여 공손한 표현 사용하기

답 ❶ 규범 ❷ 형식

14 [관련 단원] 4단원 (1) 화법과 작문의 윤리

인용과 표절

인용	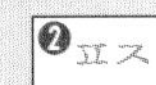 ❷ㅍㅈ
공표된 저작물에 한해 정당한 범위 내에서 저작자의 ❶ㄷㅇ 를 구하여 저작물을 사용하는 것	저작권을 지키지 않고 다른 사람의 글이나 자료, 아이디어 일부 또는 전체를 그대로 베끼는 행위

올바른 인용을 위해 지켜야 할 사항

- 인용한 부분이 원문보다 길어서는 안 됨.
- 인용하는 부분이 글과 연관이 있어야 함.
- 인용을 할 때에는 반드시 ❸ㅊㅊ 를 밝혀야 함.

다른 사람의 글을 인용하는 방법

- 인용 부호 사용, 문단 바꾸기 등으로 인용문임을 밝힘.
- 큰따옴표는 다른 사람의 글을 직접 인용할 때, 작은따옴표는 가져온 글 가운데 다시 따온 말이 있을 때 씀.

답 ❶ 동의 ❷ 표절 ❸ 출처

13 [관련 단원] 4단원 (1) 화법과 작문의 윤리

저작권

사람의 정신적 노력에 따른 결과물에 대해 그것을 ❶ㅊㅈ 한 사람에게 주는 권리

저작권을 침해하는 사례

- 책의 일부나 전체를 복사하여 나누어 쓰는 행동
- 인터넷에 있는 자료를 베껴서 과제로 제출하는 행동
- 기존 작가의 작품을 베껴서 자신의 이름으로 발표하는 행동
- 다른 사람의 블로그나 누리집에 있는 글, 사진, 영상 등의 자료를 만든 사람의 ❷ㅎㄹ 없이 자신의 블로그나 누리집에 옮기는 행동

답 ❶ 창작 ❷ 허락

16 [관련 단원] 4단원 (3) 화법과 작문의 관습과 바람직한 언어문화

바람직한 언어문화 형성의 중요성

언어문화를 ❶ㅂㄹㅈ 하게 형성하지 않으면 담화 관습과 작문 관습이 바르게 형성되지 않을 수 있음.

❷ㅊㅇㄱ 있는 언어생활을 하여 바람직한 언어문화를 형성해야 함.

책임감 있는 언어생활

진실성에 바탕을 둔 언어생활
의사소통은 사람과 사람 사이의 만남을 통해 이루어짐. → 자신의 생각과 감정을 진실하게 드러내는 언어생활을 해야 함.
❸ㄱㅅㅅ 에 바탕을 둔 언어생활
상대방을 존중하는 표현과 태도를 유지하는 언어생활 → 인간관계의 형성 및 유지에 도움이 되고 문화 발전에 기여함.

답 ❶ 바람직 ❷ 책임감 ❸ 공손성

15 [관련 단원] 4단원 (2) 진심을 담은 의사소통

진심을 담아 의사소통하는 태도

- **말을 할 때:** 상대와 눈을 맞추고 진심을 담아 ❶ㄱㄱ 적인 태도를 보이려 노력해야 함.
- **글을 쓸 때:** ❷ㄷㅈ 의 수준과 상황을 고려하여 표현해야 함.
- 상대방에 대한 존중과 ❸ㅂㄹ 의 태도를 갖추어야 함.

답 ❶ 공감 ❷ 독자 ❸ 배려

자르는 선

book.chunjae.co.kr

교재 내용 문의 .... 교재 홈페이지 ▸ 고등 ▸ 교재상담
교재 내용 외 문의 .... 교재 홈페이지 ▸ 고객센터 ▸ 1:1문의
발간 후 발견되는 오류 .... 교재 홈페이지 ▸ 고등 ▸ 학습지원 ▸ 학습자료실

7일 끝

중간고사 기말고사

7일 끝으로 끝내자!

고등 화법과 작문

박영목 교과서

BOOK 3

정답과 해설

7일 끝으로 끝내자!

7일 끝으로 끝내자!

고등 화법과 작문

BOOK 3

정답과 해설

이 책의 차례

중간고사 대비

정답과 해설

정답과 해설 활용 안내

- 정답 박스로 **빠르게 정답 확인하기!**
- 정답과 오답의 이유, **한 번 더 짚고 넘어가기!**
- **서술형** 답안의 **평가 요소**는 직접 **체크**해 보며, **주관식** 문제 꼼꼼히 **대비하기!**

7일 끝! 중간고사 대비

1일 기초 확인 문제 9쪽

1단원 (1) 화법과 작문의 특성

1 (1) ○ (2) ○ (3) × **2** ㉠ 사회적 ㉡ 담론 **3** ⑤ **4** ④
5 ②

1 (3) 슬픔이나 기쁨 등의 정서를 나누며 친밀감을 형성하는 것은 화법과 작문 모두 가능하다.

3 의사소통 문화란 특정한 집단 혹은 사회에서 의사소통을 할 때 일반적으로 사용하는 공통적인 의사소통 양식으로서, 겸양의 표현을 자주 사용하는 것은 우리나라의 전통적인 의사소통 문화이다.

4 ㉡은 작문 활동으로, 주로 시간과 공간을 뛰어넘어 다른 사람과 의사소통을 하는 특징을 지닌다.

5 제시된 상황은 작문 활동을 통해 교내에서 여론을 형성하는 과정을 보여준다. 작문 활동을 통해 새로운 의사소통 문화를 만들어 내는 과정은 이 상황에서 찾을 수 없다.

1일 기초 확인 문제 11쪽

1단원 (2) 화법과 작문의 기능, (3) 화법과 작문의 맥락

1 ㉠ 다른 사람(타인) ㉡ 성찰 **2** (1) × (2) × (3) ○ **3** ④
4 ③ **5** ①

2 (1) 화법과 작문 활동을 통해서 이미 형성된 자아 개념을 다른 방향으로 조정하여 자아를 성장시킬 수 있다.
(2) 자아 개념은 타인과의 의사소통을 통해 자신의 모습을 인식하는 과정에서 형성된다. 공적인 성격의 말하기를 통해서만 형성된다는 것은 적절하지 않다.

3 화법과 작문 활동을 할 때에는 다른 사람의 견해를 충분히 이해하고 수용하려는 자세를 가져야 갈등을 해결하고 공동체 발전에 기여할 수 있다.

4 담화 참여자가 누구인지에 따라 지역 방언을 사용할지, 표준어를 사용할지 결정할 수 있다. 같은 지역 사람끼리 만났을 때 지역 방언을 사용하면 친밀감과 결속력을 높이는 효과를 얻을 수 있다.

5 나은은 창문을 닫아 달라는 목적으로 글을 쓴 것인데, 민수는 이러한 맥락을 제대로 파악하지 못한 채 답장을 썼다.

1일 교과서 기출 베스트 12~15쪽

1단원 (1), (2), (3)

1 ⑤ **2** ② **3** '열공'이라는 줄임말을 사용하여 의사소통에 혼란을 주고 있다. **4** ④ **5** 윤아는 일기 쓰기를 통해 부정적이었던 자아 개념을 긍정적인 방향으로 조정하여 자아를 성장시키고 있다. **6** ③ **7** ③ **8** ④ **9** 예의 바르고 공손한 표현을 통해 건의하는 내용이 더 잘 수용되도록 한다. **10** ④ **11** ⑤
12 독자, 공동체의 가치와 신념

1 층간 소음 문제 해결을 위한 경비를 층간 소음을 유발한 사람이 부담해야 한다는 생각은 이 상황에서 찾아볼 수 없다.

2 (나)의 대화 참여자들은 층간 소음 문제를 해결하는 것이 중요한 사회적 문제라는 사실에 동의하며 그 해결책을 각자 제시하고 있다. 서로 간의 의견 차이를 좁히지 못하고 있다는 설명은 적절하지 않다.

오답 풀이

③ 층간 소음 문제에 대해 (나)에서는 '타인을 배려하는 의식', '제도적인 뒷받침', (다)에서는 '서로를 이해하고 배려하는 공동체 의식', '제도적인 접근'이라는 해결 방안을 제시하고 있다.
④ (가)~(다)에서 많은 사람들이 층간 소음 문제의 심각성에 공감하여 이에 대한 의견을 내놓는 방식을 통해 만들어진 사회적 담론은 (라)에서 '공동 주택 관리법'의 개정안 발의를 이끌어 내었다.
⑤ 층간 소음 문제는 많은 사람들이 공감하는 사회적 차원의 문제로 볼 수 있다.

3 〈보기 2〉에서 준혁이 '열공'이라는 줄임말을 사용하였는데, 할머니가 그 말의 뜻을 알아듣지 못하고 있다. 이처럼 줄임말을 지나치게 사용하면 세대 간 격차를 벌려 의사소통에 혼란을 줄 수 있다.

4 현성이 윤아에게 한 말인 ㉣은 윤아가 지금까지 가졌던 부정적 자아 개념을 긍정적인 방향으로 조정하도록 돕고 있다.

오답 풀이

① 윤아는 ㉠을 들은 후 현성과의 대화에서 '현성아, 내 성격은 정말 별로

인가 봐.'라고 말하고 있다. 이를 통해 ㉠이 윤아의 부정적 자아 개념을 심화시켰음을 알 수 있다.

⑤ ㉠은 윤아가 가진 부정적 자아 개념을 심화시키고 있고, ㉣은 윤아가 부정적 자아 개념을 조정하고 긍정적 자아 개념을 형성할 수 있도록 하고 있다. 따라서 ㉠과 ㉣은 윤아가 자아 개념을 형성하고 조정하는 데 상반된 영향을 끼쳤음을 알 수 있다.

5 윤아는 일기 쓰기라는 작문 활동을 통해 자기 자신이 누구인지에 대한 인식을 조정함으로써, 자신의 긍정적인 면을 발견하며 스스로를 독려하고 있다.

6 왼쪽 학생의 말을 들은 오른쪽 학생은 스스로 부정적 자아 개념을 강화하고 있다. 이를 통해 타인의 말이 부정적 자아 개념을 강화할 수 있음을 알 수 있다.

7 글쓴이가 신문 기사를 통해 알게 된 것은 우산 대여 제도에 대한 정보이다. 신문 기사를 본 경험을 통해 문제 상황의 심각성을 드러냈다고 보기 어렵다.

오답 풀이

② 민정은 수업을 마치고 집에 갈 때 비를 맞을 수밖에 없었던 실제 경험을 근거로 들며, 우산 대여 제도를 통해 그러한 현안을 해결하자는 자신의 의견을 드러내고 있다.

④ (가)는 우산 대여 제도를 운영해 줄 것을 학교 측에 촉구하는 내용을 담은 건의문이다.

8 (나)에서 선생님은 학교 예산이 없어서 우산을 구입하기가 어려울 것 같다고 하였다.

9 글쓴이는 ㉠에서 예상 독자를 존중하는 공손한 표현으로 글을 마무리하였는데, 이러한 표현은 독자의 호감을 높여 건의하는 내용이 독자에게 더 잘 받아들여지게 하는 효과를 지닌다.

10 이 강연의 주제는 교통사고 유형에 따른 예방법을 제대로 알고, 안전 수칙을 잘 지키자는 것이다.

오답 풀이

③ 강연자는 고등학생에게 자주 발생하는 교통사고의 유형과 예방법이라는 정보를 청중에게 전달하고 있으며, 안전 수칙을 준수할 것을 설득하고 있다.

⑤ 강연자는 고등학생이라는 청중의 특성을 고려해, 스마트폰과 무면허 운전 등 고등학생과 관련이 있는 소재로 발표 내용을 구성하였다.

11 안전 수칙을 준수하자고 설득하는 것은 이 강연의 핵심 내용이므로, 이를 삭제하는 것은 수정 방안으로 적절하지 않다.

12 학생이 '우리 학교 학생들과 선생님'을 언급한 것은 '독자'를 고려한 것이고, '학교가 교육적 가치를 추구하는 곳'임을 언급한 것은 '공동체의 가치와 신념'을 고려한 것이다.

2일 기초 확인 문제 19쪽

2단원 1-(1) 상황에 맞는 말하기

1 (1) ○ (2) × (3) ○ **2** 미안함 **3** ④ **4** ⑤ **5** 감사의 말을 할 때에는 진심을 담아 말해야 해.

1 (2) 요청을 할 때에는 요청을 하게 된 이유를 충분히 말하는 것이 좋다.

3 필요하지 않은 상품을 구매하라고 하거나 원하지 않는 단체에서 모임에 참석해 줄 것을 요구하는 등 자신에게 중요하지 않은 요청은 상대방이 헛된 기대를 하지 않도록 제때에 간단명료하게 거절하는 것이 좋다.

4 자신의 잘못을 정당화하려 잘못을 할 수밖에 없었던 이유를 자세히 설명하는 것은 상대방을 더욱 화나게 할 수 있다.

5 이 상황에서 동생은 건성으로 감사한다고 말하고 있으므로, 감사함을 나타낼 때에는 상대방의 호의에 대해 진심을 담아 말해야 한다고 조언한다.

2일 기초 확인 문제 21쪽

2단원 1-(2) 상황에 맞는 표현 전략

1 (1) ㉢ (2) ㉠ (3) ㉡ **2** (1) × (2) × (3) ○ **3** ④ **4** ④ **5** ⑤

2 (1) 시선, 동작 등은 비언어적 표현에 해당한다.
(2) 언어적 요소에 덧붙여 의미를 전달하는 것은 준언어적 표현이다.

3 '안녕하세요'나 '박미나'가 주요 내용이라고 보기 어려우므로 이에 강세를 주어 강조하는 것은 적절하지 않다.

4 준언어적 표현은 언어적 요소 없이는 의미를 전달할 수 없지만, 비언어적 표현은 언어적 요소 없이 단독으로 의미를 전달할 수 있다.

5 '자, 다 같이 ~ 마치겠습니다.'는 발표자가 청자의 호응을 유도해야 하는 부분이므로, 목소리 크기를 작게 하는 것은 적절하지 않다.

교과서 기출 베스트 22~25쪽

2단원 1-(1), (2)

1 ⑤ **2** ⑤ **3** ① **4** ② **5** ⑤ **6** ③ **7** 부탁을 거절하지 못하고 수용했다가 실제로 그것을 해 주지 못하면 더 큰 문제가 발생할 수 있으므로, 부탁을 들어줄 수 없는 상황에서는 과감히 거절하는 것이 좋습니다. **8** ④ **9** ④ **10** ⑤ **11** ⑤ **12** 낮은 음조의 작은 목소리로 천천히 말한다.

1 상대방에게 요청을 할 때에는 요청하는 행동과 그 이유를 정중하게 말해야 한다.

오답 풀이

①, ④ 요청하는 이유를 정중하게 말하지 않았다.
②, ③ 요청하는 이유를 정중하게 말하지 않고 오히려 상대방을 위협하고 있다. 요청할 때 상대방에게 위협하듯 말하는 것은 상대방의 저항감을 유발해 요청이 잘 받아들여지지 않을 수 있다.

2 ㉡은 부탁하는 상황에서 상대방의 상황을 고려하지 않은 채 일방적으로 말하고 있으며, 미안한 마음이 전혀 드러나 있지 않다. 부탁할 때는 강요하거나 명령하듯 말하지 말고, 미안함을 드러내며 정중하게 말해야 한다.

오답 풀이

② 상대방에게 부탁을 하는 이유(다음 시간이 체육이기 때문)를 말하고 있다.
③ 아직 부탁이 받아들여지지 않은 상황이기 때문에 이 상황에서 상대방의 호의가 드러나는 부분은 찾을 수 없다.
④ 체육복을 빌려 달라는 부탁을 명확하게 드러내고 있다.

3 학생은 '수업 시간에 엎드려 잔 것은 죄송'하다고 말하며 미안하다는 표현은 했지만, 자신의 잘못을 제대로 인정하지 않고 변명과 정당화로 일관하고 있다.

4 ㉠의 비언어적 표현을 함께 고려해 볼 때, ㉠이 강한 목소리로 빠르게 말하는 것에서 고객은 ㉠이 일에 열정이 있다는 느낌보다는 불친절하다는 인상을 받을 수 있을 것이다.

오답 풀이

⑤ 같은 언어적 표현이더라도 발화자의 준언어적·비언어적 표현에 따라 의미가 다르게 이해되는 경우가 많다. ㉠과 ㉡은 같은 언어적 표현을 하고 있지만, 각자의 준언어적·비언어적 표현이 상반되기 때문에 고객은 ㉠에게 부담감을, ㉡에게는 편안함을 느낄 것이다.

5 바로 거절하기 어려운 상황이라면 결정을 보류하는 말을 하고 충분한 시간을 들여 생각한 뒤 거절하는 것이 좋다.

6 현수는 미안함을 표현하지 않고 거절하는 이유만을 논리적이고 상세하게 설명하고 있다. 이는 부탁을 거절당하는 상대방의 기분을 배려하지 않는 표현이다.

오답 풀이

① 거절을 함으로써 진영의 부탁에 대한 입장을 명확하게 나타냈다.
② 거절하는 이유를 논리적이고 상세하게 설명하였다.
⑤ 이 상황에서는 근거의 신빙성을 판별할 수 없으며, 근거가 믿을 만하다고 하더라도 그것이 현수의 거절이 적절하지 않은 이유라고 하기는 어렵다.

7 거절하지 못해 부탁이나 요청을 수용했다가 실제로 그것을 해 주지 못하면 더 큰 문제가 발생할 수 있다. 따라서 부탁이나 요청을 들어줄 수 없는 상황이라면 과감하게 거절하는 것이 좋다.

8 발표자가 《난중일기》를 직접 청중에게 보여 주고 있기는 하나, 이에 대한 전문가들의 의견을 비교하고 있지는 않다.

9 발표자는 결론부에서 발표의 주요 내용을 항목별로 요점 정리하지 않았다. 대신 '웅크릴 축' 자에 대한 설명을 통해 이순신 장군이 가졌던 마음과 태도를 효과적으로 설명하며 발표를 인상적으로 마무리하고 있다.

오답 풀이

② '오늘 제가 소개할 보물은 충무공 이순신 장군의 《난중일기》입니다.'라는 언어적 표현을 통해 자신이 소개할 대상을 분명히 밝히고 있다.
③ '그냥 날씨만 적고 끝난 일기도 35일이나 됩니다. 왜 그랬을까요?'에서 청중에게 흥미로운 질문을 제시하여 청중의 참여를 유도하고 있다.
⑤ 결론부에서 '이제 마지막으로'라는 담화 표지를 통해 청중에게 결론 단계라는 정보를 알려 주어 청중의 주의를 집중시키고 있다.

10 ㉣에서 발표자가 두 손을 앞으로 웅크린 것은 이순신 장군의 두려운 마음을 시각적으로 나타낸 것이다. 따라서 ㉣에서 화자가 청중의 마음에 대한 공감을 나타냈다는 것은 적절하지 않다.

11 이 장면에서 봉순의 어머니가 봉순의 말을 재구성하여 나타내는 부분은 찾을 수 없다.

12 부드럽고 온화한 느낌을 주려면 낮은 음조의 작은 목소리로 천천히 말을 해야 한다.

3일 기초 확인 문제 29쪽

2단원 2-(1) 대화

1 ㉠ 관계 ㉡ 사실 ㉢ 감정 **2** ④ **3** ③ **4** 집중하기, 반영하기 **5** ⑤

2 공감적 듣기를 할 때, 대화하는 중에 상대방이 침묵한다고 해서 침묵을 깨기 위해 화제를 전환하는 것은 바람직하지 않다. 대화가 본래의 방향을 벗어날 수 있기 때문이다. 상대방이 생각할 수 있게 차분히 기다려 주어야 한다.

3 '나-전달법'은 문제 상황에서 다른 사람을 평가하고 해석하는 대신, 자신의 감정과 바람에 집중하여 표현하는 의사소통 방법이다.

4 오른쪽 학생은 상대방과 눈을 맞추며 집중해서 듣고 있고(집중하기), 상대의 말을 재진술하며 적극적으로 공감하고 있다(반영하기).

5 '나-전달법'은 '사건, 감정, 기대'로 이루어지므로, 다음에 이어질 말은 '기대'에 해당하는 말이다.

3일 기초 확인 문제 31쪽

2단원 2-(2) 면접

1 의도 **2** (1) ㉡ (2) ㉠ **3** ⑤ **4** ① **5** ③

3 면접관은 학점이 몇이냐고 물었는데 면접 대상자는 좋은 학점을 받기 위해 노력한 경험을 장황하게 말하면서 정작 학점이 몇인지는 밝히지 않았다. 면접에서 답변할 때에는 결론부터 말하는 것이 좋으며, 답변을 장황하게 늘어놓으면 질문의 핵심에서 벗어날 수 있으므로 주의한다.

4 면접관이 약점을 물을 때에는, 자신의 약점을 솔직하게 말하고 이를 극복하기 위해 어떤 노력을 했는지를 구체적인 경험 중심으로 답변하는 것이 좋다.

5 ㉠(최재호)은 자신이 학교의 다양한 행사 활동에 참여했다는 경험을 근거로, 학교 홍보라는 업무를 잘 수행할 수 있음을 드러내고 있다. 역량이나 전문성을 묻는 질문에는 구체적인 경험을 중심으로 답하는 것이 좋다.

3일 교과서 기출 베스트 32~35쪽

2단원 2-(1), (2)

1 ③ **2** ② **3** 윤지가 ㉠에서 감정을 표현하지 않은 것은 연수와 친밀도가 높지 않기 때문이고, ㉡에서 감정을 적극적으로 표현한 것은 서현과 친밀도가 높기 때문이다. **4** ④ **5** ② **6** ④ **7** ② **8** '업체이십니다.'라는 표현은 높임법에 어긋난 표현이므로, '업체입니다.'로 고쳐야 한다. **9** ⑤ **10** ③ **11** ⓑ가 더 적절하다. 면접의 목적에 미루어 볼 때, ⓑ의 질문 의도는 면접 대상자가 평소 진로에 대해 관심을 갖고 있는지 확인하고자 하는 것으로 추측할 수 있기 때문이다.

1 현우와 창규의 사례를 보아 한번 형성된 자아 개념이 바뀌지 않는다는 사실을 알 수 없을뿐더러, 자아 개념은 고정적인 것이 아니라 상대와 상황에 따라 바뀔 수 있다.

오답 풀이

① 현우가 상대방의 평가에 반응하는 방식을 볼 때, 현우는 높은 자아 개념을 바탕으로 개방적이고 수용적인 의사소통 성향을 가지고 있음을 알 수 있다.
② 현우와 창규가 상대방의 평가에 반응하는 방식을 볼 때, 현우는 개방적이고 수용적인 의사소통 성향을, 창규는 폐쇄적이고 공격적인 의사소통 성향을 가지고 있음을 알 수 있다. 높은 자아 개념을 가졌을 때에는 개방적이고 수용적인 의사소통 성향이 드러나고, 낮은 자아 개념을 가졌을 때에는 폐쇄적이고 공격적인 의사소통 성향이 드러난다.
⑤ 낮은 자아 개념을 지닌 창규는 대화를 긍정적으로 이끌어 가지 못하는데, 이는 창규의 인간관계에서도 부정적인 영향을 미칠 것이다. 자아 개념이 낮은 사람은 부정적 언어 습관을 지니는 경우가 많아 의사소통 및 인간관계의 형성, 유지, 발전에 어려움을 겪는다.

2 서현은 윤지와의 대화가 원활하게 진행될 수 있도록 격려하기, 반영하기 등의 공감적 듣기 방법을 사용하고 있다.

오답 풀이

① 서현이 '나-전달법'을 사용하여 대화하는 부분은 찾아볼 수 없고, 윤지와의 갈등 상황도 드러나지 않는다.
③ 서현은 '동생이 속상하지 않도록 ~ 무척 속상했겠구나.'에서 윤지의 생각을 청자의 입장에서 이해한 대로 재진술하며 자신의 생각을 표현하였다.
⑤ 서현이 윤지의 고민에 적절하게 반응하고 있기는 하지만, 윤지가 낮은 자아 개념을 긍정적인 방향으로 조정하도록 돕고 있지 않다. 윤지가 낮은 자아 개념을 가졌다는 근거도 이 대화에서 찾아볼 수 없다.

3 윤지는 선배인 연수가 자신의 속마음을 이야기할 만큼 친한 사이가 아니기 때문에 자기표현의 정도를 조절하였고, 친한 친구인 서현과 대화할 때는 자기표현의 정도를 높여서 감정을 적극적으로 표현하였다.

4 이 대화에서 아버지와 승희는 모두 문제 상황에서 상대를 탓하고 있을 뿐, 자신이 문제 상황에서 느끼는 감정을 솔직하게 표현하고 있지 않다. 자신의 감정을 솔직하게 드러내는 대화 방법은 '나-전달법'으로, 상대방을 비난하거나 비판하지 않고 자신의 감정을 이해할 수 있게 전달하므로 갈등 해결에 효과적이다.

오답 풀이

⑤ 승희가 아버지에게 '아빠는 왜 맨날 앞뒤 사정 알아보지도 않고 화만 내세요?'라고 말한 것에서, 아버지가 승희에게 '그런데 이 책은 왜 이렇게 깨끗한 거야?'라고 말한 것에서 아버지와 승희 모두 상대의 행동에만 초점을 맞추어 비난하고 있음을 알 수 있다.

5 '나-전달법'에서 사건(a)은 문제로 인식한 상대의 행동이나 상황을 언급하는 부분이다. '나-전달법'은 상대의 행동을 평가하거나 비판하는 대신 자신의 감정과 기분을 상대에게 전달하는 것으로, 대화의 초점을 상대가 아닌 자신에게로 돌리는 화법이다.

6 무조건 솔직하게 말하고 싶은 것을 다 말하는 것은 좋은 면접 전략이 아니다. 솔직하게 답변하되 질문의 의도에 맞게 드러낼 것은 드러내고, 감출 것은 되도록 긍정적 인상을 줄 수 있는 방향으로 표현해야 좋은 결과를 얻을 수 있다.

7 상사의 부당한 지시에 따르지 않겠다고 한 것이 잘못된 답변은 아니다. 하지만 질문 의도를 고려할 때 상사와 원만한 관계를 유지하며 문제를 해결하려는 노력 없이 무조건 상사의 지시를 따르지 않겠다고만 한 것은 적절한 태도라고 보기 어렵다.

오답 풀이

① 박수찬은 해당 회사가 우리나라에서 운동용품을 판매하는 기업 중 판매율이 가장 높다는 객관적 정보를 포함시켜 답변하였다.

⑤ 이 회사의 모집 공고에서 '동료 및 상사와의 원만한 관계를 바탕으로 하여~'라는 말을 찾을 수 있는데, 이는 이 회사가 원만한 인간관계를 가진 사람을 모집하고 있음을 의미한다. 이를 고려할 때 면접관의 질문 의도는 면접 대상자가 원만한 인간관계를 형성하며 회사 생활을 할 수 있는지 판단하기 위한 것임을 알 수 있다. 따라서 최진범이 조직의 화합을 유지하며 지시에 대응하는 방법을 찾겠다고 말한 답변은 질문 의도에 부합하는 적절한 답변이다.

8 '업체이십니다.'는 박수찬이 해당 기업을 과도하게 높이려다가 잘못된 높임법을 사용한 것이다. 따라서 '업체입니다.'로 고쳐야 한다.

9 동아리 발표 대회 준비 과정에서 알 수 있는 것은 이동건이 열정을 갖고 끝까지 최선을 다한다는 것이다. 자신이 지닌 리더십을 강조하는 부분은 [B]에서 찾을 수 없다.

10 약점을 묻는 질문에 대해서는 약점을 솔직하게 말하고, 이를 극복하고 개선하기 위해 어떤 노력을 했는지를 답변해야 한다.

11 대학 입시를 위한 선발이라는 면접의 목적으로 보아, ㉡은 면접 대상자가 평소 진로에 관심을 갖고 있는지 확인하고자 하는 질문이다. ⓐ는 틀린 답변은 아니지만 이동건이 지원한 경영학과와 관련이 없는 답변이기 때문에 질문 의도를 파악하지 못한 아쉬운 답변이라고 할 수 있다. 한편 ⓑ는 면접의 목적에 부합하며 질문 의도를 잘 파악한 답변이기 때문에 비교적 적절한 답변이다.

4일 기초 확인 문제 39쪽

2단원 3-(1) 발표

1 청자 **2** (1) × (2) ○ (3) ○ **3** ⑤ **4** ㄷ **5** ③

1 발표는 청자에게 특정 사실이나 자신의 주장을 전달하는 의사소통 행위이므로, 발표를 할 때에는 청자의 특성을 잘 고려해야 한다.

2 (1) 청자가 발표 주제에 관심이 없을 때에는 청자의 흥미를 유발하는 표현으로 발표를 시작한다.

3 ㉠에서 발표자는 '여행'이라는 발표 주제와 관련하여 맛있는 음식을 좋아한다는 청자들의 세부 관심사를 분석하고 있다.

4 청자가 발표 주제에 공감하고 있으며, 발표 내용에 대해 많은 질문을 주었다고 하였으므로 청자가 발표 주제에 관심이 있고 긍정적인 태도를 가지고 있음을 알 수 있다.

5 발표를 할 때에는 청자의 정서적 상태를 이해하고 공감하고 있음을 말과 행동으로 표현하여 청자가 발표 내용에 좀 더 관심을 가지도록 만드는 것이 좋다.

4일 기초 확인 문제 41쪽

2단원 3-(2) 연설

1 (1) ㉡ (2) ㉠ (3) ㉢ **2** ㉠ 신뢰 ㉡ 침착성 **3** ④ **4** ②
5 ㉠, ㉢

3 어떤 감정을 유발하는 표현을 사용하는 것은 감성적 설득 전략에 해당한다.

4 〈보기〉는 흡연이 건강에 나쁜 영향을 준다는 내용의 통계 결과로, '금연을 해야 한다'는 주장을 뒷받침할 수 있는 타당한 근거이다. 이렇게 타당한 근거로 주장의 설득력을 높이는 설득 전략을 이성적 설득 전략이라고 한다.

5 연설자는 청중으로 하여금 분노의 감정이 일어나게 하고 있으므로 감성적 설득 전략을 사용하고 있고, 또한 신념과 열정을 자신 있게 드러내고 있으므로 인성적 설득 전략을 사용하고 있다. 그러나 이성적 설득 전략은 연설 모습에서 찾아볼 수 없다.

4일 교과서 기출 베스트 42~45쪽

2단원 3-(1), (2)

1 ① **2** ④ **3** 발표 주제에 전혀 관심(흥미)이 없음. **4** ③
5 ③ **6** ① **7** ③ **8** 도진은 개요서만 바라보며 말하고 있으므로 공신력을 적절히 구사하였다고 볼 수 없다. **9** ③ **10** ②
11 화자의 전문성 높은 경력이 연설의 주제와 관련하여 화자의 공신력을 높여 주기 때문이다.

1 (가)의 화자가 청자에게 질문을 던지고 있는 것은 맞지만, 그것이 청자의 이해 수준을 파악하기 위한 질문은 아니다. 청자의 상황에 공감하고 있다는 것을 드러내며 청중의 주의를 집중시키기 위한 질문이다.

오답 풀이
② (가)의 화자는 발표 주제에 대한 청자의 흥미와 세부 관심사를 고려하여 '학생부 종합 전형'과 급식에 관한 이야기를 발표 내용에 포함시켰다.
④ (나)의 화자는 청자의 세부 관심사를 분석하여 고등학교 생활이라는 주제 가운데 자율 동아리에 관한 내용을 집중적으로 설명하고 있다.

2 (다)의 화자는 청자가 손수건 사용을 불편해하고 손수건이 거추장스러운 물건이라고 생각할 수 있다고 하였다. 이를 통해 화자는 청자가 이 발표의 주제인 손수건 사용에 부정적 태도를 지녔다고 파악했음을 알 수 있다. ㉠에서 화자는 이와 같이 주제에 대해 부정적 태도를 가진 청자가 주제를 긍정적으로 생각할 수 있도록 유도하고 있다.

오답 풀이
① 제시된 발표문을 통해서는 청자가 주제에 관심이 없다고 단정할 수 없다.

3 발표자가 청자의 시선을 끌고 관심을 유발하는 것으로 볼 때, 이 발표의 청자가 발표 주제에 전혀 관심이 없는 상태임을 알 수 있다.

4 발표자는 통계 자료의 구체적인 수치를 언급했지만, 그 수치들을 비교한 부분은 이 발표에서 찾을 수 없다.

오답 풀이
② 발표자가 어머니의 초등학교 시절 경험담을 언급한 것은 본격적인 발표 내용을 소개하기에 앞서 청중의 흥미를 유발하기 위해서이다.
⑤ 발표자는 '천천히 끊어서 말하며' 등의 준언어적 표현과 '스크린에 자료를 제시하며', '스크린을 가리키며', '청자와 눈을 맞추며' 등의 비언어적 표현을 적절히 사용하여 발표 내용을 효과적으로 전달하고 있다.

5 발표자는 고등학생이라는 청자의 특성을 고려해 대학 수학 능력 시험과 관련된 일화를 소개하고 있다.

6 연설에서 청중의 감정을 유발하는 설득 전략을 감성적 설득 전략이라고 한다. (가)의 연설에서 청중의 동정심을 유발하는 종류의 감성적 설득 전략은 사용되지 않았다.

오답 풀이
④ 연설자는 '여러분, 요즘 읽을 만한 책이 없죠?'라는 표현을 통해 청중의 상황에 공감하고 있음을 드러내고 있다. 이는 공신력의 구성 요소 중 사회성을 높이는 방법으로 인성적 설득 전략에 해당한다.
⑤ '제가 설문 조사를 했더니 우리 학교 학생들의 80%가 도서관에 읽을 만한 책이 부족하다고 응답했습니다.'라는 표현은 연설자가 미리 주제와 관련된 내용을 충분히 조사하였음을 드러내는 표현이다. 이와 같이 주제와 관련된 내용을 충분히 조사하여 전문성을 드러내는 것은 인성

정답

적 설득 전략에 해당한다.

7 (다)에서 도진은 '자신이 있다'고 여러 번 말하고 있으므로, 자신감을 드러내는 언어적 표현을 사용하라는 조언은 적절하지 않다. 한편 도진은 자신감을 드러내는 언어적 표현을 사용하고 있지만 개요서만 보며 말하고 있으므로 공신력의 구성 요소 중 신뢰성을 제대로 구사하지 못하고 있다. 개요서만 보며 연설하는 것은 청중으로 하여금 연설자가 언어적 표현으로써 강조하고 있는 자신감이 진심인지 거짓인지 판단하기 어렵게 하므로 연설자의 신뢰성을 떨어뜨린다. 따라서 진심이 드러나는 비언어적 표현을 통해 신뢰성을 높이라는 것이 도진에게 할 수 있는 적절한 조언 중 하나이다.

오답 풀이

①, ② (나)의 영빈은 말을 더듬거리며 불안한 태도로 말을 하고 있는데, 이는 공신력의 구성 요소 중 침착성, 외향성 등을 제대로 구사하지 못한 것이다. 따라서 영빈에게 외향성과 침착성을 높이라는 취지의 조언을 하는 것은 적절하다.

④, ⑤ (다)의 도진은 청중과 공유할 수 있는 경험이나 주제에 대한 통찰이 드러나는 지식을 언급하지 않아 공신력의 구성 요소 중 사회성과 전문성을 제대로 구사하지 못하고 있다. 따라서 도진에게 사회성과 전문성을 높이라는 취지의 조언을 하는 것은 적절하다.

8 (다)에서 도진은 청중과 눈을 맞추지 않고 개요서만 바라보며 말하고 있다. 이 경우 화자의 공신력 중 신뢰성, 침착성, 사회성과 같은 요소가 제대로 구사되었다고 보기 어려워 연설의 설득력을 떨어뜨린다.

9 객관적 사실과 전문가의 의견을 근거로 들어 논리적으로 자신의 주장을 표현하는 설득 전략이 사용된 부분은 이 연설에서 찾을 수 없다.

10 ㉠은 자신이 세운 회사에서 해고당한 경험을 통해 청자의 안타까움을 불러일으키는 감성적 설득 전략이 사용된 부분이다. 믿을 만한 성품을 지닌 사람이라는 점을 드러내어 설득력을 높이는 것은 인성적 설득 전략으로 ㉠에서 사용되었다고 보기 어렵다.

11 스티브 잡스는 애플사의 최고 경영자로 정보 통신 업계에 새로운 바람을 불러일으킨 사람이다. 이러한 화자의 경력은 연설의 설득력을 높여 주는데, 이는 자신이 진정으로 사랑하는 일을 열심히 하여 꿈을 이룬 화자의 전문성이 공신력에 큰 영향을 끼쳤기 때문이다.

5일 기초 확인 문제 49쪽

2단원 4-(1) 토론

1 (1) ○ (2) × (3) ○ **2** (1) ㉡ (2) ㉢ (3) ㉠ **3** ⑤ **4** ⓐ 입론 ⓑ 반대 신문 ⓒ 반론 **5** ④

1 (2) 질문할 때에는 한 번에 하나씩 질문해야 한다. 복합적 질문을 하면 상대측이 여러 가지 질문 중 자신에게 유리한 것만 답변할 수 있기 때문이다.

3 주어진 쟁점에 대한 자신의 주장을 제시하고 타당한 근거를 들어 이를 뒷받침하는 과정은 '입론'에 해당한다.

5 반대 신문 단계에서 질문에 답변할 때, 정확하지 않은 내용을 즉흥적으로 답변하지 않는다. 다미는 자신이 잘 모르는 것에 대해 막연히 추측하여 답변하고 있기 때문에, 이에 대해 조언하는 것이 적절하다.

5일 기초 확인 문제 51쪽

2단원 4-(2) 협상

1 (1) ○ (2) × (3) ○ **2** (1) ㉡ (2) ㉠ (3) ㉢ **3** ④ **4** ③ **5** ③

1 (2) 협상에서는 먼저 제안된 것을 기준으로 상대방이 그에 대한 조정안을 내놓으므로 먼저 제안하는 것이 좋다.

3 협상의 목적은 어느 한쪽의 이익을 극대화하는 것이 아니라, 양측 모두에게 이익이 되는 합의안을 이끌어 내는 것이다.

4 두 아이의 협상이 아쉽게 끝난 이유는 상대방의 처지와 관점을 제대로 파악하지 못했기 때문이다. 한 아이는 오렌지 알맹이만 원하고 다른 아이는 오렌지 껍질만 원했으므로, 상대방이 정말 원하는 것을 제대로 파악했다면 성공적인 협상이 되었을 것이다.

5 남자는 상대방이 중요하게 여기는 표준인 '행복시의 홍보 구호'를 자신이 요구하는 바와 연결하여 상대방의 마음을 움직일 수 있게 표현하였다.

5일 교과서 기출 베스트 52~55쪽

2단원 4-(1), (2)

1 ④ **2** ④ **3** ③ **4** ㄱ, ㄴ **5** ⑤ **6** 상대방의 말을 중간에 끊고 인신공격성 발언을 하였다. **7** ② **8** ④ **9** ⑤ **10** ⑤ **11** ⓐ 사생활 침해에서 해방되는 것 ⓑ 관광객 수가 예전처럼 회복되는 것

1 사회자는 토론에 사용될 용어를 정의하고 있을 뿐, 토론을 실시하게 된 사회적 배경을 언급하고 있지는 않다. 논제와 관련된 사회적 배경은 찬성 1이 입론에서 설명하고 있다.

2 우리나라의 항공법 법령(12킬로그램 이하의 단순 취미용 드론도 150미터 이상의 비행 혹은 인구 밀집 지역에서의 비행을 할 수 없음)은 인용했지만 다른 나라의 법령을 인용한 부분은 찬성 1의 입론에서 찾을 수 없다.

오답 풀이

① 찬성 1은 순찰용 드론을 예시로 들어 드론 규제 완화가 가져올 이익을 구체적으로 제시하고 있다.
② 찬성 1은 '전 세계의 드론 출하량도 300만 대를 넘어서고 있습니다.', '그 시장 규모가 전 세계의 1.2퍼센트에 머물고 있습니다.'에서 구체적인 수치를 언급하여 주장의 신뢰성을 높이고 있다.
③ 찬성 1은 드론에 대한 법적 규제를 완화해야 한다고 하며, 우리나라에서는 고도 150미터 이상의 비행을 할 수 없다는 현황을 제시하고 있다. 즉 찬성 1은 드론이 고도 150미터 미만으로만 비행해야 하는 우리나라의 법적 규제가 지나치다고 주장하는 것이다.

3 찬성 1은 드론에 대한 규제 완화라는 방안을 제시하고 그것이 가져올 효과와 이익을 강조할 뿐, 규제 완화가 일으킬 부작용은 언급하지 않았다. 찬성 측의 방안이 야기할 수 있는 부작용을 강조해야 하는 쪽은 반대 측이다.

오답 풀이

① 드론 규제 때문에 우리나라의 드론 산업이 더딘 성장을 보이는 것을 근거로 들어 드론 규제 완화가 시급히 이루어져야 함을 강조하였다.
⑤ 드론에 대한 규제를 완화하면 순찰용 드론을 활용할 수 있어 우리나라의 치안이 좋아지는 이익을 얻을 수 있음을 강조하였다.

4 ㄷ. 신뢰성은 제시한 자료가 객관적이고 출처가 분명한지의 정도를 말한다. [B]에서 상대측 논증의 신뢰성을 비판한 부분은 찾을 수 없다.
ㄹ. [B]에서는 상대방에게 한정된 정보를 요구하는 폐쇄형 질문을 하였다.

5 반대 신문을 할 때에는 새로운 논증을 제시하거나 근거를 추가하지 않는다. 주어진 시간 내에 상대측 주장의 문제점을 드러내어 자기측 주장이 설득력이 있음을 보이는 데 집중해야 하기 때문이다. ㉡에서 반대 2는 찬성 측이 드론의 안전성 문제를 언급한 적이 없음에도 불구하고 이를 비판하는 추가 근거를 제시하였으므로 이는 적절하지 않은 발언이다.

오답 풀이

①, ② 반대 신문 단계의 답변 전략에 따르면, 미처 생각하지 못한 부분에 대해 '잘 모르겠다.', '생각해 보지 않았다.'와 같이 대답하는 것보다 '그 부분은 더 생각해 봐야 할 부분이다.'와 같이 답변하는 것이 바람직하다. ㉠에서 찬성 1은 잘 모르는 내용에 대해 더 생각해 보겠다며 신중하게 답변하고 있으므로, 반대 2가 바로 전에 제시한 근거(미국과 중국의 드론 비행 고도 제한이 120미터 이하임)를 잘 알지 못했음을 추론할 수 있다.

6 반대 2는 찬성 1의 말을 중간에 끊으며 발언을 하고 있으며, 상대측 토론자의 생각이 짧다며 인신공격성 발언을 하고 있다.

7 벽화 찬성 주민 대표는 '네, 저희도 그 마음은 이해합니다.'와 같이 상대측의 입장에 공감하는 말을 함으로써 공동의 이익을 찾으려는 협력적 태도를 보이고 있다.

8 이 협상에서 벽화 찬성 주민 대표는 준비한 처음의 안(일부 벽화를 지우겠으니 벽에 써 있는 문구를 지워줄 것)만 제시하였을 뿐, 차선책은 아직 제시하지 않았다. 차선책은 준비한 최선책이 거부되었을 때 제시하는 안이다.

9 공동체의 이익을 함께 나누는 것을 양보한 쪽은 벽화 찬성 주민 대표이다.

10 ㉠에서 벽화 반대 주민 대표는 '마을 주민들이 이익을 함께 나누어야 한다.'라는 주장을 '공동체라면 기쁨도 슬픔도 함께 나누어야 한다.'라는 보편적인 가치와 연결 지어 자신의 주장에 정당성을 부여하는 전략을 사용하였다.

11 '벽화에 반대하는 분들이 ~ 잘 알고 있습니다.'라는 벽화 찬성 주민 대표의 말에서 반대 측이 정말로 원하는 것은 사생활 침해에서 해방되는 것임을 알 수 있다. 또한 '벽화에 찬성하시는 분들은 ~ 원할 테니까요.'라는 벽화 반대 주민 대표의 말에서 찬성 측이 정말로 원하는 것은 관광객 수가 예전처럼 회복되는 것임을 알 수 있다.

6일 누구나 100점 테스트 1회 56~59쪽

• 범위 1단원 ~ 2단원 1 상황에 맞는 말하기와 표현 전략

1 ④ **2** ⑤ **3** (1) × (2) ○ (3) ○ **4** ③ **5** ⑤ **6** 맥락
7 ① **8** ③ **9** ② **10** (가) '청중과 눈을 맞춘다.' 혹은 '손을 적당히 움직인다.' (나) '봉순과 눈을 맞추며 말한다.' 혹은 '봉순의 손을 잡아 준다.'

1 사람들은 화법과 작문을 통해 타인과 의사소통을 하는 과정에서 언어문화를 계승하기도 하고 새로운 언어문화를 형성하기도 한다.

2 이 글은 학교의 문제 상황을 해결하기 위한 의견을 담은 건의문으로, 독자의 댓글을 통해 이 글이 학교 공동체에서 사회적 담론을 형성하고 있음이 드러난다. ⑤는 일기와 같은 자기표현적 글 쓰기를 통해 얻을 수 있는 작문의 효과로, 제시된 내용과는 거리가 멀다.

3 (1) 일기의 내용을 참고할 때 윤아는 단점을 숨기고 장점을 강조하지 않았다. 오히려 단점을 받아들이고 장점을 인식하는 태도를 보이고 있다.

4 (가)에서 민정은 자신과 주변 친구들이 불편을 겪은 경험을 들어 건의가 수용되어야 함을 강조하고 있지만, 통계 자료를 활용하여 주장을 뒷받침하는 부분은 찾아볼 수 없다.

5 〈보기〉와 같이 자신의 의견이 무조건 옳다는 식으로 표현하면 독자가 글쓴이의 견해를 수용하기 쉽지 않다. 화법과 작문 활동을 할 때에는 상대의 입장을 고려해야 갈등을 해결하고 공동체 발전에 기여할 수 있다.

6 여학생은 창문을 닫아달라는 의미를 '좀 춥지 않니?'라고 간접적으로 제시한 것이다. 그런데 남학생은 창문이 열려 있다는 상황 맥락을 고려하지 못해 여학생이 준 쪽지의 의미를 제대로 이해하지 못하고 있다.

7 이 대화에서 학생은 말로만 죄송하다고 할 뿐, 잘못을 제대로 인정하지 않고 변명을 하며 자신의 행동을 정당화하고 있다. 사과를 할 때에는 자신의 잘못에 대해 변명하지 말고 진심을 담아 정중하고 공손하게 말해야 한다.

8 요청을 할 때에는 요청을 하게 된 이유를 충분히 설명하는 것이 좋다.

9 (가)에서 "나는, 가치 있는, 사람이다."는 청중의 호응을 이끌어 내며 발표를 마무리하는 중요한 부분이므로 이 부분을 천천히 끊어서 말한다는 준언어적 표현 전략은 적절하다.

오답 풀이

① (가)는 발표의 핵심을 정리하며 발표를 인상 깊게 마무리하는 부분이므로 억양에 변화를 알맞게 주어 청자의 주의를 집중시키는 것이 적절하다.
③, ④ (나)에서 어머니는 봉순을 위로하고 있는 상황이므로 봉순이 편안함을 느끼도록 작은 목소리, 낮은 음조로 말하는 것이 좋다.

10 (가)의 발표자는 시선을 청자에게 향하고 있으며, 적절한 손동작을 취해 청자의 시선을 집중시키고 있다. (나)의 어머니는 봉순의 손을 잡아 주고 봉순과 눈을 마주침으로써 친밀감을 표현하고 진실성을 드러내고 있다.

6일 누구나 100점 테스트 2회 60~63쪽

• 범위 2단원 2 대화와 면접 ~ 4 토론과 협상

1 ④ **2** ⓐ 나-전달법 ⓑ 사건 ⓒ 감정 ⓓ 기대 **3** ② **4** ③
5 ④ **6** (1) ㉡ (2) ㉣ (3) ㉠ (4) ㉤ **7** ② **8** ⑤ **9** ③
10 (가) ㉢ (나) ㉡ (다) ㉠

1 아버지는 승희의 말을 중간에 끊거나 집중해서 듣지 않고 있으며, 승희도 아버지의 말이나 행동의 이유를 살피지 않고 오로지 그 행동에만 초점을 맞추어 비난하고 있다. 아버지와 승희 모두 상대방의 말에 공감하며 듣지 않아 갈등이 발생하고 심화되고 있으므로 상대방의 입장에 공감하는 듣기를 하라는 조언을 할 수 있다.

2 〈보기〉에는 '나-전달법'이 사용되었다. '나-전달법'은 '사건-감정-기대'로 메시지를 구성하는 방법이다.

3 면접 대상자는 제한된 시간 내에 자신의 생각을 전달해야 하므로, 결론부터 분명히 밝히는 것은 적절한 답변 전략이다. 하지만 무조건 근거를 많이 나열하는 것은 좋은 답변 전략으로 보기 어렵다. 답변을 장황하게 늘어놓으면 질문의 핵심에서 벗어날 수 있으므로 주의한다.

4 청중이 주제에 대해 긍정적인 태도를 지니고 있기 때문에 청중의 태도를 바꾸어야 할 필요가 없다. ③은 청중이 주제에 대해 부정적인 태도를 지니고 있을 때 고려할 점이다.

5 화자가 친근감을 주는 정도는 공신력의 구성 요소 중 사회성과 관련이 있으며, 연설자의 사회성을 높이는 방법 중 하나는 청중과 공유할 수 있는 경험을 활용하는 것이다.

오답 풀이

① '불안해하지 않는 의연한 태도'는 공신력의 구성 요소 중 '침착성'을 높이는 방법이다.

③, ⑤ '자신 있는 태도로 신념과 열정을 드러내는 방법'은 공신력의 구성 요소 중 '외향성'을 높이는 방법이다.

7 반대 신문 단계에서는 장황하게 늘어놓지 말고 간단명료하게 답변한다.

8 ㉡은 '네', '아니요'로 답변을 할 수 있도록 유도한 질문이므로 폐쇄형 질문에 해당한다. 반대 신문을 할 때에는 폐쇄형 질문을 하여 상대방이 자기 측에 유리하도록 길고 장황하게 말할 기회를 차단하고, 상대측 주장의 모순을 드러내어 우리 측 주장의 설득력을 높이는 것이 좋다.

오답 풀이

① 복합적 질문이란 한 발화에 여러 가지의 물음이 포함되어 있는 질문을 의미한다. ㉠은 상대방에게 한 가지의 물음만 제시하고 있으므로 복합적 질문이라고 할 수 없다.

② 개방형 질문이란 답변자가 그가 원하는 어떤 방식으로든 대답할 수 있도록 하는 질문 유형이다. ㉠은 '예' 또는 '아니요'로 대답을 해야 하는 질문이므로 폐쇄형 질문에 해당한다.

③ ㉡은 상대방이 말한 내용이 사실인지를 확인하는 질문이 아니라, 상대방의 의견을 묻는 질문이다.

④ ㉡에는 상대방을 자극할 수 있는 인신공격성 발언이나 비윤리적인 내용이 포함되어 있지 않다.

9 협상은 양측이 서로 대안에 합의함과 동시에 절차가 끝나는 것이 아니다. 합의한 내용이 이행되어 최종적으로 문제가 해결되는 것이 중요하므로 이에 유의해야 한다.

10 (가) '맞교환을 하면 주민들이 실익을 얻을 수 있다.'라는 표현으로 볼 때 '여러 제안 맞교환하기'에 해당한다. (나) '차선책으로'라는 말이 있으므로 '차선책 준비하기'에 해당한다. (다) '먼저 제안을 하게 되면'이라는 표현으로 볼 때 '먼저 제안하기'에 해당한다.

• 범위 1단원 ~ 2단원

1 <보기>는 인터넷과 누리 소통망을 통해 사회적 담론을 형성하여 사회적으로 영향력 있는 결과를 도출해 낸 예이다. 이처럼 화법과 작문은 개인적 차원에서 벗어나 사회적으로 영향력 있는 결과를 유도할 수 있다.

평가 요소	확인 ☑
화법과 작문이 사회적 담론의 형성에 기여함을 제시하였다.	
<조건>에 제시된 문장 형식으로 서술하였다.	

예시 답안

화법과 작문 활동은 사회적 담론을 형성하는 데에 기여한다.

2 자신의 생각만 옳다고 주장하면 공동체의 문제를 합리적으로 해결할 수 없다. 화법과 작문 활동을 할 때에는 다른 사람의 견해를 충분히 이해하고 수용하려는 자세를 갖고 의사소통을 해야 공동체 발전에 기여할 수 있다.

평가 요소	확인 ☑
서로에 대한 이해가 전제되어야 함을 제시하였다.	
<조건>에 제시된 문장 형식으로 서술하였다.	

예시 답안

서로에 대한 이해가 전제되어야 한다.

3 소연은 독자, 형준은 작문 관습, 한나는 공동체의 가치와 신념을 고려하자는 의견을 내고 있다. 이러한 작문 맥락을 고려하여 쓴 글은 독자에게 훨씬 의미 있게 이해될 수 있다.

평가 요소	확인 ☑
이 회의에서 고려하고 있는 작문 맥락 3가지(독자, 작문 관습, 공동체의 가치와 신념)을 제시하였다.	
작문의 맥락을 고려했을 때의 효과를 적절하게 제시하였다.	
<조건>에 제시된 문장 형식으로 서술하였다.	

예시 답안

작문 활동을 할 때에는 독자, 공동체의 가치와 신념, 작문 관습을 고려해야 원활하고 의미 있는 의사소통을 할 수 있다.

4 형준의 말에 내용상 틀린 부분이 존재한다. 전문은 본문에 앞서 기사 내용을 간결하게 요약한 내용이기 때문에, 기사문의 형식은 '표제-부제-전문-본문'의 순서로 구성하는 것이 적절하다.

평가 요소	확인 ☑
형준의 말에서 기사문의 형식이 틀렸음을 파악하였다.	
기사문의 형식을 옳게 고쳐 썼다.	

정답

예시 답안

기사문이므로 '표제-부제-전문-본문'의 형식을 갖추어 이 순서대로 쓰는 것이 좋아.

5 '나'는 언니와 시선도 맞추지 않고 손을 까딱하며, 단순히 '오늘 고마워!'라는 말로만 언니에게 감사의 마음을 표현하고 있다. 이러한 행동들은 언니에게 성의 없이 비쳐져 언니가 섭섭함을 느끼고 있으므로 이는 상황에 맞는 표현 방법이 아니다. 이 상황에서는 진심으로 감사의 마음을 드러내고, 언니의 도움이 어떻게 도움이 되었는지 구체적으로 표현하는 것이 좋다. 또한 언니도 할 일이 있음에도 '나'의 부탁을 들어 주었으므로 이를 언급하는 것도 진심으로 감사의 마음을 표현하는 방법 중 하나이다. 더불어 시선을 맞추고 진심이 담긴 표정을 짓는 등 감사의 상황에 맞는 비언어적 표현을 사용하는 것이 좋다.

평가 요소	확인 ☑
언니의 행동이 '나'에게 어떻게 도움이 되었는지 구체적으로 제시하였다.	
언니의 상황에 대한 언급을 포함하여 썼다.	

예시 답안

언니도 내일까지 해야 할 숙제가 있는데 이렇게 늦은 시간까지 도와줘서 정말 고마워. 언니가 도와준 덕분에 내일 수학 시험을 잘 치를 수 있을 것 같아.

6 '나-전달법'은 상대방의 행동을 평가하는 대신 상대방이 나의 감정을 이해할 수 있도록 표현하는 방법으로 갈등 해결에 효과적이다.

평가 요소	확인 ☑
사건, 감정, 기대를 상황에 맞게 서술하였다.	
사건, 감정, 기대를 각각 한 문장으로 썼다.	

예시 답안

아빠, 제가 공부하다가 잠시 쉬려고 한 것인데 제 말을 끊고서 나무라기만 하시네요. 그러시면 저는 속상해요. 제 이야기를 차분하게 들어 주시면 좋겠어요.

7 비언어적 표현은 언어적·준언어적 표현 이외의 방법으로 의미를 표현하는 방법으로, 시선, 얼굴 표정, 동작, 자세, 신체 접촉 등이 있다. '목소리 크기, 억양'은 언어적 요소에 덧붙여 의미를 전달하는 준언어적 표현에 해당한다.

평가 요소	확인 ☑
적절하지 않은 내용이 포함된 문장의 기호로 ㉣을 제시하였다.	
㉣에서 틀린 부분을 바르게 고쳐 다시 썼다.	

예시 답안

㉣, 시선, 얼굴 표정, 동작, 자세 등의 비언어적 표현도 언어적 표현으로 드러내는 의미의 전달에 영향을 미칠 수 있다.

8 발표자는 텀블러 사용에 부정적인 태도를 지닌 청자를 고려하여 청자의 입장에 공감을 표현하고 있다. 이러한 표현을 통해 청자가 발표 주제를 좀 더 긍정적으로 생각하게 한 후에 구체적인 내용을 전달하면 발표의 목적을 더욱 효과적으로 달성할 수 있다.

평가 요소	확인 ☑
발표자가 고려한 청자의 특성을 포함하여 서술하였다.	
발표자가 ㉠과 같이 말한 의도를 적절하게 서술하였다.	

예시 답안

발표 주제에 대해 부정적 태도를 지닌 청자가 발표 주제를 좀 더 긍정적으로 생각할 수 있게 하기 위한 것이다.

9 면접에서 좋은 결과를 얻기 위해서는 면접관의 질문 의도를 파악하여 이에 알맞은 답변 전략을 세워야 한다. 약점을 묻는 질문은 침착함, 순발력, 노력, 의지 등을 파악하기 위한 질문이다. 이 질문에는 약점을 솔직하게 말하되, 이를 극복하고 개선하기 위해 어떤 노력을 했는지 구체적인 경험을 중심으로 하여 답변한다.

평가 요소	확인 ☑
면접관의 질문 의도를 적절하게 파악하여 썼다.	
면접의 답변 전략에 맞게 승우의 답변을 고칠 방향을 적절하게 제시하였다.	
〈조건〉에 제시된 문장 형식으로 서술하였다.	

예시 답안

약점을 묻는 질문은 침착성, 순발력, 노력, 의지 등을 확인하고자 하는 의도가 있으므로 약점을 말한 후에는 이를 극복하기 위해 어떻게 노력하고 있다는 말을 덧붙이는 것이 좋아요.

10 ㉠은 침착성과 외향성을 드러내어 화자의 공신력을 높임으로써 청중이 화자의 말을 수용하게 하므로 인성적 설득 전략에 해당한다. ㉡은 청중에게 기쁨의 감정이 일어나게 하여 청중이 화자의 의견을 수용하게 하므로 감성적 설득 전략에 해당한다. ㉢은 전문가의 의견이라는 타당한 근거를 들어 청중이 화자의 말을 수용하게 하므로 이성적 설득 전략에 해당한다.

평가 요소	확인 ☑
㉠이 인성적 설득 전략임을 제시하였다.	
㉡이 감성적 설득 전략임을 제시하였다.	
㉢이 이성적 설득 전략임을 제시하였다.	

예시 답안

㉠은 인성적 설득 전략, ㉡은 감성적 설득 전략, ㉢은 이성적 설득 전략에 해당한다.

11 〈보기 2〉에 제시된 질문을 참고로 하여 〈보기 1〉의 입론에서 문제가 될 만한 부분을 찾고, 이를 바탕으로 하여 적절하게 폐쇄형 질문을 만든다.

평가 요소	확인☑
반대 1의 입론 중 문제가 있는 부분을 간접 인용하였다.	
폐쇄형 질문으로 서술하였다.	

예시 답안

'드론이 반드시 범죄에 이용된다고 하셨는데, 그렇게 단정 지을 수 있는 근거가 있습니까?', '최근 사진 촬영에 이용되는 개인용 드론을 찾는 사람이 많다고 하셨는데, 이 근거의 출처를 밝혀 주시겠습니까?' 등

12 도서부와 밴드부가 갈등을 일으키게 된 원인은 밴드부 연습실에서 나오는 소리 때문에 도서부원들이 책을 읽는 데 집중할 수 없다는 것이다. 따라서 도서부 입장에서의 협상의 목표는 밴드부 연습실의 소리로 인한 피해를 최소화하여 책을 읽는 데 방해를 받지 않는다는 것으로 추측할 수 있다. 이 목표를 기준으로 한 도서부의 협상 최선책은 '밴드부가 방과 후 연습을 중단하는 것'이다. 한편 밴드부도 밴드 경연 대회에 참가해야 하기 때문에 연습을 중단할 수 없다고 반박할 것이다. 따라서 차선책으로 연습 시간을 줄이거나 음악 소리를 줄이라는 제안을 준비해 볼 수 있다.

평가 요소	확인☑
(A)에 도서부가 목표로 하는 최선책을 적절하게 제시하였다.	
(B)에 최선책이 거부당했을 경우 제안할 수 있는 적절한 차선책을 썼다.	
〈조건〉에 제시된 문장 형식으로 서술하였다.	

예시 답안

밴드부가 방과 후 연습을 중단할 것을 요구한다. 이 요구가 수용되지 않으면 연습 시간을 줄일 것을 제안한다. (혹은 음악 소리를 줄일 것을 제안한다.)

7일 중간고사 기본 테스트 1회 68~73쪽

• 범위 1단원 ~ 2단원

1 ② **2** ③ **3** ② **4** ② **5** ④ **6** ⑤ **7** ⑤ **8** ② **9** ⑤ **10** ⑤ **11** 자아 개념은 대화 방식과 인간관계에 많은 영향을 끼친다. **12** ㉠: (주제에 대해) 관심이 있다. ㉡: (주제에 대해) 긍정적 태도를 지녔다. **13** ① **14** ⑤ **15** ⑤ **16** 공동체라면 기쁨도 슬픔도 함께 나누어야 한다고 생각합니다. **17** ② **18** 연설 내용과 일치하는 연설자의 삶이 연설자의 공신력을 높여 주어 연설의 설득력을 높인다. **19** ③ **20** ④

1 화법은 주로 '지금, 여기'라는 시공간적 상황을 공유한 사람들과 의사소통이 이루어지지만 작문은 시간과 공간을 뛰어넘어 다른 사람들과 의사소통을 한다.

오답 풀이

③ 화법과 작문 모두 사람 사이의 갈등을 합리적으로 해결할 수 있는 수단이다.

④ 화법과 작문 활동을 통해 자아 개념을 긍정적으로 조정할 수 있지만, 언제나 긍정적인 자아 개념을 형성할 수 있는 것은 아니다.

2 [C]는 신문 기사의 전문으로, 기사 내용을 간결하게 요약한 부분이다. 주제에 대한 글쓴이의 평가가 드러난 내용은 [C]에서 찾을 수 없다.

3 기사문에는 일반적으로 격식체인 해라체의 평서형 종결 어미 '-다'가 널리 쓰인다. 예상 독자가 학생이라고 해서 반말체를 쓰는 것은 적절하지 않다.

4 토끼는 자신의 잘못을 구체적으로 밝히며 미안한 마음을 전달하고 있으나 앞으로 어떻게 행동할지를 밝히고 있지는 않다.

5 말을 직접적으로 하지 않더라도 표정과 몸짓과 같은 비언어적 표현만으로 의미를 전달할 수 있다.

오답 풀이

③ 같은 비언어적 표현이라도 당시의 상황 맥락 또는 세대, 지역, 문화 등에 따라 달라지는 사회·문화적 맥락에 따라 그 의미가 다르게 이해될 수 있다.

6 하루를 시작하는 사람들을 대상으로 하는 아침 방송이고, 준비한 곡이 신나는 음악이라고 하였으므로 '상쾌한', '신나는', '활기찬' 분위기에 맞는 준언어적 표현을 사용하는 것이 적절하다. 변화가 없는 단조로운 억양은 무미건조한 느낌을 주기 때문에 이와 같은 분위기에 어울리지 않으므로, 억양에 적절

정답

히 변화를 줌으로써 경쾌한 느낌을 주는 것이 알맞다.

7 이동건은 면접관에게 좋은 인상을 주기 위해 '공손하게 인사하'는 비언어적 표현을 사용하고 있다. 면접 상황에서는 자신감 있는 태도로 답변하되 적절한 높임말과 공손한 인상을 줄 수 있는 표현을 사용하여 면접관에게 좋은 인상을 주는 것이 중요하다.

오답 풀이

① 이 면접은 한국대학교 경영학과 면접장에서 이루어지고 있고, 질문과 답변의 내용을 볼 때 취업을 위한 평가와 선발을 목적으로 하는 면접이 아니라 대학 진학을 목적으로 하는 면접임을 알 수 있다.
② 면접관은 대체로 이동건의 의견을 묻는 질문을 하고 있다.
③ 마지막 질문의 의도가 이동건의 진로에 대한 관심 정도를 파악하는 것이라고 추측할 수는 있지만, 이 질문은 앞의 답변에 대한 추가 질문이 아니다.
④ 이동건이 어법에 맞지 않는 표현을 사용한 부분은 찾아볼 수 없다.

8 [A]에서 이동건은 봉사 활동을 한 구체적 경험을 제시하며 이 경험을 통해 의사소통을 할 때 상대방을 이해하고 배려하는 태도가 중요함을 느꼈다고 답변하였을 뿐, 의사소통 능력을 강조하지는 않았다.

오답 풀이

③ 이동건은 최저 임금 인상에 대한 기사를 언급하며 노동자의 삶의 질을 향상시키는 것은 장기적인 관점에서 볼 때 기업에 큰 이익으로 돌아올 것이라 생각한다고 하였다. 이는 경제 주체로서의 가계와 기업의 상관성에 대한 생각을 밝힌 것이라고 할 수 있다.

9 〈보기〉로 미루어 볼 때 면접관의 질문은 박수찬이 상사와 원만한 관계를 유지할 수 있는 파악하려는 의도가 있는데, 박수찬은 회사를 위해서 상사의 지시에 따르지 않겠다고 단호하게 답변하고 있다. 따라서 박수찬에게는 공고문을 바탕으로 면접관의 질문 의도를 잘 파악하라는 취지의 조언을 할 수 있다. 회사에 대한 충성심을 더 잘 부각하기 위해 상사를 고발하라는 ⑤의 조언은 적절하지 않다.

10 현우는 친구의 말에 긍정적으로 반응함으로써 인간관계를 발전시키고 있다. 반면 창규는 친구의 말에 냉소적으로 반응함으로써 친구가 앞으로 창규와의 대화를 피해야겠다고 생각하게 하였으므로 앞으로 원만한 인간관계를 형성하고 유지할 수 있으리라고 기대하기 어렵다.

11 높은 자아 개념을 가진 현우는 친구와의 대화에서 긍정적으로 반응하며 인간관계를 원활하게 유지하고 있다. 반면 낮은 자아 개념을 가진 창규는 친구와의 대화에서 냉소적으로 반응하며 인간관계를 원활하게 유지하지 못하고 있다. 이를 통해 자아 개념이 대화 방식 및 타인과의 인간관계를 형성하고 유지하는 데에 많은 영향을 끼친다는 것을 알 수 있다.

평가 요소	확인 ☑
자아 개념이 대화 방식과 인간관계에 많은 영향을 끼친다는 것을 제시하였다.	
〈조건〉에 제시된 문장 형식으로 서술하였다.	

12 발표 도입부에서 도윤은 청자가 발표 주제에 대한 긍정적 태도를 확신할 수 있도록 표현한 후 구체적 행동 지침을 전달하려 하고 있다. 이를 통해 도윤이 예상 청자가 발표 주제에 관심이 있고 긍정적 태도를 지녔다고 분석했을 것임을 알 수 있다.

13 감성적 설득 전략은 청중으로 하여금 어떠한 감정이 일어나게 하여 화자의 주장을 더 잘 받아들이게 하는 것이다. 〈보기〉는 금연을 해야 한다는 주장의 설득력을 높이기 위해 청중의 공포심, 동정심을 유발하는 감성적 설득 전략에 해당한다.

14 협상은 양측 모두에게 이익이 되는 최선의 해결책을 찾아 원만하게 해결하는 것이 목적이므로, 자신의 의견의 정당성을 입증하는 것이 목적이라는 설명은 적절하지 않다.

15 인기가 많은 벽화의 위치를 옮기는 안은 찬성 측이 반대 측에 양보한 것이고, 공동체의 이익을 분배하는 안은 반대 측이 얻고자 하는 것이기 때문에 둘을 맞교환할 수 없다. 반대 측은 마지막 발언에서 벽에 쓰인 문구를 지우고, 벽화도 전체가 아닌 일부만 지우는 것을 받아들이는 안과 공동의 이익을 분배하는 안을 맞교환하려고 하고 있다.

오답 풀이

① 벽화 찬성 주민 대표는 '네, 저희도 그 마음은 이해합니다.'와 같이 상대의 마음에 공감하는 표현을 사용하여 담화 분위기를 부드럽게 하고 있다.
② '벽에 써 있는 문구를 지우면 벽화에 반대하는 사람들의 집에 그려진 일부 벽화를 지우겠다.'라는 벽화 찬성 주민 대표의 최선책이 받아들여지지 않자 벽화 찬성 주민 대표는 차선책으로 인기가 많은 몇 개 벽화는 위치를 옮겨서 사생활 침해를 줄이겠다는 안을 제시하였다.
③ '저희는 마을의 모습을 예전으로 되돌리기를 원합니다.'라는 벽화 반대 주민 대표의 말에서 이를 확인할 수 있다.

16 벽화 반대 주민 대표는 공동체라면 기쁨도 슬픔도 함께 나누어야 한다는 가치를 표준으로 내세워 공동체의 이익을 함께 나누어야 한다고 말하고 있다.

17 화자는 표준적이거나 평범한 인간이란 없다고 하였다.

18 이 연설의 주제는 장애인, 비장애인을 구분하지 않고 모든 인

간은 성취할 수 있는 힘이 있다는 것이다. 〈보기〉에 따르면 연설자인 스티븐 호킹 자신이 질병에도 불구하고 수많은 업적을 이뤄냈으므로 〈보기〉의 내용은 연설자의 공신력(전문성, 신뢰성)을 높여 연설 내용이 설득력을 얻게 된다.

평가 요소	확인 ☑
'공신력'이라는 단어를 포함하여 썼다.	
연설 내용과 일치하는 연설자의 삶이 연설의 설득력을 높여 줌을 제시하였다.	

19 반대 신문 단계에서는 주어진 시간 내에 상대측 주장의 문제점을 드러내어 자기 측 주장에 설득력이 있음을 보여 주어야 한다. 따라서 반대 신문 단계에서 새로운 논증을 제시하거나 근거를 추가하는 것은 적절하지 않다.

20 반대 신문 단계에서 '왜 ~하였는가', '~에 대해 설명해 보라'와 같이 개방형으로 질문하면 답변자가 자기 측에 유리하도록 길고 장황하게 말할 수 있는 기회를 얻게 되므로, 이러한 질문은 효과적이지 않다.

7일 중간고사 기본 테스트 2회 74~79쪽

• **범위** 1단원 ~ 2단원

1 ② **2** 다른 사람들의 견해를 무시하고 있으며, 이런 태도는 공동체의 발전에 부정적인 영향을 끼칠 수 있다. **3** ⑤ **4** ② **5** 보행 중 스마트폰을 보는 것, 무면허로 오토바이나 자동차를 운전하는 것은 청중인 고등학생들이 유혹에 빠져 쉽게 저지를 수 있는 행동이기 때문이다. **6** ⑤ **7** ④ **8** ③ **9** '웅크릴 축(縮)'이라는 발표 내용을 몸짓으로 표현하여 실감 나게 전달하였다. **10** ⑤ **11** ④ **12** ② **13** 의견을 밝힌 후에는 이유나 근거를 말한다. **14** ③ **15** ④ **16** ⑤ **17** ① **18** ③ **19** ㉢ **20** 규제를 풀 경우 드론은 반드시 범죄에 이용된다고 한 부분은 타당성 측면에서 문제가 있다.

1 사회 구성원들이 특정 주제에 대해 가지는 공통적인 의견은 '사회적 담론'이다.

2 ㉠에서 은제는 반 친구들의 의견을 듣지 않고 자신의 결정을 옳다고 여기는 문제점을 드러내고 있다. 이러한 태도는 학급 공동체의 발전에 부정적인 영향을 끼칠 수 있다.

평가 요소	확인 ☑
은제가 다른 사람들의 견해를 무시하고 있다는 문제점을 제시하였다.	
은제의 의사소통 방식이 공동체의 발전에 부정적인 영향을 끼칠 수 있음을 제시하였다.	

3 은제는 승규에게 핀잔을 줌으로써 승규가 스스로 자신을 부정적으로 인식하게 만들고 있다. 승규도 역시 자신에 대한 부정적 인식을 스스로가 심화시키고 있다는 점에서 문제가 있다.

4 성진은 비록 후배들을 대상으로 한 강연이지만 공식적인 상황과 담화 관습을 고려하여 정중하게 존댓말을 사용하고 있다.

오답 풀이

ㄱ. 구체적 수치와 객관적인 통계 자료를 활용한 부분은 이 발표에서 찾아볼 수 없다.
ㄴ. 이 담화의 목적은 청중과의 관계를 발전시키기 위한 것이 아니라 설득과 정보 전달이다.

5 해당 강연의 청중은 고등학생들이기 때문에 강연자는 고등학생이 관심을 갖거나 유혹에 빠져 쉽게 할 수 있는 행동들을 예시로 들어 정보 전달 효과를 높였다.

평가 요소	확인 ☑
㉠의 사례로 ⓐ, ⓑ를 제시한 이유를 청중인 고등학생들과 관련지어 서술하였다.	

6 (다)에서 채윤은 엄마에게 요청을 드리고 있는 상황이지만 요청을 하는 이유를 밝히지 않고 도리어 상대를 위협하고 있다. 채윤은 요청하는 이유를 밝히지 않았기 때문에 요청 사항과 요청하는 이유만을 말했다는 설명은 적절하지 않다.

7 거절을 할 때에는 상대방을 배려하여 거절하는 이유를 충분히 밝히고, 부탁을 들어주지 못하는 미안함을 드러내야 한다.

오답 풀이

① 거절하는 이유를 충분히 밝히지 않았다.
②, ③, ⑤ 부탁을 들어주지 못하는 미안함을 드러내지 않고, 상대방을 배려하는 말하기를 하지 않았다.

8 ㉢은 이순신에 대한 청중의 세부 관심사를 파악하기 위한 것이 아니라, 청중에게 흥미로운 질문을 함으로써 청중의 참여를 유도하기 위한 것이다.

오답 풀이

④ ㉣에 사용된 '마지막으로'와 같은 표현을 '담화 표지'라고 한다. 담화 표지는 담화에서 문장 간의 응집성을 높이기 위해 사용하는 말로, 앞의 내용과 뒤의 내용을 이어주거나 뒤에 나올 내용을 안내하는 역할을 한다. ㉣에서는 담화 표지를 통해 발표가 결론 단계에 이르렀다는 정보를 청중에게 전달하고 있다.

9 발표자는 《난중일기》에 쓰인 '웅크릴 축(縮)' 자를 설명하면서 실제로 몸을 웅크리는 비언어적 표현을 사용하고 있다. 이처럼 발표의 내용을 시각적으로 형상화하면 청중이 좀 더 실감나게 발표의 내용을 이해하고 기억할 수 있다.

평가 요소	확인☑
ⓐ에서 발표자가 '웅크릴 축(縮)'이라는 발표 내용을 몸짓으로 표현하였음을 제시하였다.	
ⓐ에서 발표자가 비언어적 표현을 통해 발표 내용을 실감 나게 전달하였음을 제시하였다.	

10 윤지와 현성은 처음 만난 사이인데, 윤지가 감정 수준으로 자기를 표현하고 있으므로 현성은 당황했을 것이다. 친밀하지 않은 관계에서는 사실 수준으로 자기를 표현하는 것이 적절하다.

오답 풀이

① 윤지가 덧붙인 말은 감정 수준의 자기표현이다.

11 서현은 ㉢에서 상대의 말을 자신이 이해한 대로 재진술하며 듣는 '반영하기'의 방법을 사용하고 있다.

12 '나-전달법'은 문제 상황에서 다른 사람을 평가하고 해석하는 대신 자신이 느끼는 감정과 바람에 집중하여 표현하는 의사소통 방법이다.

오답 풀이

① '나-전달법'은 사건, 감정, 기대의 순서로 메시지를 구성하여 전달하는 방법이다.

④ '나-전달법'은 문제 상황에서 자신이 느끼는 감정과 바람에 집중하여 표현하는 방법이기 때문에 다른 사람을 긍정적으로라도 평가한다면 그 효과가 퇴색될 수 있다.

⑤ '나-전달법'은 상대와의 갈등을 증폭시키지 않으면서 문제를 해결할 수 있는 대화 방법이다.

13 건후는 자신의 의견을 밝힌 후 그에 대한 근거를 제시하여 은하보다 설득력 있게 답변하고 있다. 이로 볼 때, 은하에게는 의견에 대한 근거를 밝히라는 조언을 해 주는 것이 적절하다.

평가 요소	확인☑
의견을 밝힌 후에는 이유나 근거를 말하라는 면접의 답변 전략을 제시하였다.	
한 문장으로 서술하였다.	

14 이 질문은 답변 내용이 '사실'에 해당하는 질문이므로, 구체적이고 객관적인 정보를 활용하여 답변해야 한다.

15 이성적 설득 전략과 감성적 설득 전략은 상호 보완적으로 사용해야 한다. 논리적으로 주장을 하면서도 청중의 감성을 고려해야 하고, 청중의 감성을 자극하여 주장의 설득력을 높이면서도 전달 내용이 논리성을 갖추고 있어야 청중을 효과적으로 설득할 수 있다. 따라서 ④는 적절하지 않다.

오답 풀이

② 화자가 청자에게 친근감을 주는 정도를 높이는 것은 공신력의 구성 요소 중 '사회성'을 높이는 방법으로, 인성적 설득 전략에 해당한다.

16 발표자는 대학 수학 능력 시험에 관한 전문가의 인터뷰 내용을 제시하지 않았다.

17 ㉠은 발표의 도입부에서 청중의 흥미를 유발하기 위해 일화를 제시하는 부분이다. 이루지 못한 꿈도 우리 삶의 소중한 조각이 된다는 발표의 주제를 고려하면, 어머니의 꿈이 이루어지지 않았다고 하여 낮은 음조로 우울함을 표현하는 것은 발표의 흐름에 적합하지 않다.

18 협상에서 최선책이라고 생각하는 것이 상대측에게 수용되지 않았을 때 협상을 종료한다면 협상의 목적을 이룰 수 없다. 이럴 경우를 대비하여 차선책으로 어떤 제안을 할지 미리 준비해 두는 것이 좋다.

19 반대 1은 드론 산업이 성장에 어려움을 겪는 것은 드론 규제 때문이 아님을 근거로 들어 드론 규제 완화가 적절한 해결 방안이 아님을 주장하고 있다. 즉, 드론 산업의 성장이 어려운 상황임을 자신의 주장의 전제로 삼고 있으므로 ㉡은 적절하지 않다.

20 서울이 드론으로 인한 피해에 취약한 특성을 지녔고, 개인용 드론을 찾는 사람들이 많아졌다고 해서 사람들이 드론을 이용해 반드시 범죄를 저지르게 될 것이라 보는 것은 타당성 측면에서 문제가 있는 주장이다.

평가 요소	확인☑
'규제를 풀 경우 드론은 반드시 범죄에 이용'된다는 말이 타당성 측면에서 문제가 있음을 제시하였다.	

중간고사 대비

필수 어휘 모아 보기

필수 어휘 모아 보기 활용 안내

- 쉽고 재미있는 문제로 **단원별 필수 어휘** 익히기!
- **교과서**에서 뽑은 예시 문장으로 **내용 학습**에, **개념 학습**까지 **한 번 더!**

(1) 화법과 작문의 특성

1 빈칸에 들어갈 말을 찾아 바르게 연결하시오.

1 ______ 은/는 글로 생각이나 느낌을 표현하고 공유하는 의사소통 행위이다. •
글을 지음. 또는 지은 글

2 화법과 작문을 통해 다른 사람들과 교류하며 새로운 ______ 을/를 형성하기도 한다. •
일상의 언어생활 또는 언어에 의하여 이루어지는 모든 문화를 통틀어 이르는 말

3 화법과 작문을 통해 정서를 나누고 소속감, 친밀감을 느끼며 ______ 의식을 함양한다. •
생활이나 행동 또는 목적 따위를 같이하는 집단

말하는 방법
4 ______ 은/는 말로 생각과 느낌을 나누고 의미를 구성하고 공유하는 의사소통 행위이다. •

• ㉠ 작문
• ㉡ 화법
• ㉢ 공동체
• ㉣ 언어문화

2 빈칸에 들어갈 알맞은 어휘를 <보기>에서 찾아 쓰시오.

보기

겸양　　담론　　지속성　　의사소통

1 사회적 의사소통 행위로서의 화법과 작문의 영향으로 ______ 문화가 형성된다.
가지고 있는 생각이나 뜻이 서로 통함.

2 한번 형성된 의사소통 문화는 ______ 을 갖게 되며 사람들의 언어생활에 영향을 미치게 된다.
어떤 상태를 오래 계속하는 성질

3 우리나라 사람들은 ______ 의 표현을 자주 사용하는데, 이는 우리나라의 전통적인 의사소통 문화이다.
겸손한 태도로 남에게 양보하거나 사양함.

4 특정한 사회의 구성원들이 어떠한 주제나 화제 등에 대해서 가지는 공통적 의견을 사회적 ______ 이라고 한다.
이야기를 주고받으며 논의함.

정답 ❶ 1 ㉠ 2 ㉣ 3 ㉢ 4 ㉡ ❷ 1 의사소통 2 지속성 3 겸양 4 담론

(2) 화법과 작문의 기능

1 빈칸에 들어갈 말을 찾아 바르게 연결하시오.

1 ______ 개념은 능력, 성격 등을 모두 포괄하는 주관적인 자기 자신에 대한 견해이다. 자기 자신에 대한 의식이나 관념 • • ㉠ 성찰

2 일기 쓰기와 같은 작문 활동으로 자신의 자아 개념을 ______ 할 수 있다. 자기의 마음을 반성하고 살핌. • • ㉡ 자아

3 의사소통을 통한 공동체 발전을 위해서는 서로에 대한 이해가 ______ 되어야 한다. 어떠한 사물이나 현상을 이루기 위하여 먼저 내세우는 것 • • ㉢ 전제

4 화법과 작문 활동을 통해 서로의 견해를 조정하며 공동체의 ______ 을/를 해결할 수 있다. 이전부터 의논하여 오면서도 아직 해결되지 않은 채 남아 있는 문제나 의안 • • ㉣ 현안

2 빈칸에 들어갈 알맞은 어휘를 <보기>에서 찾아 쓰시오.

보기

갈등 수용 인식 조정

1 화법과 작문 활동을 함으로써 자아 개념을 긍정적인 방향으로 ______ 할 수 있다. 어떤 기준이나 실정에 맞게 정돈함.

2 자아 개념은 타인을 통해 얻게 된 자신의 모습을 ______ 하는 과정에서 주로 형성된다. 사물을 분별하고 판단하여 앎.

3 의사소통은 사람들 사이에 존재할 수밖에 없는 ______ 을 가장 합리적으로 해결하기 위한 수단이다. 개인이나 집단 사이에 목표나 이해관계가 달라 서로 적대시하거나 충돌함.

4 화법과 작문 활동을 할 때에는 다른 사람의 견해를 충분히 이해하고 ______ 하려는 자세를 가져야 한다. 어떠한 것을 받아들임.

정답 1 1 ㉡ 2 ㉠ 3 ㉢ 4 ㉣ 2 1 조정 2 인식 3 갈등 4 수용

부록

(3) 화법과 작문의 맥락

1 빈칸에 들어갈 말을 찾아 바르게 연결하시오.

1 원활하고 의미 있는 의사소통을 위해서는 ______ 을/를 고려해야 한다. • • ㉠ 가치
사물 따위가 서로 이어져 있는 관계나 연관

2 면접과 면담은 무언가를 얻기 위한 특별한 ______ 이/가 있는 담화 활동이다. • • ㉡ 관습
실현하려고 하는 일이나 나아가는 방향

3 화법의 맥락에는 담화 목적, 화자와 청자 등의 참여자들, 담화 ______ 등이 있다. • • ㉢ 목적
어떤 사회에서 오랫동안 지켜 내려와 그 사회 성원들이 널리 인정하는 질서나 풍습

4 글을 쓸 때에는 필자와 독자가 속해 있는 공동체의 ______ 와/과 신념을 반영해야 한다. • • ㉣ 맥락
의미나 중요성

2 풀이된 뜻에 해당하는 말을 골라 ○표 하시오.

1 글이 지니고 있는 양식이나 고유한 형식 혹은 표현 방식 [담화 관습 | 작문 관습]

2 기사문에서, 기사 내용 전체를 간결하게 나타낸 큰 제목 [부제 | 표제]

3 말이나 수사법, 기교, 수단 따위를 능숙하게 마음대로 부려 씀. [구사 | 방언]

4 사회적으로 관계되는 말하기 방식. 강연이나 연설 등의 상황에서 사용해야 한다. [공적 말하기 | 사적 말하기]

정답 1 1 ㉣ 2 ㉢ 3 ㉡ 4 ㉠ 2 1 작문 관습 2 표제 3 구사 4 공적 말하기

1-(1) 상황에 맞는 말하기

1 빈칸에 들어갈 말을 찾아 바르게 연결하시오.

1 ______ 할 때에는 고마움을 진심을 담아 직접 말로 표현해야 한다. • • ㉠ 감사
고맙게 여김. 또는 그런 마음

2 ______ 할 때에는 ______ 을/를 하게 된 이유를 충분히 말해야 한다. • • ㉡ 거절
필요한 어떤 일이나 행동을 청함. 또는 그런 청

3 ______ 할 때에는 상대방에게 부담을 주는 상황이므로 미안함을 드러내야 한다. • • ㉢ 부탁
어떤 일을 해 달라고 청하거나 맡김.

4 ______ 할 때에는 미안함을 드러내며 앞으로 어떻게 행동할지를 표현해야 한다. • • ㉣ 사과
자기의 잘못을 인정하고 용서를 빎.

5 ______ 할 때에는 요구를 들어주지 못하는 미안함을 드러내며 정중하게 말해야 한다. • • ㉤ 요청
상대방의 요구, 제안, 선물, 부탁 따위를 받아들이지 않고 물리침.

부록

2 빈칸에 들어갈 알맞은 어휘를 <보기>에서 찾아 쓰시오.

보기

변명 보류 완곡 저항감

1 부탁을 할 때에는 ______ 하고 정중하게 말해야 한다.
말하는 투가 듣는 사람의 감정이 상하지 않도록 모나지 않고 부드러움.

2 요청을 할 때 위협하는 느낌을 주면 청자 입장에서 ______ 이/가 생길 수 있다.
어떤 힘이나 조건에 굽히지 아니하고 거역하거나 버티고 싶은 기분

3 사과를 할 때 잘못한 것을 정당화하려고 ______ 하는 것은 상대방을 더욱 화나게 할 수 있다.
어떤 잘못이나 실수에 대하여 구실을 대며 그 까닭을 말함.

4 거절을 바로 하기 어려운 상황이라면 우선 결정을 ______ 하는 말을 하고 충분히 생각한 뒤 거절한다.
어떤 일을 당장 처리하지 아니하고 나중으로 미루어 둠.

정답 1 1 ㉠ 2 ㉤ 3 ㉢ 4 ㉣ 5 ㉡ 2 1 완곡 2 저항감 3 변명 4 보류

1-(2) 상황에 맞는 표현 전략

❶ 빈칸에 들어갈 말을 찾아 바르게 연결하시오.

1 ______ 표현에는 얼굴 표정, 동작, 자세, 신체 접촉 등이 있다. • • ㉠ 억양
언어와 관련되지 않은

2 높은 ______ 은/는 기쁨을, 낮은 ______ 은/는 우울함을 느끼게 한다. • • ㉡ 음조
소리의 높낮이

3 ______ 표현에는 사람의 감정, 건강, 교양 등의 상태가 반영되기도 한다. • • ㉢ 언어적
언어에 미치지 못하나 그에 버금가는

4 상황에 맞는 ______ 표현을 위해, 내용을 조직할 때 말하기 상황을 고려해야 한다. • • ㉣ 비언어적
말로 하는

5 ______ 이/가 적절히 변화하면 청자의 흥미와 긴장감을 유발해 주의를 집중시킬 수 있다. • • ㉤ 준언어적
음의 높낮이가 이어져 생기는 일정한 유형

❷ 빈칸에 들어갈 알맞은 어휘를 <보기>에서 찾아 쓰시오.

보기
강세 보완 직접적 무미건조함

1 비언어적 표현은 언어적 표현의 의미를 ______ 하고 강화한다.
모자라거나 부족한 것을 보충하여 완전하게 함.

2 단조로운 억양은 청자에게 ______ , 무성의함 등을 느끼게 한다.
재미나 멋이 없이 메마름.

3 ______ 을/를 적절히 사용하면 강조나 대조의 의미를 표현할 수 있다.
연속된 음성에서 어떤 부분을 강하게 발음하는 일

4 말을 ______ (으)로 하지 않더라도 비언어적 표현만으로 의미를 전달할 수 있다.
중간에 제삼자나 매개물이 없이 바로 연결되는 것

정답 ❶ 1 ㉣ 2 ㉡ 3 ㉤ 4 ㉢ 5 ㉠ ❷ 1 보완 2 무미건조함 3 강세 4 직접적

2-(1) 대화

1 빈칸에 들어갈 말을 찾아 바르게 연결하시오.

1 자아 개념은 ( ) 인 것이 아니며 상대와 상황에 따라 달라질 수 있다. • • ㉠ 반응
한번 정한 대로 변경하지 아니한 것

2 자아 개념은 인간이 어떻게 행동하고 ( ) 하는가에 중요한 영향을 미친다. • • ㉡ 고정적
자극에 대응하여 어떤 현상이 일어남. 또는 그 현상

3 자아 개념이 낮은 사람은 회피적, 방어적, 공격적, ( ) 의사소통 성향을 지닌다. • • ㉢ 개방적
외부와 통하거나 교류하지 않는

4 자아 개념이 높은 사람은 긍정적, 적극적, 우호적, ( ) 의사소통 성향을 지닌다. • • ㉣ 폐쇄적
태도나 생각 따위가 거리낌 없고 열려 있는

2 빈칸에 들어갈 알맞은 어휘를 <보기>에서 찾아 쓰시오.

보기

감정 사실 의견 친밀

1 상대방과 ( ) 한 정도에 따라 자기 의견과 감정을 적절히 드러내는 것이 좋다.
지내는 사이가 매우 친하고 가까움.

2 처음 만나 잘 알지 못하는 사람에게는 ( ) 수준으로 의사소통을 한다.
실제로 있었던 일이나 현재에 있는 일

3 "새로 바뀐 규칙이 예전보다 나아진 게 없잖아."라는 말은 ( ) 수준의 자기표현이다.
어떤 대상에 대하여 가지는 생각

4 상대방과 정말 가까운 사이일 때는 ( ) 수준으로 자기표현의 정도를 확대할 수 있다.
어떤 현상이나 일에 대하여 일어나는 마음이나 느끼는 기분

정답 1 1 ㉡ 2 ㉠ 3 ㉣ 4 ㉢ 2 1 친밀 2 사실 3 의견 4 감정

부록

3 빈칸에 들어갈 말을 찾아 바르게 연결하시오.

1 ( )적 듣기는 상대방의 생각이나 감정을 이해할 수 있도록 한다. • • ㉠ 공감
남의 감정, 의견, 주장 따위에 대하여 자기도 그렇다고 느낌.

2 ( )은/는 자신이 느끼는 감정과 바람에 집중하여 표현하는 의사소통 방법이다. • • ㉡ 격려
나의 감정을 상대방이 이해할 수 있도록 전달하는 방법

3 상대방의 생각을 청자가 재진술하며 듣는 것은 공감적 듣기 중 ( )하기의 방법이다. • • ㉢ 반영
다른 것에 영향을 받아 어떤 현상을 나타냄.

4 대화 중 "계속 말해 봐." 등과 같이 말하는 것은 공감적 듣기 중 ( )하기의 방법이다. • • ㉣ 집중
용기나 의욕이 솟아나도록 북돋워 줌.

5 화자의 눈을 바라보고 미소를 지으며 듣는 것은 공감적 듣기 중 ( )하기의 방법이다. • • ㉤ 나–전달법
한 가지 일에 모든 힘을 쏟아부음.

4 빈칸에 들어갈 알맞은 어휘를 <보기>에서 찾아 쓰시오.

보기

기대 비판 침묵 해석

1 '나–전달법'은 문제 상황에서 다른 사람을 평가하거나 ( )하지 않는다.
사물이나 행위 따위의 내용을 판단하고 이해하는 일

2 '나–전달법'은 '사건, 감정, ( )'의 순서로 메시지를 구성하여 전달한다.
어떤 일이 원하는 대로 이루어지기를 바라면서 기다림.

3 갈등이 발생했을 때 대화를 하지 않고 ( )하면 문제를 해결할 수 없다.
아무 말도 없이 잠잠히 있음.

4 '나–전달법'은 상대방을 비난하거나 ( )하지 않고 자신의 감정을 전달하므로 갈등 해결에 효과적이다.
현상이나 사물의 옳고 그름을 판단하여 밝히거나 잘못된 점을 지적함.

정답 3 1 ㉠ 2 ㉤ 3 ㉢ 4 ㉡ 5 ㉣ 4 1 해석 2 기대 3 침묵 4 비판

2-(2) 면접

1 빈칸에 들어갈 말을 찾아 바르게 연결하시오.

1 면접에서 답변을 할 때에는 면접관의 질문을 끝까지 ______해야 한다. •
귀를 기울여 들음.

2 면접 준비 시에는 지원한 단체나 기관이 추구하는 목표, 이념, ______ 등을 미리 살펴본다. •
특정 단체나 기관에 어울리는 인재의 모습

3 면접 대상자의 ______을/를 묻거나 지적하는 것은 침착함, 순발력 등을 파악하기 위함이다. •
모자라서 남에게 뒤떨어지거나 떳떳하지 못한 점

4 면접은 질문을 통해 면접 대상자를 평가하므로 질문의 ______을/를 파악하는 것이 중요하다. •
무엇을 하고자 하는 생각이나 계획

• ㉠ 경청
• ㉡ 약점
• ㉢ 의도
• ㉣ 인재상

부록

2 풀이된 뜻에 해당하는 어휘를 골라 ○표 하시오.

1 어떤 일을 해낼 수 있는 힘과 능력 | 역량 | 재량

2 겉으로 드러나지 않고 속에 숨어 있는 힘 | 잠재력 | 창조력

3 글의 첫머리에 중심 내용이 오는 산문 구성 방식 | 두괄식 | 미괄식

4 남보다 앞장서서 행동해서 몸소 다른 사람의 본보기가 됨. | 솔선수범 | 일취월장

5 어떤 분야에 대한 많은 지식, 경험, 기술 등을 가지고 있는 특성 | 객관성 | 전문성

정답 1 1 ㉠ 2 ㉣ 3 ㉡ 4 ㉢ 2 1 역량 2 잠재력 3 두괄식 4 솔선수범 5 전문성

8 3-(1) 발표

1 빈칸에 들어갈 말을 찾아 바르게 연결하시오.

1 여러 사람들 앞에서 자신의 의견이나 어떤 사실을 진술하는 행위를 (　　　) (이)라고 한다.
어떤 사실이나 결과, 작품 따위를 세상에 널리 드러내어 알림.

2 발표의 목적이 (　　　) 일 경우, 자신의 주장을 청자가 수용하도록 해야 한다.
상대편이 이쪽 편의 이야기를 따르도록 여러 가지로 깨우쳐 말함.

3 청자의 (　　　) 지식을 점검하여 청자의 수준에 맞게 발표 내용을 구성해야 한다.
일이 일어나기 전. 또는 일을 시작하기 전

4 발표의 목적을 달성하기 위해서는 청자의 특성을 (　　　) 하여 내용을 구성해야 한다.
얽혀 있거나 복잡한 것을 풀어서 개별적인 요소나 성질로 나눔.

5 청자가 발표 내용에 흥미가 없을 경우, 관심을 (　　　) 할 수 있는 표현으로 발표를 시작한다.
어떤 것이 다른 일을 일어나게 함.

- ㉠ 발표
- ㉡ 분석
- ㉢ 사전
- ㉣ 설득
- ㉤ 유발

2 빈칸에 들어갈 알맞은 어휘를 <보기>에서 찾아 쓰시오.

보기

강조　　세부　　정서　　태도

1 발표를 할 때 적절히 끊어 말하는 등의 준언어적 표현을 활용하면 중요한 내용을 (　　　) 할 수 있다.
어떤 부분을 특별히 강하게 주장하거나 두드러지게 함.

2 청자가 발표 주제에 부정적 (　　　) 를 가진 경우, 우선 주제에 대해 긍정적으로 생각할 수 있게 해야 한다.
어떤 일이나 상황 따위를 대하는 마음가짐

3 청자가 특히 관심을 갖는 (　　　) 관심사를 파악하여 발표 내용에 반영하면 효과적으로 내용을 전달할 수 있다.
자세한 부분

사람의 마음에 일어나는 여러 가지 감정
4 발표를 할 때 청자의 (　　　) 적 상태를 고려하지 않으면, 발표 내용이 타당하고 좋더라도 청자가 이를 수용하고 싶지 않다고 생각할 수 있다.

정답 ❶ 1 ㉠ 2 ㉣ 3 ㉢ 4 ㉡ 5 ㉤ ❷ 1 강조 2 태도 3 세부 4 정서

3-(2) 연설

1 빈칸에 들어갈 말을 찾아 바르게 연결하시오.

1 청자에게 공적으로 신뢰를 받을 만한 능력을 ______(이)라고 한다. • • ㉠ 상호
공적인 신뢰를 받을 만한 능력

2 ______적 설득 전략은 화자가 청자의 ______에 호소하는 방법이다. • • ㉡ 감성
자극이나 자극의 변화를 느끼는 성질

3 ______적 설득 전략은 타당한 근거를 들어 주장을 논리적으로 표현하는 방법이다. • • ㉢ 이성
개념적으로 사유하는 능력을 감각적 능력에 상대하여 이르는 말

사람의 성품
4 ______적 설득 전략은 공신력을 높여 청중이 화자의 말을 수용하게 하는 방법이다. • • ㉣ 인성

5 연설을 할 때에는 인성적, 감성적 설득 전략을 ______ 보완적으로 사용해야 한다. • • ㉤ 공신력
상대가 되는 이쪽과 저쪽 모두

부록

2 풀이된 뜻에 해당하는 공신력의 구성 요소를 골라 ○표 하시오.

1 화자가 친근감을 주는 정도 [사회성 | 신뢰성]

2 화자의 성품이 믿음직한지, 주변의 평판은 어떠한지에 대한 것 [신뢰성 | 외향성]

3 화자가 화제에 대한 지식이나 경험을 충분히 갖추고 있는지의 여부 [전문성 | 침착성]

4 화자가 위기나 돌발 상황에서 당황하지 않고 침착하게 대처하는 태도 [사회성 | 침착성]

5 화자가 역동적인 어조, 몸짓으로 신념과 열정 등을 표현하는 정도에 대한 것 [외향성 | 전문성]

6 화자가 청중과 시선을 맞추고 청중에 대하여 우호적인 태도를 갖고 있음을 드러내는 정도 [외향성 | 사회성]

정답 1 1 ㉤ 2 ㉡ 3 ㉢ 4 ㉣ 5 ㉠ 2 1 사회성 2 신뢰성 3 전문성 4 침착성 5 외향성 6 사회성

4-(1) 토론

1 빈칸에 들어갈 말을 찾아 바르게 연결하시오.

1 오늘 우리가 토론할 ______ 은/는 '청소년의 투표권 확대'이다.
논설이나 논문, 토론 따위의 주제나 제목

2 특정 주장을 비판할 의도로 펴는 상대측의 주장을 ______ (이)라고 한다.
남의 논설이나 비난, 논평 따위에 대하여 반박함. 또는 그런 논설

3 토론의 필수 ______ 에는 문제의 심각성, 방안의 적절성, 효과와 이익이 있다.
서로 다투는 중심이 되는 점

4 주어진 논제에 대한 자신의 견해를 확인하고 근거를 들어 주장하는 것은 ______ 이다.
의론하는 취지나 순서 따위의 체계를 세움. 또는 그 의론

5 ______ 은/는 상대측의 주장에 논리적 문제가 있음을 질문으로 드러내는 과정이다.
입론을 마친 토론자에게 상대측 토론자가 문답 형식으로 입론의 내용을 검증하는 과정

- ㉠ 논제
- ㉡ 반론
- ㉢ 입론
- ㉣ 쟁점
- ㉤ 반대 신문

2 풀이된 뜻에 해당하는 어휘를 골라 ○표 하시오.

1 옳고 그름을 이유를 들어 밝힘. [논증 | 추론]

2 사물이나 말 따위가 생기거나 나온 근거 [출처 | 사례]

3 어떤 논증이 이치에 맞아 논리적 오류가 없는 성질 [신뢰성 | 타당성]

4 자료의 출처나 자료의 수치가 명확하여 논증을 믿을 수 있는 성질 [공정성 | 신뢰성]

5 사실을 왜곡하거나 자신에게만 유리하게 활용하지 않는 공평하고 올바른 성질 [공정성 | 타당성]

정답 1 1 ㉠ 2 ㉡ 3 ㉣ 4 ㉢ 5 ㉤ 2 1 논증 2 출처 3 타당성 4 신뢰성 5 공정성

3 빈칸에 들어갈 말을 찾아 바르게 연결하시오.

1 반대 신문 단계에서는 답변을 ______하게 늘어놓으면 안 된다. (매우 길고 번거로움.) • ㉠ 모순

2 근거에 ______이 있음을 들어 상대측 논증의 타당성을 비판하였다. (어떤 사실의 앞뒤, 또는 두 사실이 이치상 어긋나서 서로 맞지 않음.) • ㉡ 장황

3 반대 신문 단계에서 질문을 할 때에는 구체적이되 ______된 정보를 요구한다. (수량이나 범위 따위를 제한하여 정함.) • ㉢ 한정

4 ______ 질문을 하면 상대측이 자기 측에게 유리한 것만 골라 답변해도 문제가 되지 않는다. (두 가지 이상이 합쳐 있는 것) • ㉣ 복합적

4 풀이된 뜻에 해당하는 어휘를 골라 ○표 하시오.

1 남의 신상에 관한 일을 들어 비난함. [인신공격 | 촌철살인]

2 그 자리에서 일어나는 감흥이나 기분에 따라 하는 것 [계획적 | 즉흥적]

3 어떠한 사물이나 현상을 이루기 위하여 먼저 내세우는 것 [명제 | 전제]

4 토론에서 상대측이 '네' 또는 '아니요'로 대답하도록 유도하는 질문 [개방형 질문 | 폐쇄형 질문]

정답 3 1 ㉡ 2 ㉠ 3 ㉢ 4 ㉣ 4 1 인신공격 2 즉흥적 3 전제 4 폐쇄형 질문

부록

4-(2) 협상

1 빈칸에 들어갈 말을 찾아 바르게 연결하시오.

1 협상에서 의논이 필요한 사안을 ( ) (이)라고 한다.
회의에서 의논할 문제

2 의제에 대한 협상 참여자의 태도를 ( ) (이)라고 한다.
당면하고 있는 상황

3 협상의 시작 단계에서는 협상의 목표를 ( ) 하는 것이 좋다.
국가나 정부, 제도, 계획 따위를 이룩하여 세움.

4 협상의 조정 단계에서는 제안이나 ( ) 을/를 상호 검토한다.
어떤 일에 대처할 방안

5 협상에서는 양측 모두에게 이익이 되는 ( ) 을/를 이끌어 내는 것이 가장 중요하다.
서로 의견이 일치함. 또는 그 의견

㉠ 대안
㉡ 수립
㉢ 의제
㉣ 입장
㉤ 합의

2 빈칸에 들어갈 알맞은 어휘를 <보기>에서 찾아 쓰시오.

보기

이행 표준 차선책 우선순위

1 의사를 결정할 때 정당성을 부여하는 정책이나 참고 사항을 ( ) (이)라고 한다.
사물의 정도나 성격 따위를 알기 위한 근거나 기준

2 최선책이 거부되었을 경우를 대비하여 ( ) (으)로 어떤 제안을 할지 미리 준비해야 한다.
최선책에 다음가는 방책

3 협상의 해결 단계에서는 합의 사항을 점검하고 이를 구체적으로 어떻게 ( ) 할 것인지를 명확히 해야 한다.
실제로 행함.

4 협상의 해결 단계에서는 결정적 요인과 포기해야 할 것들을 파악하여 양보할 때 적용할 ( ) 을/를 결정해야 한다.
어떤 것을 먼저 차지하거나 사용할 수 있는 차례나 위치

정답 1 1 ㉢ 2 ㉣ 3 ㉡ 4 ㉠ 5 ㉤ 2 1 표준 2 차선책 3 이행 4 우선순위

기말고사 대비

정답과 해설

정답과 해설 활용 안내

- 정답 박스로 **빠르게 정답 확인하기!**
- 정답과 오답의 이유, **한 번 더 짚고 넘어가기!**
- **서술형** 답안의 **평가 요소**는 직접 **체크**해 보며, **주관식** 문제 꼼꼼히 **대비하기!**

1일 기초 확인 문제 7쪽

3단원 1 - (1) 정보를 전달하는 글 쓰기

1 (1) ○ (2) × (3) ○ **2** ② **3** ① **4** ④ **5** ⑤

1 (2) 정보 전달을 위한 글의 목적은 독자에게 믿을 만하고 정확한 정보를 전달하는 것이다. (2)는 설득하는 글의 목적에 해당한다.

2 ㄴ. 수집한 자료들 중에서 글을 쓰는 목적에 맞고 독자의 이해를 도울 수 있는 자료를 선별해야 한다.
ㄹ. 대상을 설명할 때에는 명확하고 객관적인 표현을 사용해야 한다. 독자의 이해에 방해가 되는 모호한 표현이나 함축적인 표현은 사용하지 않는 것이 좋다.

3 정보 전달을 위한 글을 쓸 때에는 지나치게 오래되어 효용이 떨어지는 자료는 사용하지 않는다.

4 문제 해결 구조는 발생한 문제와 그 해결 방안을 중심으로 하여 내용을 조직하는 방법이다.

5 〈보기〉는 문어와 오징어의 공통점과 차이점에 관한 자료이므로 비교·대조 구조가 가장 적절하다. 비교·대조 구조란 대상들 사이의 공통점이나 차이점을 중심으로 하여 내용을 조직하는 방법이다.

1일 기초 확인 문제 9쪽

3단원 1 - (2) 보고하는 글 쓰기

1 ㉠ 과정 ㉡ 결과(또는 ㉠ 결과 ㉡ 과정) **2** (1) × (2) × (3) × **3** ⑤ **4** (1) ㉠ (2) ㉢ (3) ㉡ **5** ④

1 보고하는 글을 쓰는 목적은 실험, 관찰, 조사, 연구 등의 과정과 결과를 알리는 것이다.

2 (1) 꾸밈이 많은 표현보다는 간결하고 명확한 표현을 사용해야 독자가 내용을 쉽게 이해할 수 있다.
(2) 연구의 목적과 필요성, 연구의 기간, 연구 대상과 연구 방법, 연구의 결과 등의 요소를 글에 꼭 포함해야 한다.
(3) 과정이나 결과를 자신이 의도하는 대로 바꾸어 쓰거나 거짓으로 꾸며서는 안 된다.

3 연구 대상이 사람일 경우에는 성별, 연령과 같은 연구 대상자의 특성을 구체적이고 정확하게 기술해야 한다.

4 보고하는 글은 일반적으로 크게 세 부분으로 구성된다. 첫 번째 부분에는 연구의 필요성과 목적, 이론적 배경, 연구 방법 등의 요소가 들어가며, 가운데 부분에는 연구 결과와 해석이 들어간다. 마지막으로 세 번째 부분에는 연구 내용의 요약, 결론, 제언 등의 요소가 들어간다.

5 실험 보고서의 목적은 실험 과정과 결과를 독자에게 알리는 것이므로 결과가 처음 의도와 다르게 도출되었다 하더라도 그것을 있는 그대로 제시해야 한다. 실험 결과를 제외하고 실험 계획만 쓰거나, 실험 과정과 결과를 수정하는 것은 적절하지 않다.

1일 교과서 기출 베스트 10~13쪽

3단원 1 - (1), (2)

1 ① **2** ② **3** ③ **4** 순서 구조 **5** ② **6** 문제 해결 구조가 적절하다. 한옥의 외풍으로 발생하는 문제 상황과 이를 방지할 수 있는 문의 구조가 주된 내용이기 때문이다. **7** ③ **8** ④ **9** ③ **10** ㉠ 학교 전체 음식물 쓰레기의 양 ㉡ 음식물 쓰레기 **11** ② **12** ④ **13** ② **14** 연구 결과를 시각적으로 제시하여 한눈에 이해할 수 있게 해 준다. 구체적인 수치를 제시하여 자료의 객관성을 높여 준다.

1 승준은 태양계 행성의 특징에 대한 정보를 전달하는 글을 쓰고 싶다고 하며, 주제를 쉽게 설명해서 독자들이 내용을 잘 이해하게 하고 싶다고 하였다.

2 승준은 (나)가 예상 독자의 수준과는 맞지 않는 자료라고 판단하였을 뿐, 출처의 신뢰도는 언급하지 않았다. (나)는 국내 과학기술학 학술지에 실린 자료이므로 비교적 신뢰할 만한 정보라고 볼 수 있다.

오답 풀이

① 1998년 자료이므로 최신의 자료로 보기 어렵다.
③ 예상 독자를 '과학에 관심이 없는 친구들'로 설정한 승준은 (나)가 일부 학교 친구들에게는 내용이 조금 어려울 수 있겠다고 판단하였다. 즉, 예상 독자의 수준보다 어려운 자료로 판단한 것이다.
④ 교과서라는 공신력 있는 매체에 실린 글이므로 신뢰할 만하다고 판단하였다.
⑤ (가)는 신뢰성이 떨어지고, (나)는 독자의 수준에 맞지 않는다는 이유로 두 자료 모두 부적절하다고 판단하고 있다.

3 정보 전달을 위한 글의 목적은 독자에게 믿을 만하고 정확한 정보를 전달하는 것이다. 따라서 창의적이고 독창적인 정보를 선별하는 것보다는, 신뢰할 만한 정보인지, 과장되거나 왜곡된 정보인지를 검토하여 선별해야 한다.

4 〈보기〉는 시간의 흐름에 따른 순서 구조를 활용하여 독도의 시기별 형성 과정을 설명하고 있다.

5 두 학생이 한옥과 양옥의 차이점을 제시하고 있으므로 대조의 방식으로 구성하는 것이 적절하다.

6 (나)는 한옥의 외풍 문제와 이를 해결할 수 있는 방안에 관한 자료이므로 문제 해결 구조로 글을 조직하는 것이 적절하다.

7 인과 구조는 일이 일어난 원인과 결과에 따라 내용을 조직하는 방법이다.

8 정보를 전달하는 글을 쓸 때에는 독자의 이해를 돕는 명확하고 객관적인 표현을 사용하고, 독자가 글을 이해하는 데 방해가 되는 모호하고 중의적인 표현은 피한다.

9 이론적 배경을 연구 보고서의 서론 부분에 기술하는 것은 맞으나 이 글에는 이론적 배경이 제시되지 않았다. 연구 보고서를 쓸 때, 공신력 있는 학자나 저자의 이론을 바탕으로 하여 연구의 배경을 기술함으로써 연구의 정당성을 드러낼 수 있다.

오답 풀이

① 잔반으로 인한 음식물 처리 비용에 대한 통계의 출처가 교육부임을 밝혀 신뢰성을 높이고 있다.
② '그린 존'과 '레드 존'의 정의를 명확히 밝혀 이해를 돕고 있다.
④ 잔반으로 인한 음식물 처리 비용의 구체적 액수와 증가율을 밝혀 자료의 객관성을 높이고 있다.
⑤ 잔반으로 인한 음식물 처리 비용의 증가를 근거로 들어 음식물 쓰레기를 줄이기 위한 방안 마련이 필요함을 강조하고 있다.

10 두 번째 문단에서 찾을 수 있다.

11 이 글에는 연구 설계가 지닌 문제점이 제시되어 있지 않다.

오답 풀이

① (나)에 제시되어 있다.
③ (가)의 '(2) 연구 설계와 절차'에서 급식을 남기지 않은 학생은 '그린 존'을, 급식을 남긴 학생은 '레드 존'을 이용한다는 차이점을 알 수 있다.
④, ⑤ (다)에 제시되어 있다.

12 (가)는 보고서의 서론, (나)와 (다)는 본론에 해당한다. 본론 뒤에는 결론이 제시되는데 이 부분에는 연구의 요약, 제언 등의 내용이 포함된다.

13 (나)의 그래프를 보면 '그린 존 / 레드 존 제도'(㉠)의 시행 후에 '꽉 찬다'고 응답한 학생 수가 크게 감소하고, '거의 남기지 않는다'고 응답한 학생의 수가 크게 증가했음을 알 수 있다. 이는 제도 시행 후 학생들의 개별 잔반량이 감소했음을 의미한다. (다)에 제시된 글과 그래프를 통해 제도 시행 후 학교 전체의 급식 잔반량이 감소하였음을 알 수 있다.

오답 풀이

① (나)의 그래프를 통해 ㉠의 시행이 학생들의 개별 잔반량을 감소하게 했음을 알 수 있다.
③ (다)의 첫 번째 그래프를 보면, ㉠의 시행 전인 2013년과 시행 후인 2014년 모두 연초에 비해 연말에 급식 잔반량이 줄었으므로, 이것이 ㉠의 시행 때문이라고 보기 어렵다.
④ ㉠의 시행 전인 2013년과 시행 후인 2014년 모두 7월 달 급식 잔반량이 다른 달에 비해 적다. 따라서 7월 달 급식 잔반량의 감소가 ㉠의 시행 때문이라고 보기 어렵다. 아마도 방학 기간이기 때문에 급식을 먹는 학생이 적기 때문일 것이라고 추측할 수 있다.
⑤ ㉠의 시행 이후 학교 전체의 급식 잔반량과 잔반 처리 비용 모두 대폭 감소하였다.

14 (나), (다)에는 제도 시행 전후의 학생 개개인의 급식 잔반량, 학교 전체의 급식 잔반량, 잔반 처리 비용의 변화를 나타낸 그래프가 제시되었다. 이들 시각 자료는 독자들이 변화 양상을 한눈에 파악할 수 있도록 돕는 한편, 구체적인 수치를 제시함으로써 자료가 객관성을 확보하게 한다.

2일 기초 확인 문제 17쪽

3단원 2 - (1) 설득하는 글 쓰기

1 (1) ○ (2) ○ (3) × **2** ㉠: 사실 논거, ㉡: 의견 논거
3 (1) 신뢰성 (2) 공정성 (3) 타당성 **4** ③ **5** ⑤

1 (3) 비유법을 적절히 사용하면 독자에게 주장을 더 쉽고 빠르게 전달할 수 있다. 비유적인 표현이 무조건 독자의 이해를 방해한다는 것은 적절하지 않다.

2 논거는 독자가 납득하고 수용할 만한 타당하고 믿을 만한 근거를 뜻한다. 논거는 사실 논거와 의견 논거로 나눌 수 있다. 사실 논거는 통계 자료, 설문 조사 자료, 실험 결과, 역사적 사실과 같이 구체적이고 객관적인 사례로서의 근거를 의미한다. 의견 논거는 주장을 뒷받침할 수 있는, 권위 있는 사람이나 전문가의 의견과 같은 논거를 말한다.

4 단란한 가족의 모습과 '축복 속에 자녀 하나 / 사랑으로 튼튼하게'라는 문구를 제시한 것으로 볼 때 다자녀를 계획하는 사람들에게 자녀를 하나만 낳아 기를 것을 설득하는 공익 광고임을 추측할 수 있다. 설득하는 글을 쓸 때에는 예상 독자를 고려하여 설득 전략을 수립해야 한다.

5 설득 전략을 사용할 때에는 독자, 주제, 글의 유형 등을 고려해야 한다. 독자에 따라 주장의 내용을 달리하는 것은 글의 핵심 내용 자체를 바꾸는 것이기 때문에 적절한 설득 전략이 아니다.

2일 기초 확인 문제 19쪽

3단원 2 - (2) 비평하는 글 쓰기

1 ⑤ **2** (1) × (2) ○ (3) ○ **3** ㉡, ㉣, ㉢, ㉤, ㉠
4 (1) × (2) ○ (3) × **5** ④

1 과거에는 비평문을 해당 분야의 전문가들이 주로 생산하는 경향이 있었으나 매체가 발달한 오늘날에는 일반인들도 비평하는 글을 많이 쓰고 있다.

2 (1) 비평은 어떤 대상에 대한 옳고 그름, 아름다움과 추함 등의 가치를 논하는 행위이다. 대상이 지닌 가치를 긍정적인 방향으로 논할 수도 있으며, 부정적인 방향으로 논할 수도 있다.

3 비평하는 글 쓰기의 과정은 '비평의 대상 선정하기→비평의 대상 이해하기→자신의 관점 수립하기→비평의 근거 마련하기→표현하기'의 순서로 이루어진다.

4 (1) 비평하는 글을 쓸 때에는 비평하는 대상을 명확하게 정해야 깊이 있는 비평을 할 수 있다. 예를 들어 영화 전체보다 영화의 등장인물, 구성, 배우의 연기와 같이 비평 대상을 명확하게 정한다.
(3) 미사여구를 지나치게 사용하면 필자의 관점이 잘 드러나지 않을 수 있으므로 간결한 표현을 사용하여 필자의 관점을 잘 전달해야 한다.

5 관점을 수립할 때에는 대상을 바라보는 다양한 관점의 글을 되도록 많이 읽어 본다. 이는 추후에 글쓴이의 관점을 수립하거나 다른 관점의 문제점을 파악할 때에도 큰 도움이 될 수 있다.

2일 기초 확인 문제 21쪽

3단원 2 - (3) 건의하는 글 쓰기

1 (1) × (2) ○ **2** ③ **3** ③ **4** ⑤ **5** ③

1 (1) 건의하는 글은 어떤 현안을 분석하여 쟁점을 파악하고 그 현안을 해결할 방안을 담은 글이다.

2 건의하는 문제 상황을 해결할 수 있는 권한을 지닌 사람을 예상 독자로 설정한다.

3 멸종 위기 식물인 깽깽이풀이 방치되어 있다는 현재 문제 상황을 제시하였다.

4 부정적 효과를 제시하면 필자의 요구 사항이 받아들여지기 어려울 것이다. 해결 방안이나 요구 사항이 실현되었을 때 나타날 수 있는 긍정적인 효과를 함께 제시해야 글의 설득력을 보다 높일 수 있다.

5 예의 바르고 공손한 표현은 필자에 대한 독자의 호감을 높여 독자가 필자의 요구 사항을 긍정적으로 생각할 수 있게 한다.

오답 풀이

①, ② 공적인 글이고, 일반적인 건의문 독자의 성격을 고려할 때 반말, 격의 없는 표현, 유행어 등은 적절하지 않다.

2일 교과서 기출 베스트 22~25쪽

3단원 2 - (1), (2), (3)

1 ⑤ **2** ④ **3** ② **4** ③ **5** ① **6** ③ **7** ㉠은 조사 대상에 대한 정보를 분명하게 밝히지 않았고, 조사 인원도 충분히 확보되지 않았기 때문에 타당성이 떨어진다. **8** ③ **9** 관점 1은 ㉠을 확인되지 않은 내용을 퍼뜨리는 누리 소통망 사용자들의 문제로 보는 관점이고, 관점 2는 ㉠을 사실 여부를 확인하지 않고 뉴스를 확산시킨 언론의 문제로 보는 관점이다. **10** ⑤ **11** ② **12** ⑤ **13** 소영과 영진은 문제 해결 방안의 실현 가능성을 고려하고 있다.

1 설득하는 글을 쓰는 목적은 글쓴이의 주장과 주장에 따른 근거를 제시하여 독자의 생각, 태도, 변화 등을 변화시키고자 하는 것이다.

2 효도 상품을 판매하고자 하는 광고문의 독자인 노부모를 모시는 사람의 상황을 고려하여, 효심을 자극할 수 있는 어휘나 문구를 사용하면 설득력을 높일 수 있을 것이다.

오답 풀이

① 매체를 고려하여 영상이나 사진 등의 시각 자료를 활용한다.
② 예상 독자가 어떤 분야의 전문가들이 아니므로 전문 용어를 사용하는 것은 적절하지 않다.
③ 독자의 성별이 특정되지 않으므로 적절하지 않다.
⑤ 광고문과 같이 짧은 글의 유형에 적절하지 않은 형식이다.

3 〈보기〉에서 필자는 혈액형과 성격이 관련이 있다는 주장을 몇몇 친구들을 논거로 들어 뒷받침하고 있다. 이는 조사 대상자의 수가 적어 혈액형과 성격의 관련성을 일반화하기 어려운, 타당성이 부족한 논거이다. 논거의 타당성을 높이기 위해서는 많은 수의 사람들을 대상으로 표준화된 성격 검사를 하여 성격 유형과 혈액형 사이에 통계적으로 유의미한 상관관계가 있음을 밝혀야 한다.

4 설의법은 누구나 알고 있는 사실을 의문의 형태로 제시하는 방법이다. ③은 문답법에 대한 설명이다.

5 (가), (나)를 통해 필자가 노키즈존이 부당하다고 생각한다는 것을 알 수 있다. 주제문은 '노키즈존이 확산되어서는 안 된다.'가 적절하다.

6 (나)에는 예상되는 문제점에 대한 반론을 제시한 부분이 나타나지 않는다.

오답 풀이

① '이렇게 많은 사람들이 안 된다고 하는데~놔 두어서는 될 일인가?'에서 의문형 표현을 사용하여 노키즈존을 줄이려 노력해야 한다는 주장을 강조하였다.
② '눈 가리고 아웅이 아닐 수 없다'에서 이중 부정이 사용되었다.
④ 'OO대학교 사회복지학과 박OO 교수는~'에서 전문가의 견해를 인용한 논거를 사용하였다.
⑤ '언 발에 오줌 누기', '눈 가리고 아웅' 등의 속담을 활용하였다.

7 설득하는 글에 사용되는 논거는 타당성을 갖춰야 하는데, 타당성이 있는 논거란 주장과 관련이 있으며 주장을 뒷받침할 수 있는 합리적이고 객관성이 있는 논거를 말한다.

8 (가)에서 진영은 '부정확한 정보가 퍼져 나가는 현상'을 비평하는 글을 쓰겠다고 하였다.

10 진영은 선택하지 않은 관점 2가 정확한 정보를 신중하게 전달해야 할 개인의 책임을 지나치게 간과하였다는 약점을 근거로 들어 자기가 선택한 관점을 강화할 수 있다.

11 이 글은 교실에 탈의 공간이 없어 불편하다는 문제 상황을 해결하기 위해 교실에 탈의 공간을 만들어 달라는 요구 사항을 제시하고 있다.

12 '비용도 많이 들지 않을 것입니다.'라며 요구 사항의 실현 가능

정답

성을 강조하고는 있지만, 요구 사항을 받아들였을 때 학교 측이 얻을 수 있는 이익은 제시되지 않았다.

13 소영과 영진은 버스 배차 간격을 단축해야 한다는 해결 방안이 현실적으로 실현 가능한지를 고려하고 있다.

3일 기초 확인 문제 29쪽

3단원 3 - (1) 자기를 소개하는 글 쓰기

1 (1) ○ (2) × (3) ○ **2** (1) ㉢ (2) ㉡ (3) ㉠ **3** ㉠
4 ③ **5** ⑤

1 (2) 진학, 취업, 동아리 가입과 같은 자기소개의 목적을 달성하려면 독자가 요구하는 바를 고려하며 글을 써야 한다.

2 진학이 목적인 경우, 독자는 글쓴이의 학업 능력, 학교생활 등을 파악하고자 할 것이며, 취업이 목적인 경우에는 글쓴이가 업무 수행 능력을 지녔는지를 파악하고자 할 것이다. 동아리 가입이 목적인 경우에는 글쓴이가 동아리에 관심과 열정을 지녔는지를 파악하고자 할 것이다. 이와 같은 독자의 요구를 고려하여 글쓰기 전략을 수립한다.

3 ㉡ 자신을 돋보이게 하기 위해 과장하거나 거짓으로 꾸며서는 안 된다.
㉢ 여러 가지 경험을 잡다하게 나열하지 말고 한두 가지 경험을 깊이 있게 쓴다.

4 '다양한 알바'를 했다고 표현했을 뿐, 이때 보인 태도나 이후의 변화는 언급하지 않았다.

오답 풀이

② 자기소개서에 '알바'와 같은 줄임말을 쓰면 독자에게 좋은 인상을 주기 어렵다.

5 자기소개서를 쓰는 대부분의 경우는 여러 사람이 한꺼번에 자기소개서를 내는 상황이다. 따라서 다른 사람과 다르지 않도록 무난하게 써서는 독자의 관심을 끌기 어려워 진학이나 취업과 같은 목적을 달성하기 어렵다. 자신의 개성이 잘 드러나도록 독창적인 면을 부각하여 쓰는 것이 필요하다.

3일 기초 확인 문제 31쪽

3단원 3 - (2) 친교의 내용을 표현하는 글 쓰기

1 ㉠: 독자, ㉡: 목적, ㉢: 관계 **2** (1) ○ (2) ○ (3) ×
3 ⑤ **4** ② **5** ④

1 친교의 내용을 표현하는 글은 글을 받는 사람인 독자가 정해져 있고, 다양한 목적으로 다른 사람과 친밀한 관계를 맺기 위해 쓴다.

2 (3) 친교의 내용을 표현하는 글은 받는 사람, 즉 독자가 명확하게 정해져 있어 특정한 독자와의 관계, 그의 나이, 관심사 등을 고려하여 글을 쓰게 된다.

3 '정말 미안해'라는 말로 볼 때 사과의 목적으로 쓴 글이라고 할 수 있다.

4 필자인 준영은 지예에게 만나자고 하면서도 만날 시간과 장소를 구체적으로 제시하지 않았다. 이는 만남을 요청한다는 글의 목적을 제대로 고려하지 못한 것이다.

5 친교의 내용을 표현하는 글은 대화할 때와 달리 준언어적·비언어적 표현을 사용할 수 없으며, 수신자의 반응을 즉각적으로 확인하기 어렵다. 따라서 독자가 친밀한 관계의 사람이든 공적 관계의 사람이든 간에, 오해가 생기지 않도록 예의 바른 표현을 사용하는 것이 중요하다.

3일 교과서 기출 베스트 32~35쪽

3단원 3 - (1), (2)

1 ⑤ **2** ② **3** ③ **4** ① **5** ② **6** 책 속 인물을 따라 연기하는 모습을 촬영한 동영상, 협동심과 책임감이 필요한 단체 활동에 참여한 모습을 찍은 사진 등 **7** ② **8** ④ **9** ④ **10** 비언어적·준언어적 표현이 동반되지 않고 오로지 글만이 의미 전달 수단이 되기 때문이다. **11** ④ **12** ⑤ **13** ③

1 진학이나 취업과 같이 자기소개서를 써야 하는 대부분의 경우는 여러 명이 한꺼번에 자기소개서를 내는 상황이다. 따라서 독자의 눈길을 끌기 위해서는 다른 사람과 비슷한 내용이나 상투적인 표현은 되도록 피하는 것이 좋다.

2 (가)는 다양한 경험을 잡다하게 나열하였으나 (나)는 여러 경험 중 광고의 매력에 빠지게 된 계기, 미술 대회에 참가하며 보인 노력만을 꼽아 깊이 있게 서술하였다. 자기소개서를 쓸 때에는 이처럼 한두 가지 경험을 깊이 있게 쓰면서 경험을 통해 얻은 깨달음이나 그 과정에서 자신이 보였던 태도를 함께 서술하는 것이 좋다. 그래야 독자에게 더 깊은 인상을 남길 수 있다.

오답 풀이

⑤ (가)에서는 '~활약하고 싶습니다.', '~광고를 만들고 싶습니다.'와 같이 자신의 열정을 막연하게 표현하였다. (나)에서는 광고의 매력에 빠진 계기와 미술 대회에 참가하면서 가졌던 태도를 구체적으로 서술함으로써 자신이 광고에 열정이 있음을 드러내고 있다.

3 자기소개서에 활용하는 경험이 꼭 거창하고 특별해야 하는 것은 아니다. 평범한 경험일지라도 자신의 태도와 깨달음을 어떻게 서술하느냐에 따라 개성과 장점을 부각할 수 있다.

4 태은이 쓰려는 자기소개서의 목적은 '연극부 선배들'이 자신을 연극부 부원으로 뽑도록 하는 것이다.

5 태은은 글을 쓰는 목적과 독자를 분석한 후, 이를 고려하여 자신이 협동심이 있고 책임감이 강한 사람임을 강조하겠다는 전략을 수립하였다.

6 태은의 자기소개서가 게시될 매체는 인터넷 매체이므로 글 말고도 사진, 음악, 동영상 등의 자료를 활용할 수 있다.

7 자신의 경험과 지원 업무와의 연관성을 중심으로 작성해야 하는 것은 대학 진학을 위한 자기소개서가 아니라, 회사 취업을 위한 자기소개서이다.

8 왕인 정조가 신하 심환지에게 보내는 편지 글은 맞으나, 명령하는 어투는 드러나지 않는다. 정조는 공손하고 예의 바른 어투로 독자인 심환지의 안부를 묻고 있다.

오답 풀이

① '~어찌 장한 일이 아닙니까?'에서 찾을 수 있다.

⑤ 마지막 부분의 '만천명월주인(萬川明月主人)'은 정조가 직접 지은 자신의 호이다.

9 다른 학생들과의 형평성 문제 등 선생님께 부담을 드릴 수 있는 상황에서 부탁을 드리는 것이므로, 완곡하고 정중한 표현을 사용하여 상황에 대한 죄송한 마음을 잘 드러내야 글을 쓰는 목적을 달성할 수 있을 것이다. 강한 어조로 강요하듯이 표현하면 선생님께 불쾌감을 드릴 수 있으므로 삼간다.

10 친교의 내용을 표현하는 글은 표정이나 말투와 같은 준언어적· 비언어적 표현이 동반되지 않으므로 각별히 예의 바른 표현을 사용할 수 있도록 유의해야 한다.

11 친밀한 관계의 사람에게 안부 등을 목적으로 쓰는 글이라면 ④와 같은 표현 방법을 사용하는 것이 적절할 수 있으나, 공적인 의사소통 상황에서 쓰는 편지에 이와 같은 표현 방법을 쓰는 것은 부적절할 수 있으므로 독자와 목적을 고려하여 표현 방법을 달리하는 것이 필요하다.

12 ㉠은 상대방을 높이 평가해 주기 위해 자신을 낮춘 표현이다. 자신의 학식이 낮다고 알리는 표현으로 보는 것은 적절하지 않다.

13 제비와 기러기는 다른 계절에 우리나라에 오는 철새로 같은 시기에 같은 지역에서 마주치기가 어렵다. 이로 볼 때, ㉡은 글쓴이가 독자와의 만남을 바라지만 서로 먼 거리에 있다 보니 만나려 해도 엇갈릴까 봐 걱정이라는 의미를 표현한 것으로 볼 수 있다.

4일 기초 확인 문제 39쪽

3단원 4 - (1) 정서를 표현하는 글 쓰기

1 (1) ○ (2) × (3) × **2** ㉠, ㉢, ㉡ **3** ⑤ **4** 대상이나 사건에 의미 부여하기 **5** ①

1 (2) 정서를 표현하는 글은 글쓴이가 보거나 느낀 것을 과장이나 왜곡 없이 그대로 드러내는 글이다.
(3) 예상 독자에 대한 인식이 적은 글이기는 하나 지나치게 주관적인 견해나 난해한 사상을 담으면 독자의 공감을 얻기 어려우므로 그러지 않도록 주의하는 것이 좋다.

2 정서를 표현하는 글 쓰기 과정은 '일상 속에서 대상이나 사건을 관찰하기→ 대상이나 사건에 의미 부여하기 → 표현하기'의 순서로 이루어진다.

3 ①~④는 예상 독자에 대한 인식이 비교적 적은 글이 종류이나, ⑤는 친구를 대상으로 하여 쓰는 편지로 예상 독자가 명확하다는 점에서 가장 다르다고 할 수 있다.

4 평범한 일상 속 사건을 우리의 삶과 연관 지어 의미를 발견해 내는 과정에 해당한다.

5 기행문은 특별한 형식이 없으며 자유롭게 쓰는 글이다. '여정, 견문, 감상'은 기행문을 구성하는 요소이므로 제시된 순서대로 형식을 갖추어 써야 한다는 진술은 적절하지 않다.

4일 기초 확인 문제 41쪽

3단원 4 - (2) 자기를 성찰하는 글 쓰기

1 (1) 자서전 (2) 회고문 (3) 일기 **2** ㉠: 사건, ㉡: 깨달음 **3** ㉡, ㉣, ㉢, ㉠ **4** ③ **5** ④

1 (1), (2) 자서전과 회고문은 모두 글쓴이가 자신의 삶에 대해 쓴 글이라는 점에서 공통적이나 자서전은 글쓴이의 일생 전반을 다루는 경우가 많은 한편 회고문은 글쓴이가 자신의 삶 가운데 특별한 시기나 활동, 사건을 위주로 쓴다는 점에서 차이가 있다.

2 일기는 자기의 생각이나 느낌을 쓰는 것이 중요하므로 사건만 나열하기보다는 당시 느꼈던 감회나 깨달음을 포함하는 것이 좋다.

3 자기를 성찰하는 글 쓰기 과정은 '자신의 삶 되돌아보기→가치 있는 경험 정하기→경험에 의미 부여하기→표현하기'의 순서로 이루어진다.

4 자서전을 읽은 친구가 '너 맞아?'라고 물어보았으므로 글쓴이가 자서전에서 자신에 대해 솔직하게 쓰지 않았음을 알 수 있다. 자서전은 분량의 제약이나 이야기 방식의 기준이 없이 자유롭게 쓰는 글로, 자신의 삶을 솔직하게 쓰는 것이 매우 중요하다.

5 회고문은 꾸미지 않은 소박하고 담담한 문체로 표현하는 것이 효과적이다.

4일 교과서 기출 베스트 42~45쪽

3단원 4 - (1), (2)

1 ③ **2** ③ **3** 서로 번갈아 들리는 글쓴이의 '또그닥또그닥' 하는 구두 소리와 '여자'의 '또각또각' 하는 발소리 **4** ⑤ **5** ③ **6** ① **7** 가까운 사람일수록 더욱 상대방의 마음을 헤아리며 따뜻하게 말해야 한다. **8** ④ **9** ④ **10** ⑤ **11** ②

1 이 글은 수필로, 글쓴이의 정서를 표현하는 글이다. 이와 같은 글은 필자 중심의 글이기 때문에 다른 종류의 글에 비해 예상 독자에 대한 인식이 잘 드러나지 않는다.

2 '또그닥또그닥', '또각또각'과 같은 의성어를 반복하여 사용함으로써 글쓴이를 오해한 여성과의 긴장감 넘치는 상황을 생생하게 표현하였다.

3 이 글은 '여자'의 오해를 풀기 위해 더 빨리 걷고자 했던 글쓴이와, 글쓴이의 빨라지는 구두 소리에 더욱 속도를 내었던 '여자' 사이의 격렬한 쫓고 쫓김을 구두 소리를 흉내 낸 의성어와, '두 음향의 속 모르는 싸움'과 같은 비유적 표현으로 개성 있게 나타내었다. 정서를 표현하는 글은 필자 중심의 글이기는 하지만 이렇게 표현의 묘미를 살려 쓰면 독자에게 즐거움을 줄 수 있다.

4 '낡은 가로등'은 글쓴이의 모습과 대조되는 대상이므로 ⑤는 적절하지 않다. 글쓴이는 노력은 게을리하면서 멋진 성과만을 기대하는 자신과는 달리, 묵묵히 사람들을 위해 길을 비추어 주는 가로등을 보면서 노력을 다하는 삶의 자세가 중요하다는 깨달음을 얻고 있다.

5 ㉠의 '낡은 가로등'은 누가 알아주지 않아도 조용히 불빛을 내며 길을 비추어 준다. 즉, ㉠은 노력하지 않고 성과만을 바라는 글쓴이와 대비되는, 성실하고 묵묵하게 자기 일을 해 나가는 존재라고 할 수 있다.

6 (나)의 글쓴이는 자신의 잘못된 언어 습관을 반성하고 앞으로 어떤 태도를 지녀야 할지에 대한 깨달음을 제시하고 있다.

7 마지막 문단의 '가까운 사람일수록~말해야 하는 것이었다.'에 드러나 있다.

8 자기를 성찰하는 글을 쓸 때 자신의 일상 체험과 그때 느낀 생각과 감정 등을 기록해 둔 일기, 블로그, 메모 등을 활용하면 과거의 경험을 생생하게 떠올리는 데 도움이 된다.

9 과거의 경험에 의미를 부여하는 과정에서 글쓴이는 그때의 고민이나 갈등을 진솔하게 표현함으로써 경험에서 삶의 의미를 얻고 독자의 공감을 불러일으킬 수 있다. 자랑할 만한 경험만을 소재로 한다는 것은 적절하지 않다.

10 ㉡은 모두 자기를 성찰하는 글의 유형로, 이와 같은 글의 소재는 자신에게 특별한 의미가 있는 경험으로 하는 것이 좋다. 많은 사람들이 흔히 겪어 봤을 법한 경험을 소재로 했느냐는 평가 기준으로 적절하지 않다.

11 자서전은 분량이나 형식에 특별한 제약이 없다. 자서전은 자신의 삶을 진솔하게 표현하는 것이 가장 중요하다.

5일 기초 확인 문제 49쪽

4단원 (1) 화법과 작문의 윤리

1 (1) ○ (2) ○ (3) × **2** ㄱ, ㄷ, ㄹ **3** (1) 인 (2) 표 (3) 표 (4) 표 **4** ④ **5** ④

1 (3) 오늘날 매체를 활용한 의사소통이 활발해지면서 말과 글이 지니는 사회적 영향력과 책임이 커졌다.

2 ㄴ. 자신이 알지 못하는 부분은 성급하게 추측하거나 판단하여 표현하지 않아야 한다.

3 인용은 정당한 범위 내에서 다른 이의 저작물을 사용하는 것인 반면, 표절은 저작권을 지키지 않고 다른 사람의 말이나 글을 마치 자기 것처럼 가져다 쓰는 것이다. 표절은 남의 재산을 훔치는 것과 같은 범죄 행위이기 때문에 저작권법에 따라 처벌을 받을 수 있다.

4 이 광고는 온라인에 글을 올릴 때 신중한 태도로 임해야 하며, 타인에게 피해를 주는 내용은 아닌지 생각해 보아야 함을 드러내고 있다. 이는 글이 지닌 사회적 영향력을 인식하고 의사소통 윤리를 잘 지켜야 함을 강조한 것으로 볼 수 있다.

5 타인의 저작물을 이용할 때에는 자료의 출처를 반드시 밝혀야 한다.

5일 기초 확인 문제 51쪽

4단원 (2) 진심을 담은 의사소통, (3) 화법과 작문의 관습과 바람직한 언어문화

1 (1) ○ (2) ○ (3) × **2** ㄱ, ㄷ, ㄹ **3** ⑤ **4** ④ **5** ④

1 (3) 진심을 담아 의사소통을 할 때 의사소통 참여자 간의 상호작용이 원활하게 이루어질 수 있다. 윤리적이고 효과적인 의사소통을 위해서 우리는 진심을 담아 의사소통하는 태도를 지녀야 한다.

2 ㄴ. 진심을 담아 의사소통하기 위해서는 상대방에 대한 존중과 배려의 태도를 갖추며 말을 하거나 글을 써야 한다.

3 상대방의 진심을 파악하는 능력을 향상하는 것은 화법과 작문의 가치와는 거리가 멀다.

4 학생의 메시지에는 자신의 소속이나 이름 등의 필요한 내용이 제대로 담겨 있지 않기 때문에 선생님이 문자 메시지의 내용을 이해하는 데 어려움을 겪고 있다.

5 언어 공동체가 변화를 겪으면 그것이 말과 글에 반영되어 새로운 담화 관습과 작문 관습이 형성되기도 한다.

5일 교과서 기출 베스트 52~55쪽

3단원 4 - (1), (2), (3)

1 ③ **2** 자신이 알지 못하는 부분을 성급하게 추측하여 표현하지 않도록 유의해야 해. **3** ⑤ **4** ④ **5** ① **6** ⑤ **7** 네가 했던 말을 반장에게 왜곡하여 전달해서 미안해. 앞으로 누군가의 말을 전할 때에는 사실만을 전하려 노력할게. **8** ⑤ **9** ④ **10** ⑤ **11** ⑤ **12** 모의 유엔 총회가 열리는 일시와 장소를 구체적이고 정확하게 쓴다. 예의 바르고 공손한 표현을 쓴다.

1 민재가 정확하지 않은 정보를 마치 사실처럼 말하고, 승지가 사실인지 확인되지 않은 정보를 신중하지 못한 태도로 전하였기 때문에 철수는 친구에게 오해를 받게 되었다.

2 민재는 철수가 자리를 비운 이유를 섣불리 추측하여 그 내용을 마치 사실인 것처럼 승지에게 전달하였다.

3 다른 사람의 글을 인용할 때 인용한 부분이 원문보다 길어서는 안 된다.

4 〈보기〉에서는 근래 발생한 대입 자기소개서 표절의 문제를 다루고 있다. ④는 사실을 왜곡하여 글을 쓴 것으로 쓰기 윤리를 위반한 사례이나 표절과는 무관하다.

5 제시된 상황에서 여학생은 남학생에게 사실이 확인되지 않은 정보를 전달하였고 남학생은 사실 여부를 확인하지 않은 정보를 자신의 블로그에 올렸다. 이에 잘못된 정보가 인터넷 매체에서 빠르게 확산되면서 유명인이 피해를 입게 되었음이 뉴스 보도를 통해 드러나고 있다. 뉴스 보도를 통해 잘못된 정보가 확산된 것은 아니다.

6 말을 하거나 글을 쓸 때에는 신중한 태도로 정확한 내용과 표현을 활용해야 한다. 최대한 신속하게 표현하는 것은 의사소통 윤리를 위해 지녀야 할 태도와는 거리가 멀다.

7 부반장은 동희의 말을 왜곡하여 반장에게 전달하였고, 그로 인해 동희는 반장에게 오해를 샀다. 그러므로 사실을 왜곡하여 전달한 것에 대해 사과하는 것이 적절하다.

8 이 편지에는 구체적인 문제 해결 방법이 나타나 있지 않다. 이 편지에서 아버지는 아들에게 일방적으로 훈계하거나 가르치려 하지 않고, 슬럼프에 빠져 힘들어 하는 아들에게 위로와 용기를 주고자 하는 진심 어린 마음을 표현하고 있다.

9 ⓓ는 아들을 응원하기 위해 아들이 시련과 아픔을 이겨 내고 더 크고 강인한 사람이 될 것이라는 믿음을 자연물과 자연 현상에 빗대어 표현한 것이다.

10 (가)는 친구 간의 일상적인 대화 상황이고, (나)는 모의 유엔 총회라는 공적인 담화 상황이다. (나)의 현수와 민서는 친구 사이지만 공적인 담화 상황에 알맞게 격식체를 사용하고 있으며, 의제에 부합하는 내용만을 말하며 개인적인 대화는 하지 않고 있다.

11 '존경하는 의장님'이라는 관습적 표현을 통해 청자와, 모의 유엔 총회라는 행사를 존중하는 태도를 드러내기 위해서이다.

12 초대장의 작문 관습의 형식은 다음과 같다. 제목에는 행사나 모임에 참석해 줄 것을 청하는 성격이 드러나게 적는다. 내용에는 행사나 모임에 초대하는 취지나 목적을 쓰고, 행사의 일시와 장소를 정확하게 적는다. 한편 이 초대장의 예상 독자는 부모님이므로 예의를 갖춘 공손한 표현을 사용하는 것이 적절하다.

6일 누구나 100점 테스트 1회 56~59쪽

• **범위** 3단원 1 정보 전달과 보고의 글~3 소개와 친교의 글

1 (가): ㉠, (나): ㉢, (다): ㉤ **2** ④ **3** ⑤ **4** ⑤ **5** (1) 이중 부정 (2) 설의법 (3) 비유법 **6** ④ **7** ㉢ **8** ⑤ **9** ⑤ **10** ①

1 (가)는 서로 대등한 관계에 있는 정보를 늘어놓고 있으므로 나열 구조가 적절하다. (나)는 다양한 원인 때문에 공룡이 멸종되었다는 내용이므로 원인과 결과에 따른 인과 구조가 적절하다. (다)는 공기 오염이 심해지고 있는 상황을 해결하기 위한 다양한 방안을 제시하고 있으므로 문제 해결 구조가 적절하다.

2 연제는 신뢰할 만한 전문가가 쓴 자료가 아니라, 한 고등학생이 누리 소통망(SNS)에 게시한 잘못된 정보를 담은 글을 활용해 글을 작성하여 누리꾼들에게 혼란을 주고 있다. 이를 통해 정보를 전달하는 글을 쓸 때에는 신뢰할 만한 자료를 선별하는 것이 중요함을 알 수 있다.

오답 풀이

①, ②, ③ 모두 정보 전달을 위한 글을 쓸 때 유의해야 할 점이나, 이 상황을 통해 알 수 있는 것은 아니다.

⑤ 자료 수집 방법은 자료의 성격에 따라 달리하는 것으로, 인터넷 매체에서 자료를 수집하지 말아야 한다는 것은 적절하지 않다. 인터넷 매체는 시간과 공간의 제약을 받지 않고 막대한 양의 자료를 찾을 수 있다는 장점이 있으나 도서에 비해 자료의 정확성이 떨어질 수 있으므로 자료의 신뢰성을 더욱 잘 따져 보는 것이 필요하다.

3 연구 결과가 처음 의도와 다르게 도출되었더라도 모든 과정과 결과를 있는 그대로 써야 한다.

오답 풀이

① 보고하는 글을 쓸 때에는 간결하고 명확한 표현을 사용해야 독자가 내용을 쉽게 이해할 수 있다.

② 보고하는 글은 그 종류에 따라 체계가 달라지지만, 일반적으로 크게 세 부분으로 구성된다. 서론에는 연구의 필요성과 목적, 이론적 배경, 연구 방법 등의 요소가 들어간다. 본론에는 연구 결과와 해석이 들어간다. 결론에는 연구 내용의 요약, 결론, 제언 등의 요소가 들어간다.

③ 보고하는 글을 쓸 때에는 연구의 목적, 필요성, 연구의 기간, 연구 대상과 연구 방법, 결과 등의 요소를 글에 꼭 포함하여 연구의 과정과 결과를 객관적이면서도 구체적으로 전달해야 한다.

4 (가)의 '(2) 연구 설계와 절차'와 (나)의 그래프를 보면 2014년도의 월 단위 수치를 전년도(2013년) 같은 월의 수치와 비교하였음을 알 수 있으므로 직전 월과 비교하였다는 것은 적절하지 않다.

5 (1) '않을 수 없다.'라는 부분에서 부정 표현이 두 번 쓰였다.

(2) 의문문의 형식으로 기부는 유명한 사람만이 할 수 있는 것이 아님을 강조하였다.

(3) 인생의 힘든 상황을 비가 오는 상황에 비유해 표현했다.

6 독창성과 창의성은 설득하는 글의 논거를 선별하는 기준으로 적절하지 않다.

오답 풀이

① 출처가 분명하지 않거나 믿을 만하지 못한 자료를 근거로 제시하면 주장의 설득력이 떨어진다.

② 의견 논거의 경우, 의견을 낸 화자나 필자가 전문성이 있는지를 기준으로 신뢰성을 판단한다.

③ 선입견이나 편견이 들어간 논거는 독자 입장에서는 필자가 주제를 입체적으로 고려하지 못했다고 느껴지게 할 것이며 이는 주장의 설득력을 떨어뜨릴 수 있다.

⑤ 논거의 타당성과 관련된 기준이다. 필자가 아닌 다른 사람들에게도 통용될 수 있는 객관성을 갖춘 논거여야 주장의 설득력을 높일 수 있다.

7 진영은 여러 관점을 살펴보며 대상을 이해한 후, 이를 토대로 ㉠에서 자신의 관점을 세우고 있다. 이때 선택하지 않은 관점의 약점은 자신의 관점을 강화하는 데에 활용할 수 있다.

8 독자인 교장 선생님께 교실에 간의 탈의 공간을 마련해 달라는 요구사항을 직접적이고 구체적으로 제시하고 있다.

오답 풀이

① 학교생활에서 생긴 문제를 해결하려는 목적으로 쓴 건의문이다.

② 두 번째 문단에서 탈의 공간이 없어서 생기는 불편한 점들을 구체적으로 서술하여 문제의 심각성에 대한 독자의 공감을 유도하고 있다.

④ 탈의 공간이 마련된다면 체육 수업에 늦지 않을 것이며, 화장실 이용도 더 편해질 것이며, 비용도 많이 들지 않을 것이라는 긍정적 효과를 제시하고 있다.

9 (마)는 '찢어지게'와 같은 비속어, '근자감', '레알'과 같은 유행어를 사용하고 있다. 자기소개서를 쓸 때 이와 같이 품격이 떨어지는 표현을 사용하면 필자의 인격이나 교양을 의심하게 할 수 있을 뿐만 아니라 독자에게 불쾌감을 줄 수 있으므로 유의해야 한다.

오답 풀이

①, ② (가)와 같이 여러 가지 경험을 잡다하게 나열하기보다는 (나)와 같이 한두 가지의 경험이라도 내용을 깊이 있게 작성하는 것이 좋다. 자기소개서를 작성할 때에는 얼마나 다양한 경험을 했는지보다 그 경험을 통해 무엇을 얻었고 그 과정에서 자신이 어떤 태도를 보였는지를 드러내는 것이 더 중요하다.

③ (다)는 자신의 성장 과정을 '관심과 사랑을 한 몸에 받으며', '행복하게', '자상하셨고', '밝고 건강하게'와 같은 상투적인 표현과 내용으로 기술하였다. 이와 같은 글은 독자의 관심을 끌기 어려우며 자신의 장점을 드러내기도 힘들다.

정답

10 자기소개서를 작성할 때는 내용을 창의적으로 구성해 자신의 개성이 잘 드러나도록 해야 한다. ㉠처럼 비유적인 표현을 적절히 사용하는 것도 한 방법이다.

6일 누구나 100점 테스트 2회 60~63쪽

• 범위 3단원 4 정서 표현과 성찰의 글~4단원 (3) 화법과 작문의 관습과 바람직한 언어문화

1 ② **2** ④ **3** ⑤ **4** ④ **5** 표절 **6** 자리에도 없더라.
7 ② **8** ⑤ **9** ④ **10** ④

1 정서를 표현하는 글을 쓸 때에는 자기가 보거나 느낀 것을 과장이나 왜곡 없이 있는 그대로 표현한다.

오답 풀이

① 정서를 표현하는 글은 필자 자신이 겪은 일을 쓰는 것이기 때문에 주인공은 대체로 '나'이며, 필자 중심의 글이기 때문에 예상 독자에 대한 인식이 다른 글에 비해 잘 드러나지 않는다.
③ 여행의 경험과 그로부터 얻은 생각과 느낌을 적은 기행문이나, 문학, 연극, 영화, 미술과 같은 대상을 살펴보고 나서의 생각이나 느낌을 표현한 감상문 역시 정서를 표현하는 글이다.
④ 정서를 표현하는 글은 필자의 개성이 분명하게 드러나는 글로, 필자의 개성은 문체, 표현, 필자의 독특한 시각, 자신만의 방식으로 사물을 해석하고 의미를 부여하는 태도 등에서 드러난다.
⑤ 정서를 표현하는 글을 쓰는 과정은 다음과 같다. 먼저 일상 속 대상이나 사건을 면밀히 관찰한다. 그리고 그것이 우리의 삶과 어떤 관련이 있는지를 발견한다. 발견한 의미나 가치를 진솔하게 표현한다.

2 (라)에서 글쓴이는 사람들을 '너'라는 청자로 대상화하고 있다. 따라서 '너'를 특정인이라고 보기 어렵다. 또한 자신의 잘못을 인정하는 것이 아니고, '너'를 이해할 시간을 갖고 싶다는 내용을 말하고 있다.

3 '가까운 사람일수록~따뜻하게 말해야 하는 것이었다.'에 글쓴이가 얻은 깨달음이 나타나 있다. 글쓴이는 자신의 삶을 성찰하는 글을 씀으로써 자신의 나쁜 습관을 되돌아보고 가까운 사람일수록 마음을 배려하며 말해야 한다는 깨달음을 얻고 있다.

4 일기는 자신의 삶에 대한 개인적인 기록이므로 이를 통해 다른 사람이 자신의 삶을 어떻게 평가하는지 파악할 수 있다는 것은 적절하지 않다. 평소에 일기와 같은 글을 쓰면 (나)와 같이 자신의 삶을 성찰하는 글을 쓸 때에 과거의 경험을 생생하게 떠올릴 수 있다.

5 〈보기〉는 표절의 개념과 예에 대한 설명이다. 표절은 범죄 행위이기 때문에 저작권법에 따라 처벌을 받는다. 타인의 저작물을 인용하고자 할 때에는 저작권자의 동의를 구하여 저작권법이 허용하는 범위 내에서 인용한다.

6 ㉠의 민재의 말은 자신의 추측을 마치 사실처럼 말하였다는 점에서 문제가 있으며, 이로 인해 철수는 오해를 받게 되었다. 이 상황에서 민재가 알 수 있는 객관적 정보는 철수가 교실 자리에 없었다는 것뿐이므로, '급식 당번하기 싫어서 안왔나 봐.'라는 정확하지 않은 추측의 말은 하지 않는 것이 바람직하다.

7 제시된 상황들은 모두 표절 사례로, 의사소통 윤리를 어긴 예이다. ②는 음악을 이용할 의도성이 없었으므로 저작권자의 허락을 받을 필요가 없으며, 의사소통 윤리를 지키지 않은 예에 해당하지 않는다.

오답 풀이

① 문제집과 참고서에 실린 내용의 저작권을 갖고 있는 저자나 출판사의 권리를 침해하는 행위이다.
② 인터넷에서 떠오는 글, 그림, 사진이더라도 저작권자에게 허락을 받지 않고 출처를 표시하지 않은 채 가져다 쓰면 안 된다.
④ 자기소개서 표절 행위로, 선배가 노력한 결과물을 정당한 절차 없이 베끼는 행위이다. 특히 자기소개서는 자신의 고유한 특성을 드러내는 자료인데 이를 베끼는 것은 학생 선발의 공정성을 침해한다는 문제도 발생시킨다.
⑤ 음원을 구입했다고 하더라도 이를 무단으로 배포하는 것은 저작권 침해에 해당한다. 저작물을 판매, 수정, 배포하는 등의 권한은 저작권자에게 있다.

8 〈보기〉로 볼 때 박상영 선수는 부진한 성적으로 힘든 상황이었다. 이런 상황에서 아버지의 진심 어린 격려가 담긴 편지를 읽었을 때 박상영 선수는 위로를 받고 힘을 얻었을 것이다.

오답 풀이

① '영아, 많이 힘들지?~마음이 아프네.'와 같이 아들의 힘든 상황에 대해 진심 어린 공감을 표현하고 있으므로 적절하지 않다.
②~④ 아들이 시련을 이겨 낼 것을 믿는다는 것을 강조하고 있을 뿐, 좋은 성적과 결과를 기대한다거나 자신의 꿈을 대신 이루어 달라는 내용은 찾을 수 없다.

9 (가)는 친구와 하는 일상 대화이기 때문에 격식에 얽매이지 않는 표현을 사용하고 있다. 반면 (나)는 학급 회의라는 공식적인 말하기 상황이기 때문에 격식을 갖춘 표현을 사용하고 있다.

오답 풀이

① 공간은 담화에 영향을 미치는 요소라고 할 수 있지만 (가), (나)의 여학

생의 표현이 달라진 것의 이유로는 보기 어렵다.

② 담화 참여자의 수가 많더라도 그것이 공적인 담화 상황이 아니라 친구끼리의 사적인 담화 상황이라면 반말을 사용하는 것이 알맞으므로, ②는 적절한 이유로 보기 어렵다.

③ (가), (나) 모두 쓰레기 분리배출을 잘 지키자는 내용을 말하고 있다.

⑤ (가)가 잘못을 지적하는 자리, (나)가 바라는 점을 말하는 자리로 정해져 있다는 설명은 적절하지 않다.

10 제시된 글은 언어문화가 공동체에 미치는 영향을 알 수 있는 사례이다. ㉠은 사소한 것에도 칭찬하고 감사하는 언어문화를 만들면서 전체적인 공동체의 분위기를 바람직하게 이끌어 가고 있다. ㉠으로 인해 새로운 언어 공동체를 형성하게 되었다는 내용은 찾을 수 없다.

6일 창의·융합·코딩 서술형 테스트 64~67쪽

• 범위 3단원 ~ 4단원

1 (가), (나)는 모두 한옥의 외풍이라는 문제를 제시하고 이에 대한 해결책으로 이중창을 들고 있으므로 이를 바탕으로 문제와 해결 방안을 작성한다.

평가 요소	확인 ☑
'문제'가 한옥의 외풍임을 제시하였다.	
'해결 방안'이 이중창임을 제시하였다.	
<조건>에 제시된 문장 형식으로 서술하였다.	

예시 답안
㉠: 한옥은 외풍이 세다. ㉡: 여닫이문과 미닫이문을 겹쳐서 이중창으로 하여 외풍을 막는다.

2 <보기>에서는 제도의 시행이 음식물 쓰레기양 감소에 미치는 영향을 알아내기 위해 제도 시행 전과 시행 후의 급식 잔반량을 비교하였다. 이를 참고할 때, 일정 기간 동안 자율 배식을 시행한 후 시행 전년도의 동일한 월과 급식 잔반량을 비교해 보는 연구 방법을 설계할 수 있다.

평가 요소	확인 ☑
일정 기간 동안 자율 배식을 시행한 후 시행 전후를 비교해 보는 방법을 제시하였다.	
시행 후 일정 기간 동안 배출된 급식 잔반량과 전년도의 동일한 기간 동안 배출된 급식 잔반량을 비교해 본다는 방법을 제시하였다.	

예시 답안
자율 배식을 한 달 동안 시행해 보고, 작년 동일한 월과 급식 잔반량을 비교해 봄으로써 학생 개개인과 학교 전체의 급식 잔반량이 감소되었는지 확인한다.

3 (나)는 여성의 입장에 치우쳐 있기에 공정성이 부족한 논거이다. 따라서 어느 한쪽에 치우쳐 있지 않은 (가)가 논거로 사용하기에 더 적절하다.

평가 요소	확인 ☑
(가)가 더 적절한 논거임을 제시하였다.	
(나)가 공정성이 떨어지는 논거임을 제시하였다.	

예시 답안
(나)는 공정성이 부족한 논거이므로 (가)가 더 적절하다.

4 제시된 표에서 설득하는 글의 예상 독자는 일반적인 운전자로 범위가 넓지만 건의하는 글의 예상 독자는 도시 계획을 담당하는 지방 정부 관계자로 범위가 매우 좁다.

평가 요소	확인 ☑
건의하는 글은 예상 독자의 범위가 좁음을 제시하였다.	

예시 답안
건의하는 글은 독자의 범위가 좁고 예상 독자가 분명히 정해져 있는 경우가 많다.

5 독서 감상문은 글쓴이가 책을 읽고 얻은 정서적 반응을 개인적으로 표현하는 글이다. 반면 서평은 글쓴이가 책에 대해 가치를 논하는 글로, 글쓴이의 주장을 담고 있어 설득적인 성격을 띤다.

평가 요소	확인 ☑
독서 감상문은 정서 표현적 측면이 있음을 제시하였다.	
서평은 설득적 성격을 띠고 있음을 제시하였다.	

예시 답안
독서 감상문은 책을 읽고 얻은 정서를 개인적으로 표현하는 글인 반면, 서평은 책에 대한 평가라는 글쓴이의 의견을 드러내는 글로 설득적인 성격을 띤다.

6 태은은 선생님과의 대화를 통해 자기소개서의 목적과 독자를 어떻게 고려할지 분석하고 있다. 태은은 연극부 선배들에게 자신을 알리고 부원으로 뽑히기 위하여 선배들이 원할 만한 능력(대본 이해 능력, 연기력)과 인성적 특성(협동심, 책임감)을 강조하여 자기소개서를 쓰려고 한다.

평가 요소	확인 ☑
책 속 인물을 따라 연기하는 것이 취미라는 점을 제시하였다.	
협동심과 책임감이 있다는 점을 제시하였다.	

예시 답안
어렸을 때부터 책을 읽고 책 속 인물을 따라 연기하는 것이 취미였다는 점과, 협동심이 있고 책임감이 강하다는 점을 쓰려고 한다.

7 인터넷 매체에는 사진, 음악, 동영상 등의 자료를 활용할 수 있으므로, 이와 같은 매체에 자기소개서를 제시할 때에는 자신을 잘 드러낼 수 있는 시각 자료를 활용하는 것도 좋다.

평가 요소	확인 ☑
인터넷 매체는 영상이나 사진과 같은 자료를 첨부할 수 있음을 제시하였다.	
〈조건〉을 충족하는 '자료의 예'를 적절하게 제시하였다.	

예시 답안
누리집 게시판은 사진과 동영상 등의 시각 자료를 첨부할 수 있으므로, 책 속 인물을 따라 연기하는 모습이 담긴 동영상(여러 사람과 함께 활동하는 모습이 담긴 사진)을 자기소개서에 활용할 수 있다.

8 친교의 내용을 표현하는 글을 쓸 때에는 글만이 의미 전달 수단이 되기 때문에 예의 바르고 공손한 표현을 사용하는 것이 중요하다.

평가 요소	확인 ☑
정중하고 예의 바른 표현을 사용해야 함을 제시하였다.	

예시 답안
친교의 내용을 표현하는 글을 쓸 때에는 정중하고 예의 바른 표현을 사용해야 한다.

9 제시된 자료들과 같이 자신의 삶을 기록해 놓으면 어느 정도 시간이 흐른 후 자신의 삶을 되돌아보고 성찰할 때 당시의 사건을 구체적으로 다시 떠올려 볼 수 있고, 당시의 생각과 느낌을 확인할 수 있어 자기를 성찰하는 글을 쓸 때 도움이 된다.

평가 요소	확인 ☑
과거 자신의 삶을 떠올려 보는 데에 도움이 됨을 제시하였다.	

예시 답안
자신의 삶을 되돌아볼 수 있고 과거를 생생하게 떠올리는 데에 도움이 되기 때문이다.

10 이용하고자 하는 저작물은 제시되었으므로, 〈보기〉의 2~5단계를 바탕으로 하여 이용 방법을 단계별로 서술한다.

평가 요소	확인 ☑
저작물이 보호 받는 것인지 확인해야 함을 제시하였다.	
이용 방식이 저작권법상 허용되는 방식인지 확인해야 함을 제시하였다.	
저작권자에게 이용 허락을 받아야 함을 제시하였다.	
저작권자에게 허락 받은 범위 내에서 이용해야 함을 제시하였다.	

예시 답안
㉠이 저작권법에서 정하고 있는 보호를 받는 저작물인지 확인한다. 영상에 음악을 삽입하는 것이 저작권법상 허용되는 방식인지 확인한다. 가수 ㄱ 씨에게 음악 제목과 이용 방법을 알리고 허락을 받는다. 영상에 저작자와 출처 표시를 명확하게 하고 허락을 받은 범위 내에서만 이용한다.

11 가은과 나은이 모두 위로의 말을 전하고 있지만 말로만 위로를 전하는 가은과 달리 나은은 걱정하고 위로하는 마음을 표정, 몸짓, 말투로 진실되게 표현하고 있다. 이처럼 대화할 때에는 상대방이 마음을 열 수 있도록 진심을 담은 자세로 상대방의 말에 집중하고 있음을 표현하며 공감하는 태도를 보이려고 노력해야 한다.

평가 요소	확인 ☑
나은에게 더 위로를 받았을 것임을 제시하였다.	
나은이 진심을 담은 표현을 하였음을 제시하였다.	

예시 답안
나은에게 더 위로를 받았을 것이다. 표정이나 몸짓, 말투에 진심을 담아 걱정하는 마음을 표현했기 때문이다.

12 공식적인 행사에 초청하는 초대장임을 고려하여 행사 내용과 일시, 장소, 행사 주체 등을 구체적으로 밝혀 적는다. 약도나, 행사의 목적과 내용에 부합하는 이미지를 삽입해도 좋다. 선배들을 대상으로 하는 공적인 성격의 글이므로 경어체와 정중한 표현을 사용한다.

평가 요소	확인 ☑
초대장의 형식을 한 가지 이상 제시하였다.	
독자와 목적을 고려했을 때 적절한 표현 방식을 한 가지 이상 제시하였다.	

예시 답안
행사 일시, 장소 등을 구체적으로 밝힌다. 경어체를 사용하여 정중하고 예의 바르게 표현한다.

7일 기말고사 기본 테스트 1회 68~73쪽

• 범위 3단원 ~ 4단원

1 ① **2** 바닷가에 비닐 쓰레기가 쌓이고, 이를 거북이가 먹이로 착각한 것이 원인이 되어 거북이들이 생명을 위협당하는 결과가 나타났으므로 인과 구조가 적절하다. **3** ③ **4** ⑤ **5** 조사 대상의 수, 연령, 성별 등에 대한 정보가 분명하게 제시되지 않아 타당성이 부족하다. **6** ③ **7** ② **8** ① **9** 자서전, 자신의 삶을 솔직하게 서술해야 한다. **10** ⑤ **11** ⑤ **12** 문제의 심각성에 대한 독자의 공감을 이끌어 내어 독자가 문제를 해결하겠다는 의지를 갖게 하기 위해서이다.(문제 상황을 구체적으로 표현하여 문제의 심각성에 대한 독자의 공감을 이끌어 내고 독자가 문제를 해결하겠다는 의지를 갖게 하기 위해서이다.) **13** ③ **14** ⑤ **15** ⑤ **16** ㉢, 이용 허락을 받은 저작물은 저작자에게 허락을 받은 범위 안에서 저작권법에서 허용되는 방식으로 이용할 수 있다. **17** ④ **18** ⑤ **19** 퇴계가 기대승을 존중하고 있음을 나타내기 위해서이다. **20** 공적인 내용을 다루며, 격식에 맞는 표현을 사용하였다. (가), (나)는 모두 공적인 담화 상황이기 때문이다.

1 〈보기〉에는 시간 순서에 따른 내용 조직 방법이 나타난다. '변천사'라는 단어를 통해 ①이 시간의 흐름에 따른 제도의 변화라는 내용임을 알 수 있다.

오답 풀이

②는 인과 구조, ③은 나열 구조, ④는 비교·대조 구조, ⑤는 문제 해결 구조가 효과적이다.

3 보고하는 글은 특정한 사안이나 현상에 대한 연구의 과정과 결과를 독자에게 전달하는 의도로 쓰는 글로, 실험 보고서, 관찰 보고서, 조사 보고서, 연구 보고서 등이 있다.

오답 풀이

① 정보를 전달하는 글
② 건의하는 글
④ 소개하는 글
⑤ 설득하는 글

4 글쓴이는 '나는 이러한 추세가 옳지 않다고 생각하며~반대한다', '노키즈존은 필요하지 않다'라며 노키즈존이 필요하지 않다는 자신의 주장을 직접적으로 드러내고 있다.

5 여론 조사가 타당성을 확보하기 위해서는 조사 인원도 충분히 확보되어야 하고, 연령이나 직업, 인원 등에 대한 정보가 제시되어 있어야 하는데 ㉠은 이러한 내용들이 포함되어 있지 않다.

평가 요소	확인 ☑
조사 대상에 대한 정보가 분명하게 제시되지 않았음을 제시하였다.	
조사 대상의 인원, 연령, 성별 등의 정보가 제시되지 않았음을 구체적으로 제시하였다.	

6 ㉡은 여성의 입장에 치우쳐 있기 때문에 공정성이 부족한 논거이다. 〈보기〉는 부모의 역할과 육아의 사회적 책임을 모두 언급하고 있어 공정성이 있는 논거이다.

오답 풀이

① 〈보기〉와 ㉡ 모두 의견을 낸 전문가의 소속과 이름을 밝히고 있으므로 출처가 분명하다.
② 〈보기〉와 ㉡ 모두 주장과 관련 있는 분야의 전문가가 낸 의견 논거이다.
④ 여성들의 입장에만 집중한 것은 〈보기〉가 아니라 ㉡이며, 이와 같은 이유로 ㉡이 〈보기〉와 비교했을 때 공정성이 떨어지는 논거라고 할 수 있다.
⑤ 〈보기〉와 ㉡ 모두 의견 논거이다.

7 적절한 비유적인 표현은 설득력을 높여 줄 수 있다. ㉢은 독자들이 잘 알고 있는 속담을 인용함으로써 노키즈존이 근본적인 해결책이 될 수 없고 임시방편에 불과함을 비유적으로 드러내고 있다.

오답 풀이

① 〈보기〉는 "'노키즈존'은 근본적인 해결책이 아니다"라고 직설적으로 표현하였다.
③ ㉢은 맥락에 알맞은 속담에 상황을 비유함으로써 독자의 빠른 이해를 돕고 있다.
④ 〈보기〉에는 이중 부정이 사용되지 않았다. ㉢의 '아닐 수 없다'에 이중 부정이 쓰였다.
⑤ 〈보기〉와 ㉢ 모두 노키즈존의 발생 원인을 일부 어른들의 책임으로 돌리고 있다.

8 비평하는 글은 대상이 지닌 가치에 대한 평가를 주장으로 내세우기 때문에 필자는 대상을 세분화하여 명확하게 정하는 것이 좋다.

오답 풀이

② 다양한 관점의 글을 읽으며 대상을 입체적으로 이해한다.
③ 수립한 관점은 글을 전개하는 내내 일관성 있게 유지하는 것이 중요하다.
④ 나와 다른 관점을 지닌 글이 지닌 문제점이나 약점은 나의 관점을 뒷받침하는 근거로 활용할 수 있다.
⑤ 미사여구를 지나치게 사용하면 필자의 관점이 잘 드러나지 않을 수 있으므로 간결한 표현을 사용하여 필자의 관점을 잘 전달한다.

9 자서전은 이야기 방식이나 분량의 제약이 없이 자유롭게 쓰는 글로, 자신의 삶을 솔직하게 서술하는 것이 중요하다.

평가 요소	확인 ☑
ⓐ가 자서전임을 제시하였다.	
자서전을 쓸 때에는 자신의 삶을 솔직하게 서술해야 함을 제시하였다.	

10 건의하는 글을 쓰는 필자는 요구 사항을 구체적으로 밝혀 써야 한다. 문제를 해결할 권한이 있는 독자가 필자의 요구 사항을 정확하게 이해하도록 해야 하기 때문이다.

11 '교실에 탈의 공간이 마련된다면~더 편해질 것입니다'에서 요구 사항이 실현되었을 때의 기대 효과를 이미 언급하였으므로 ⑤는 적절하지 않다.

12 글쓴이는 '매우 불편합니다'라고 문제 상황을 단편적으로 전달하지 않고, 탈의 공간이 없어 발생하는 현실적인 문제 상황을 구체적으로 표현하는 방향으로 글을 수정하였다. 이는 문제 상황이 심각하다는 것에 대한 교장 선생님의 공감을 이끌어 내어 글의 설득력을 높이려는 의도가 담긴 것으로 이해할 수 있다.

평가 요소	확인 ☑
문제 상황의 심각성에 대한 독자의 공감을 이끌어 내어 문제를 해결하고자 함을 제시하였다.	
'심각성', '공감', '해결'이라는 단어를 모두 활용하여 썼다.	
〈조건〉에서 제시한 문장 형식에 맞추어 썼다.	

13 자기소개서는 여러 가지 경험을 잡다하게 나열하지 말고 한두 가지 경험을 깊이 있게 쓰는 것이 좋다.

14 이 글은 어법에 맞는 말과 격식체를 사용하고 있는데, 이와 같은 표현을 통해 독자는 필자가 적절한 품성과 인성을 갖추고 있는지를 간접적으로 판단하게 된다. 자기소개서를 작성할 때에는 가벼운 표현, 비속어, 어법에 맞지 않는 말과 같이 품격에 맞지 않는 표현을 지양한다. 이와 같은 표현은 필자의 교양이나 인성을 의심하게 할 수 있다.

오답 풀이

① 격식체를 사용하였으며 가벼운 어조는 나타나지 않는다.
② 자신의 경험을 제시함으로써 인성과 인간관계 대처 능력을 드러내었으나 명언을 인용하지는 않았다.
③ 비유적 표현은 나타나지 않는다.
④ 과거형 문장을 사용하였다.

15 '귀하', '드림', '올림'은 보통 자신보다 나이가 많거나 지위가 높은 독자에게 예의를 갖추어 쓰는 관습적 표현으로 상황에 맞게 적절히 사용한다. 상투적이라서 삼가야 한다는 것은 적절하지 않다.

16 이용 허락을 받은 저작물이 저작자의 창작성을 침해하지 않더라도 그것이 저작자에게 허락받은 범위와 저작권법에서 허용되는 방식을 벗어난다면 사용할 수 없다.

평가 요소	확인 ☑
잘못된 내용의 기호로 ⓒ을 제시하였다.	
저작자에게 허락을 받은 범위 안에서 사용해야 함을 제시하였다.	
저작권법에서 허용되는 방식으로 사용해야 함을 제시하였다.	

17 이 글의 글쓴이는 자신의 이론을 수정하고 이에 대한 의견을 묻고 있을 뿐, 실수에 대한 변명은 하지 않았다.

18 친교의 내용을 표현하는 글을 쓸 때에는 자신의 마음을 진솔하게 표현한다. 거짓을 쓰거나 과장된 표현을 사용하면 독자에게 진심을 제대로 전달하기 어렵다.

19 ㉠의 '정자'는 벼슬의 이름으로 기대승이 과거에 급제하여 벼슬길에 올랐다는 것을 존중하고 있는 표현이다. ㉡은 기대승에게 관용적으로 쓰이던 격식 있는 인사말을 사용함으로써 예를 표현한 것이다. 필자가 나이 어린 독자에게 이러한 표현을 사용한 이유는 독자에 대한 존중을 나타내기 위해서라고 짐작할 수 있다.

평가 요소	확인 ☑
독자에 대한 존중과 배려의 표현임을 제시하였다.	

20 (가)와 (나)는 모두 회의 상황으로, 공동체의 구성원들이 모여 어떤 일에 대해 의논하는 공적인 담화 상황이다. 이에 정해진 담화 형식을 따르고, 격식에 맞는 표현을 사용하며, 공적인 내용을 말하는 등의 담화 관습이 나타난다.

평가 요소	확인 ☑
공통점으로 공적인 내용, 격식체 사용 등을 제시하였다.	
공통점이 나타나는 이유로 (가), (나)가 모두 공적인 담화 상황임을 제시하였다.	

7일 기말고사 기본 테스트 2회 74~79쪽

• 범위 3단원 ~ 4단원

1 ④ **2** ② **3** (라)와 같이 신뢰할 만하지 못한 자료를 활용하여 글을 쓰면 글에 잘못된 정보를 담을 수 있어 독자에게 혼란을 줄 수 있기 때문이다. **4** ② **5** 설득하는 글을 쓸 때 비유적 표현을 적절히 활용하면 필자의 주장을 더 쉽고 빠르게 전달할 수 있다.(독자에게 깊은 인상을 남길 수 있다.) **6** ③ **7** ⑤ **8** ④ **9** 다른 사람의 자기소개서를 베끼는 것은 학생 선발의 공정성을 침해하는 행위이기 때문이다. **10** ④ **11** 요구 사항이 받아들여졌을 때 나타날 긍정적인 기대 효과를 제시함으로써 글의 설득력을 높이기 위해서이다. **12** ⑤ **13** ⑤ **14** 글쓴이는 도서관 서가에서 번호표를 활용해 책을 쉽게 찾은 경험을 통해 지금까지 사람을 외적 조건으로만 판단했던 자신의 모습을 반성하고, 사람들이 가진 고유한 의미를 찾으며 사랑하는 삶을 살고 싶다고 하였다. **15** ① **16** ④ **17** ③ **18** ⑤ **19** ⑤ **20** ⑤

1 승준이 '주제를 쉽게 전달해서, 과학에 관심이 없는 친구들도 내용을 잘 이해했으면 좋겠어.'라고 한 것으로 볼 때, 태양계 행성에 대한 관심과 지식이 부족한 친구들을 예상 독자로 설정했음을 짐작할 수 있다.

2 (나)는 목성의 특징에 대한 내용으로 '태양계 행성의 특징'이라는 글의 주제와 부합하기 때문에 ②는 적절하지 않은 조언이다. 승준이 (나)가 '일부 학교 친구들에게는 내용이 조금 어렵게 느껴질 수 있겠'다고 판단하였으므로, 예상 독자의 수준과 맞지 않기 때문에 (나)를 활용하지 않는 것이 좋겠다고 조언하는 것이 적절하다.

3 〈보기〉를 통해 (라)가 잘못된 정보를 담은 자료임을 알 수 있다. 이러한 자료를 활용하여 쓴 글은 잘못된 정보를 담을 수 있어 독자에게 혼란을 줄 수 있으므로 신뢰할 만한 자료를 선별하여 글을 써야 한다.

평가 요소	확인 ☑
(라)가 신뢰할 만하지 못한 자료임을 제시하였다.	
신뢰할 만하지 못한 자료를 활용하여 글을 쓰면 독자에게 혼란을 줄 수 있음을 제시하였다.	

4 스마트폰 규제가 인권을 침해하는 행위임을 설득력 있게 전달하기 위해서는 학생의 의견보다는 해당 분야 전문가의 글이나 인터뷰 등을 논거로 활용하는 것이 더 적절하다.

5 ㉠은 힘든 상황을 비가 많이 오는 상황에, 요령 있는 대처 방법을 우산을 이용하는 것에 비유함으로써 독자의 이해를 돕고 독자에게 깊은 인상을 주고 있다.

6 통계 자료의 신뢰성을 높이기 위해서는 가급적 많은 인원이 설문에 참여할 수 있도록 해야 한다.

7 ⑤는 만 18세에게 선거권을 주지 않는 것이 문제가 되지 않는다는 주장을 뒷받침할 수 있는 내용이다.

8 '대부분 학생은 자기소개서를 잘 써야만 수시 전형에 합격할 수 있다고 생각한다.'라는 말로 볼 때, 일부가 아니라 대다수의 학생들이 자기소개서가 중요하다고 생각하고 있음을 알 수 있다.

9 자기소개서는 작성자의 고유한 특성을 드러내는 자료로, 대학에서 학생 선발의 근거로 활용하는 것이다. 이러한 자기소개서를 합격을 위해 표절하는 것은 학생 선발의 공정성을 침해하는 행위이다.

평가 요소	확인 ☑
'공정성'이라는 단어를 포함하여 대입 자기소개서의 표절이 문제가 되는 이유를 적절하게 제시하였다.	
'~하는 행위이기 때문이다.'의 문장 형식에 맞게 썼다.	

10 건의하는 글은 독자가 해당 사안과 관련된 사람으로 범위가 좁다. 이 글의 독자는 내용상 인천 시장이나 깽깽이풀 발견 지역의 지자체장으로 추측할 수 있으므로 다수의 일반적인 독자라는 설명은 적절하지 않다.

11 건의하는 내용을 받아들였을 때 기대할 수 있는 긍정적인 효과를 제시하면 독자가 건의 내용을 좀 더 쉽게 받아들일 수 있다. 〈보기〉는 요구 사항이 받아들여진다면 인천이 '모범적인 도시로 재탄생'하고, '관광객이 늘어날 수 있을 것'이라고 긍정적인 기대 효과를 제시하고 있다.

평가 요소	확인 ☑
㉠의 내용이 요구 사항이 받아들여졌을 때 나타날 기대 효과임을 제시하였다.	
㉠을 추가함으로써 글의 설득력을 높이고자 했음을 제시하였다.	

12 사실인지 확인할 수 없는 내용은 성급하게 판단하여 표현하지 않아야 한다.

13 이 글은 글쓴이가 도서관에서 번호표로 책을 찾은 경험을 통해 지금껏 자신이 사람들 개개인의 진정성을 파악하지 않고 겉만 보고 판단하였음을 깨닫고 이에 대한 부끄러움을 표현한 글이다.

14 글쓴이는 도서관 서가에서 번호표를 활용해 책을 쉽게 찾은 경험을 통해 지금까지 사람을 외적 조건으로만 판단했던 자신의 모습을 반성하고, 사람들이 가진 고유한 의미를 찾으며 사랑하는 삶을 살고 싶다고 하였다.

평가 요소	확인 ☑
도서관에서 번호표로 책을 찾은 경험을 제시하였다.	
사람을 외적 조건으로 판단한 것을 반성하였음을 제시하였다.	
사람마다 지닌 고유한 의미를 찾으며 사랑하고 싶음을 제시하였다.	

15 정서를 표현하는 글은 필자 중심의 글로, 예상 독자에 대한 인식이 다른 글에 비해 잘 드러나지 않는다. 예상 독자를 구체적으로 분석하고 고려하여 쓰기보다는 필자 자신의 경험과 깨달음에 중점을 두고 쓰는 글이다.

16 자신을 성찰하는 글을 쓰는 과정에서 필자는 자기와 자신의 삶에 긍정적인 의미를 부여할 수 있다.

17 자서전은 일정한 형식이나 분량의 제약 없이 필자의 삶을 진솔하게 쓴 글이므로 '일정한 형식과 분량에 맞추어'라는 진술은 적절하지 않다.

18 목소리의 크기는 대화가 이루어지는 상황에 맞게 적절히 조절해야 한다.

19 '우리 반은 연극을 해 봐도 좋을 것 같아.'라는 동희의 말을 부반장이 왜곡하여 반장에게 전달했기 때문에 오해가 발생하였다. 의사소통을 할 때에는 자신이 전하고자 하는 내용이 사실인지, 타인에게 해를 주지 않는 것인지 등을 신중하게 판단해야 한다.

20 말과 글의 내용을 구성할 때 역시 언어 공동체의 규범과 가치를 고려해야, 즉 화법과 작문의 관습을 고려해야 한다. 또한 이렇게 말과 글의 내용을 잘 구성했다고 하더라도, 형식과 표현 방식 면에서 화법과 작문의 관습을 고려하지 않는다면(예 보고서의 형식을 지키지 않고 보고서를 씀, 예의 바르고 공손한 표현을 사용하지 않음) 원활한 의사소통을 하기 어렵다.

기말고사 대비

필수 어휘 모아 보기

필수 어휘 모아 보기 활용 안내

- 쉽고 재미있는 문제로 **단원별 필수 어휘** 익히기!
- **교과서**에서 뽑은 예시 문장으로 **내용 학습**에, **개념 학습**까지 **한 번 더!**

1-(1) 정보를 전달하는 글 쓰기

1 빈칸에 들어갈 말을 찾아 바르게 연결하시오.

1 지나치게 오래되어 ______이 떨어지는 정보는 신뢰할 만한 정보가 아니다. • • ㉠ 선별

보람 있게 쓰거나 쓰임. 또는 그런 보람이나 쓸모

2 정보 전달의 효과를 높이기 위해 정보를 과장, 축소, ______해서는 안 된다. • • ㉡ 왜곡

사실과 다르게 해석하거나 그릇되게 함.

3 정보를 전달하는 글에서 ______인 표현은 독자가 글을 이해하는 데 방해가 된다. • • ㉢ 효용

말이나 글이 어떤 뜻을 속에 담고 있는 것

4 정보 전달을 위한 글을 쓸 때에는 가치 있고 신뢰할 만한 정보를 ______해야 한다. • • ㉣ 중의적

가려서 따로 나눔.

5 정보 전달의 효과를 높이기 위해 ______으로 해석되는 표현은 사용하지 않아야 한다. • • ㉤ 함축적

한 단어나 문장이 두 가지 이상의 뜻으로 해석될 수 있는 것

2 다음 설명에 해당하는 내용 조직 방법을 골라 ○표 하시오.

1 일이 일어난 원인과 결과에 따라 내용을 조직하는 방법 [나열 구조 | 인과 구조]

2 사건이 일어난 경과나 공간의 이동에 따라 내용을 조직하는 방법 [비교·대조 구조 | 순서 구조]

3 서로 대등한 관계에 있는 정보를 늘어놓아 내용을 조직하는 방법 [나열 구조 | 문제 해결 구조]

4 발생한 문제와 그 해결 방안을 중심으로 하여 내용을 조직하는 방법 [문제 해결 구조 | 순서 구조]

5 설명 대상 사이의 공통점 혹은 차이점을 중심으로 하여 내용을 조직하는 방법 [비교·대조 구조 | 인과 구조]

정답 1 1 ㉢ 2 ㉡ 3 ㉤ 4 ㉠ 5 ㉣ 2 1 인과 구조 2 순서 구조 3 나열 구조 4 문제 해결 구조 5 비교·대조 구조

1-(2) 보고하는 글 쓰기

1 빈칸에 들어갈 말을 찾아 바르게 연결하시오.

1 보고하는 글을 쓸 때에는 쓰기 ______ 을/를 준수해야 한다. • • ㉠ 윤리
사람으로서 마땅히 행하거나 지켜야 할 도리

2 보고하는 글을 쓸 때에는 ______ 의 과정과 결과가 잘 드러나게 해야 한다. • • ㉡ 도출
어떤 일이나 사물에 대하여 깊이 있게 조사하고 생각하여 진리를 따져 보는 일

3 보고하는 글의 결론 부분에서는 연구 내용의 요약, 결론, ______ 을/를 제시한다. • • ㉢ 연구
의견이나 생각을 내놓음. 또는 그 의견이나 생각

4 보고하는 글의 결과가 처음 의도와 다르게 ______ 되었다 하더라도 그대로 써야 한다. • • ㉣ 제언
판단이나 결론 따위를 이끌어 냄.

2 빈칸에 들어갈 알맞은 어휘를 <보기>에서 찾아 쓰시오.

보기

기술　구체적　객관적　정교화

1 보고하는 글을 쓸 때에는 모든 과정과 결과를 사실대로 ______ 해야 한다.
대상이나 과정의 내용과 특징을 있는 그대로 열거하거나 기록하여 서술함.

2 연구의 대상이 사람일 경우, 연구 대상자의 특성을 ______ 이고 정확하게 쓴다.
사물이 직접 경험하거나 지각할 수 있도록 일정한 형태와 성질을 갖추고 있는 것

3 보고하는 글을 쓸 때에는 실험, 관찰, 조사, 연구 등의 과정을 ______ (으)로 전달해야 한다.
자기와의 관계에서 벗어나 제삼자의 입장에서 사물을 보거나 생각하는 것

4 보고하는 글을 쓸 때에는 연구가 가져올 결과를 예상해 봄으로써 계획한 연구 방법을 ______ 할 수 있다.
치밀하여 빈틈이 없고 자세하게 만듦.

정답 1 1 ㉠ 2 ㉢ 3 ㉣ 4 ㉡ 2 1 기술 2 구체적 3 객관적 4 정교화

2-(1) 설득하는 글 쓰기

1 다음 뜻풀이에 알맞은 말을 찾아 바르게 연결하시오.

1 이론이나 이치에 합당한 성질 • • ㉠ 논거

2 모든 것에 두루 미치거나 통하는 것 • • ㉡ 보편적

3 독자가 납득하고 수용할 만한 타당하고 믿을 만한 근거 • • ㉢ 선입견

4 어떤 분야에 대한 많은 지식, 경험, 기술 등을 가지고 있는 특성 • • ㉣ 전문성

5 어떤 대상에 대하여 이미 마음속에 가지고 있는 고정적인 관념이나 관점 • • ㉤ 합리성

2 다음 설명에 해당하는 말을 골라 ○표 하시오.

1 권위 있는 사람이나 전문가의 생각 [사실 논거 | 의견 논거]

2 구체적이고 객관적인 사례로서의 실제적인 근거 [사실 논거 | 의견 논거]

3 논거 자체가 믿을 만한지에 대한 것 [공정성 | 신뢰성]

4 논거가 어느 한쪽에 치우치지는 않았는지에 대한 것 [공정성 | 타당성]

5 논거가 주장을 뒷받침할 수 있을 정도로 합리적이고 객관성을 갖추었느냐에 대한 것 [신뢰성 | 타당성]

정답 1 1 ㉤ 2 ㉡ 3 ㉠ 4 ㉣ 5 ㉢ 2 1 의견 논거 2 사실 논거 3 신뢰성 4 공정성 5 타당성

3 다음 설득하는 글 쓰기 상황에서 필자가 고려한 작문 맥락을 찾아 알맞게 이으시오.

1 어린이를 대상으로 글을 쓸 때 쉽고 재미있는 어휘와 문장을 사용한다. • • ㉠ 매체

2 사설과 같이 긴 글과 광고문과 같이 짧은 글을 쓸 때 설득 전략을 달리한다. • • ㉡ 독자

3 신문에 기고할 글을 쓸 때와 인터넷 커뮤니티에 게시할 글을 쓸 때 설득 전략을 달리한다. • • ㉢ 주제

4 '과식을 하지 말자.'라는 내용의 글을 쓸 때 과식이 몸에 미치는 영향을 다룬 의사의 인터뷰를 논거로 사용한다. • • ㉣ 글의 유형

4 다음 문장에 사용된, 글의 설득력을 높여 주는 표현 방법을 골라 ○표 하시오.

1 우리 속담에 '구더기 무서워 장 못 담근다.'라는 말이 있다. [비유법 | 인용]

2 이런 이유로 청소년의 흡연 행위를 걱정하지 않을 수 없다. [이중 부정 | 인용]

3 기부는 꼭 돈이 많은 사람, 유명한 사람만이 할 수 있는 것일까? [설의법 | 이중 부정]

4 힘든 상황에 처했을 때 무조건 맞서는 것만이 능사는 아니다. 비가 많이 올 때는 우산도 이용할 줄 알아야 하는 것이다. [비유법 | 설의법]

정답 3 1 ㉡ 2 ㉣ 3 ㉠ 4 ㉢ 4 1 인용 2 이중 부정 3 설의법 4 비유법

부록

2-(2) 비평하는 글 쓰기

1 다음 뜻풀이에 알맞은 말을 찾아 바르게 연결하시오.

1 책에 대한 평가를 담은 글 • • ㉠ 비평

2 아름다운 말로 듣기 좋게 꾸민 글귀 • • ㉡ 서평

3 사물의 옳고 그름, 아름다움과 추함 따위를 분석하여 가치를 논함. • • ㉢ 칼럼

4 이전부터 의논하여 오면서도 아직 해결되지 않은 채 남아 있는 문제나 의안 • • ㉣ 현안

5 주로 시사, 사회, 풍속 따위에 관하여 짧게 평을 하는 신문, 잡지 따위의 특별 기고 • • ㉤ 미사여구

2 빈칸에 들어갈 알맞은 어휘를 <보기>에서 찾아 쓰시오.

보기

논쟁 간과 투영 일관성

1 비평하는 글을 쓸 때에는 자신의 관점을 ______ 있게 유지하는 것이 좋다.
방법이나 태도 따위가 한결같은 성질

2 영화 속 등장인물들의 삶에 ______ 된 당대의 사회상을 비평하는 글을 쓸 수도 있다.
어떤 일을 다른 일에 반영하여 나타냄.

3 이 사건을 언론의 문제로 여기는 관점은, 정확한 정보를 신중하게 전달해야 할 개인의 책임을 ______ 하였다.
큰 관심 없이 대강 보아 넘김.

4 비평하는 글을 쓸 때 관점을 신중하게 정해야 하는 이유는 필자의 주장이 ______ 을/를 불러일으킬 수도 있기 때문이다.
서로 다른 의견을 가진 사람들이 각각 자기의 주장을 말이나 글로 논하여 다툼.

정답 1 1 ㉡ 2 ㉤ 3 ㉠ 4 ㉣ 5 ㉢ 2 1 일관성 2 투영 3 간과 4 논쟁

2-(3) 건의하는 글 쓰기

1 빈칸에 들어갈 말을 찾아 바르게 연결하시오.

1 건의하는 글은 설득하는 글과 달리 독자가 상당히 ( ) 이다. • • ㉠ 동정
실제적이고 자세한 것

2 건의하는 글의 목적은 독자의 행동을 ( ) 하여 문제 상황을 해결하는 것이다. • • ㉡ 쟁점
급하게 재촉하여 요구함.

3 건의하는 글은 현안의 ( ) 을/를 파악하고 그 현안을 해결할 방안을 담은 글이다. • • ㉢ 호감
서로 다투는 중심이 되는 점

4 건의하는 글을 쓸 때에는 독자가 필자에게 ( ) 을/를 느낄 수 있도록 공손하고 예의 바른 표현을 사용한다. • • ㉣ 촉구
좋게 여기는 감정

5 건의하는 글을 쓸 때 문제 상황에 대한 독자의 공감을 이끌어 내기 위해 ( ) 에 호소하는 방법을 쓸 수 있다. • • ㉤ 구체적
남의 어려운 처지를 자기 일처럼 딱하고 가엾게 여김.

부록

2 빈칸에 들어갈 알맞은 어휘를 <보기>에서 찾아 쓰시오.

보기

규범 개선 공익성 비합리적

1 건의문을 씀으로써 우리 주변의 문제를 ( ) 할 수 있다.
잘못된 것이나 부족한 것, 나쁜 것 따위를 고쳐 더 좋게 만듦.

2 건의문에서 제시한 해결 방안이 ( ) 일 경우 독자가 거부감을 가질 수 있다.
정당한 이치나 도리에 맞지 않는 것

3 건의문의 해결 방안은 개인의 이익 실현을 위한 것이 아니라 ( ) 을 갖춘 것이어야 한다.
영리를 목적으로 하지 않고 공공의 이익을 도모하는 성질

4 건의문에서 해결 방안을 제시할 때 도덕적 ( ) 에 어긋나는 방안을 제시하지 않도록 주의한다.
인간이 행동하거나 판단할 때에 마땅히 따르고 지켜야 할 가치 판단의 기준

정답 1 1 ㉤ 2 ㉣ 3 ㉡ 4 ㉢ 5 ㉠ 2 1 개선 2 비합리적 3 공익성 4 규범

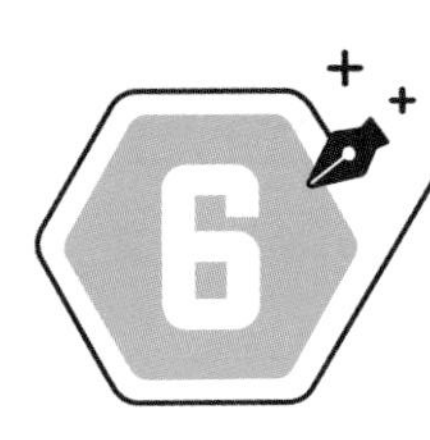

3-(1) 자기를 소개하는 글 쓰기

1 빈칸에 들어갈 말을 찾아 바르게 연결하시오.

1 취업을 위한 자기소개서의 독자는 지원한 기업의 ______ 담당자이다.
관리나 직원의 임용, 해임, 평가 따위와 관계되는 행정적인 일

2 취업을 위한 자기소개서의 경우 지원 동기, 입사 후 ______ 등을 중심으로 서술한다.
마음속에 지니고 있는, 미래에 대한 계획이나 희망

3 자기소개서를 쓸 때에는 친구들과 ______ 없이 사용하는 가벼운 표현은 피하는 것이 좋다.
서로 터놓지 않는 속마음

4 작문 ______(이)란 글을 쓸 때 필자가 고려해야 하는 주제, 목적, 독자, 매체, 필자의 입장 등을 말한다.
사물 따위가 서로 이어져 있는 관계나 연관

5 자기소개서를 쓸 때에는 여러 가지 경험을 잡다하게 ______하지 말고 한두 가지 경험을 깊이 있게 쓴다.
죽 벌여 놓음. 또는 죽 벌여 있음.

㉠ 나열
㉡ 격의
㉢ 맥락
㉣ 인사
㉤ 포부

2 다음 빈칸에 들어갈 알맞은 말에 ○표 하시오.

1 자기소개서를 쓸 때에는 ______ 있는 표현을 사용하여야 한다. [권위 | 품격]
사물 따위에서 느껴지는 품위

2 독자의 관심을 끄는 자기소개서를 쓰기 위해서는 ______인 표현을 피해야 한다. [상투적 | 독창적]
늘 써서 버릇이 되다시피 한 것

3 자기소개서를 쓸 때 내용을 강조하고 싶은 부분에서는 속담, 격언, ______ 표현 등을 적절히 사용할 수 있다. [관용 | 과장]
오랫동안 써서 굳어진 대로 늘 씀.

4 자기소개서에 비속어, 어법에 맞지 않는 말을 사용하면 필자의 ______을 의심받게 된다. [교양 | 의견]
학문, 지식, 사회생활을 바탕으로 이루어지는 품위. 또는 문화에 대한 폭넓은 지식

정답 1 1 ㉣ 2 ㉤ 3 ㉡ 4 ㉢ 5 ㉠ 2 1 품격 2 상투적 3 관용 4 교양

3-(2) 친교의 내용을 표현하는 글 쓰기

1 다음 뜻풀이에 알맞은 말을 찾아 바르게 연결하시오.

1 편지글은 '서두–사연–결미–　　　　'의 형식을 지닌다. • • ㉠ 안부

뒤에 덧붙여 말한다는 뜻으로, 편지의 끝에 더 쓰고 싶은 것이 있을 때에 그 앞에 쓰는 말

2 　　　　의 내용을 표현하는 글은 초대, 부탁, 감사 등 다양한 목적으로 쓴다. • • ㉡ 귀하

친밀하게 사귐. 또는 그런 교분

3 웃어른에게 편지를 쓸 때에는 　　　　 인사를 좀 더 길게 써서 예의를 표현할 수 있다. • • ㉢ 친교

어떤 사람이 편안하게 잘 지내고 있는지를 인사로 묻거나 전하는 일

4 'OOO 선생님 　　　　'와/과 같이 직함 뒤에 　　　　을/를 쓰면 오히려 예의에 어긋난 표현이 된다. • • ㉣ 추신

편지글에서, 상대편을 높여 이름 다음에 붙여 쓰는 말

2 빈칸에 들어갈 알맞은 어휘를 <보기>에서 찾아 쓰시오.

보기: 청빈　　영예　　논박　　박식

1 그대의 　　　　 을/를 듣고 나서 더욱 잘못되었음을 알았습니다.

어떤 주장이나 의견에 대하여 그 잘못된 점을 조리 있게 공격하여 말함.

2 견문이 좁은 제가 　　　　 한 그대에게서 도움받은 것이 많았습니다.

지식이 넓고 아는 것이 많음.

3 　　　　 롭게 돌아온 뒤로 몸가짐과 마음가짐이 나날이 더욱 귀하고 풍성해졌을 것으로 생각합니다.

영광스러운 명예

4 그녀는 오스트리아 정부가 주는 최저 수준의 국가 연금만으로 　　　　 한 노후를 보내고 있다.

성품이 깨끗하고 재물에 대한 욕심이 없어 가난함.

정답 1 1 ㉣ 2 ㉢ 3 ㉠ 4 ㉡ 2 1 논박 2 박식 3 영예 4 청빈

부록

4-(1) 정서를 표현하는 글 쓰기

1 다음에서 설명하는 알맞은 말을 찾아 바르게 연결하시오.

1 여행을 하면서 보고 들은 것과 느낀 것을 자유롭게 쓴 글 • • ㉠ 수필

2 문학, 연극, 영화, 미술, 음악 등에 대한 필자의 생각이나 느낌을 표현한 글 • • ㉡ 감상문

3 일상 속에서 의미 있는 체험을 하거나 사물의 특별한 의미를 발견하고 그것에 대한 정서를 진솔하게 표현한 글 • • ㉢ 기행문

2 다음 빈칸에 들어갈 알맞은 말에 ○표 하시오.

1 정서를 표현하는 글은 ______ 중심의 글이다.
글을 쓴 사람. 또는 쓰고 있거나 쓸 사람

독자	필자

2 자신의 부끄러운 모습을 있는 그대로 드러낸 부분에서 필자의 ______이 느껴진다.
참되고 올바른 성질이나 특성

진정성	감수성

3 정서를 표현하는 글에서 필자의 개성은 그만의 독특한 ______에서 드러나기도 한다.
문장의 개성적 특색

문체	문어체

4 일상 속 대상과 사건을 ______ 관찰한 뒤 그것과 우리 삶의 관련성을 발견해야 한다.
자세하고 빈틈이 없게

면밀히	소홀히

5 과장이나 ______ 없이 보고 느낀 것을 그대로 드러낸 글은 독자에게 감동을 줄 수 있다.
사실과 다르게 해석하거나 그릇되게 함.

수정	왜곡

정답 1 1 ㉢ 2 ㉡ 3 ㉠ 2 1 필자 2 진정성 3 문체 4 면밀히 5 왜곡

4-(2) 자기를 성찰하는 글 쓰기

1 **다음에서 설명하는 알맞은 말을 찾아 바르게 연결하시오.**

1 필자 자신의 일생에 대해 쓴 전기 • • ㉠ 일기

2 자신의 삶의 체험을 기억하고 간직하기 위한 개인적인 기록 • • ㉡ 자서전

3 필자가 자신의 삶 가운데 의미 있는 사건을 되돌아보고 독자에게 전할 만한 가치가 있는 내용을 기록한 글 • • ㉢ 회고문

2 **빈칸에 들어갈 알맞은 어휘를 <보기>에서 찾아 쓰시오.**

보기

감회 성찰 자기표현

1 자기를 성찰하는 글은 ______ 적인 요소가 강한 것이 특징이다.
자기의 내면적인 생각이나 생활을 겉으로 드러내 보임.

2 일기를 쓸 때에는 사건만 나열하지 말고 당시 느꼈던 ______ 을/를 포함하는 것이 좋다.
마음속에 일어나는 지난 일에 대한 생각이나 느낌

3 자기의 삶을 ______ 하는 글을 쓰는 과정에서 필자는 자기와 자신의 삶에 대해 긍정적인 의미를 부여할 수 있다. 자기의 마음을 반성하고 살핌.

3 **다음 빈칸에 들어갈 알맞은 말에 ○표 하시오.**

1 자서전은 대체로 ______ 순서로 서술하는 것이 일반적이나, 자신의 삶을 시기별 혹은 주제별로 나누어 쓰기도 한다. 공간 | 시간

2 회고문의 필자는 자신의 삶에 변화를 가져온 중대한 사건에 대해 쓰게 되는데, 이 과정에서 자신의 삶을 성찰하게 되므로 회고문은 ______ 성격이 강하다. 반성적 | 진취적

정답 1 1 ㉡ 2 ㉠ 3 ㉢ 2 1 자기표현 2 감회 3 성찰 3 1 시간 2 반성적

10 (1) 화법과 작문의 윤리

1 빈칸에 들어갈 말을 찾아 바르게 연결하시오.

창작물에 대해 저작자나 그 권리를 이어받은 사람이 가지는 독점적·배타적 권리

1 ______ 은/는 사람의 정신적 노력에 따른 결과물에 대해 그것을 창작한 사람에게 주는 권리이다. • • ㉠ 인용

2 공표된 저작물에 한해 정당한 범위 내에서 저작자의 동의를 구하여 사용하는 것은 ______ (이)라고 한다. • • ㉡ 출처

남의 말이나 글을 자신의 말이나 글 속에 끌어 씀.

3 저작권을 지키지 않고 다른 사람의 글이나 자료, 아이디어의 일부 또는 전체를 그대로 베끼는 행위를 ______ (이)라고 한다. • • ㉢ 표절

시나 글, 노래 따위를 지을 때에 남의 작품의 일부를 몰래 따다 씀.

4 다른 사람의 창작물은 허용 범위 안에서 이용할 수 있으며, 허락을 받았다고 하더라도 자료의 ______ 을/를 반드시 밝혀야 한다. • • ㉣ 저작권

사물이나 말 따위가 생기거나 나온 근거

2 빈칸에 들어갈 알맞은 어휘를 <보기>에서 찾아 쓰시오.

보기

저하　　물의　　인용 부호　　지적 재산

1 그는 왜곡된 정보를 공유하여 사회적으로 ______ 을/를 일으켰다.

어떤 사람 또는 단체의 처사에 대하여 많은 사람이 이러쿵저러쿵 논평하는 상태

2 다른 사람의 생각이나 말, 글 등은 모두 ______ (으)로 인정받을 수 있다.

지적 활동으로 인하여 발생하는 모든 재산

3 표절은 창작자의 의욕을 ______ 시켜 우리 사회의 문화 발전에 부정적인 영향을 끼칠 수 있다.

정도, 수준, 능률 따위가 떨어져 낮아짐.

4 다른 사람의 글을 인용할 때에는 ______ 을/를 사용하거나 문단을 바꿔 제시하여 인용문임을 나타낸다.

남의 말이나 글을 자신의 말이나 글 속에 끌어 쓸 때 이를 표시하기 위하여 붙이는 부호

정답 1 1 ㉣ 2 ㉠ 3 ㉢ 4 ㉡ 2 1 물의 2 지적 재산 3 저하 4 인용 부호

(2) 진심을 담은 의사소통

1 빈칸에 들어갈 말을 찾아 바르게 연결하시오.

1 진정한 의사소통의 시작은 상대방과의 ______이다. •
말로 하지 않아도 서로의 감정이나 생각을 느낌.

2 말과 글은 정서를 ______하는 데 중요한 역할을 한다. •
능력이나 품성 따위를 길러 쌓거나 갖춤.

3 화법과 작문은 의사소통 참여자 사이의 ______(으)로 이루어진다. •
짝을 이루거나 관계를 맺고 있는 이쪽과 저쪽 사이에서 이루어지는 작용

4 의사소통 당시에는 상대방이 나를 속이고 있다는 ______을/를 파악하지 못할 수 있지만, 진실은 결국 드러나기 마련이다. •
일의 사정과 상황

• ㉠ 교감
• ㉡ 함양
• ㉢ 정황
• ㉣ 상호 작용

2 다음 빈칸에 들어갈 알맞은 말에 ○표 하시오.

1 상대와 교감을 이루기 위한 가장 기본적인 전제는 '______'이다. [성찰 | 진심]

2 진심을 담은 의사소통을 위해서는 상대방을 존중하고 ______하는 태도를 갖추어야 한다. [배려 | 배척]

3 말을 할 때에는 상대와 눈을 맞추고 진심을 담아 ______인 태도를 보이려 노력해야 한다. [공감적 | 가식적]

정답 1 1 ㉠ 2 ㉡ 3 ㉣ 4 ㉢ 2 1 진심 2 배려 3 공감적

(3) 화법과 작문의 관습과 바람직한 언어문화

1 다음에서 설명하는 알맞은 말을 찾아 바르게 연결하시오.

1 여러 공동체 중에서 같은 언어를 사용하는 사회 집단 • • ㉠ 공손성

2 의사소통 과정에서 자신의 생각과 감정을 진실하게 드러내는 특성 • • ㉡ 진실성

3 사회적 의사소통 상황에서 개인이 조화롭게 상호 교류를 유지할 수 있는 특성 • • ㉢ 언어 공동체

4 언어 공동체들이 언어 사용의 형식, 내용, 소통 방식 등에서 지니는 고유한 규범과 가치 • • ㉣ 화법 관습, 작문 관습

2 빈칸에 들어갈 알맞은 어휘를 <보기>에서 찾아 쓰시오.

보기

경조사 기조연설 이상 기후

1 학회 등의 회의에서는 중요 인물의 ( ) 로 회의를 시작하는 경우가 많다.
국회나 학회 등에서 중요한 인물이 참석자들 앞에서 회의의 취지나 방향, 정책 등을 설명하는 것

2 지구 온난화에 따른 ( ) 때문에 브라질은 폭우, 가뭄 등의 재해를 겪고 있다.
기온이나 강수량 따위가 정상적인 상태를 벗어난 상태

3 잔치나 상가 등 ( ) 에 참석하여 예를 갖추어 말하는 것은 담화 관습 형식의 한 예이다.
경사스러운 일과 불행한 일

정답 1 1 ㉢ 2 ㉡ 3 ㉠ 4 ㉣ 2 1 기조연설 2 이상 기후 3 경조사

book.chunjae.co.kr

교재 내용 문의 ·························· 교재 홈페이지 ▸ 고등 ▸ 교재상담
교재 내용 외 문의 ·························· 교재 홈페이지 ▸ 고객센터 ▸ 1:1문의
발간 후 발견되는 오류 ·························· 교재 홈페이지 ▸ 고등 ▸ 학습지원 ▸ 학습자료실